겨레의 작은 역사 **방언**

일러두기

* '떡쉬움이'는 2022년 7월 겨레말큰사전 웹진에 실린 어휘이다.
* '해개먹음이와 달개먹음이'는 2012년 〈이데일리〉 칼럼에 실린 어휘이다.

우리말글문화
총서 03

겨레의 작은 역사
방언

이길재 지음

개정판

마리북스

방언은
우리의 정서를 가장 적절하게
담아내는 그릇이다

이 책을 쓰기 위해 자료를 수집해 정리하고, 글감을 찾아내는데 꽤 오랜 시간이 걸렸다. 그러나 기나긴 수고로움의 대가를 글을 쓰면서 흠뻑 보상받을 수 있었다. 한 번도 가 보지 못한 지역의 주민들이 쓰는 말을 통해 그 지역 사람들의 문화와 정서를 고스란히 느낄 수 있었기 때문이다.

'물'의 다른 말 '오리방석'을 접했을 때, '일식'의 다른 말 '해개먹음'을 접했던 순간에 그랬다. 오리가 방석으로 쓰는 것이 '물'이고, 까막나라의 불개가 해를 물은 흔적은 '일식'이다. 어떻게 이런 생각을 할 수 있었을까?

비록 투박해 보이고 어딘지 어설픈 느낌도 들지만, 필자는 그 말맛에 아직도 손에서 지역어를 내려놓지 못하고 살아가고 있다. 앞으로도 계속 그럴 생각이다.

'언어란 무엇인가' 하는 본질적인 질문은 중요하지 않다. 이미 우리는 그것이 얼마나 어리석은 질문인지 알고 있으며, 그 질문 뒤에 숨겨진 인간의 허영심도 알고 있다. 언어의 면면을 낱낱이 들여다봤을 때, 비로소 그것이 얼마나 아름다운지를 알 수 있게 된다. 심마니의 은어로 풋내기 심마니를 뜻하는 '날소댕이'를 분석하면서 '날-'이 무엇인지는 쉽게 알 수 있었다.

그런데 '소댕이'는 여기저기 찾아보아도 '쇠솥을 덮는 쇠뚜껑'인 '소댕'만 확인할 수 있었다. 한참을 고민하다가 '소댕이'의 이전 형태는 '소당이'일 수도 있겠다는 생각에 '소당이'를 찾아봤더니, 어느 사전에 '처음 입산하는 자'라고 풀이된 것을 찾아낼 수 있었다. 그 순간의 기쁨은 이루 말할 수가 없었다.

표준어는 늘 우리를 이분법적 사고에 빠져들게 한다. '새치롬하다'를 찾으면 '새치름하다'의 잘못이라고 알려 준다. 언어에도 옳고 그름이 있는 것일까? 우리가 촌스럽거나 투박하다고 생각하는 방언은 사실 우리의 정서를 가장 적절하게 담아내는 그릇이자, 지역의 정체성을 나타내는 수단이며 지역문화를 가장 잘 읽어 낼 수 있는 핵심이다. 이를 지키려는 수고로움은 계속되어야 할 것이다.

끝으로 방언학을 전공할 수 있도록 이끌어 주신 최전승 선생님께 진심으로 감사드리며, 책을 쓰는 과정에서 아낌없는 조언을 해 주신 정유남 선생님께도 감사드린다.

ㅇㅅㅁ

2023년 봄에 초판이 나오고 이번 가을에 개정판을 내게 되었다. 개정판을 낼 수 있도록 배려해 주신 민현식 이사장님과 사업회에 진심으로 감사드린다. 이번 개정판에서는 초판에 꼭 싣고 싶었으나 여러 가지 이유로 싣지 못했던 '불술기'와 '슴둥'을 싣게 되어 더욱 기쁘다.

이 한 권의 책이 우리 겨레의 작은 역사를 잇는 징검다리가 되기를 소망한다.

2023년 가을
이길재

차례

첫째마당
겨레의 작은 역사

둘째마당

간직해야 할 소중한 유산

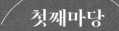

첫째마당

겨레의
작은 역사

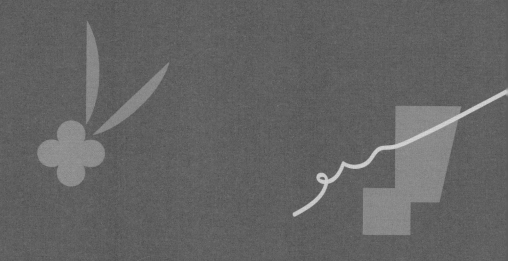

깔끄막

ㅅ ㅇ ㅁ

#가풀막 #가푸악 #꼬들배기 #여부래기 #갈쿠막
#갈크막 #까꼬막 #까꾸막 #까끄막 #깔꾸막

나가서 **깔끄막**에 올랐더니 인자 막 뻗어갈라고 하는 호박 넌출이 바람소리에 놀랬는지, 갯돌 구르는 소리에 겁이 났는지 폴새 바닥에 묻혀 있습디다.

_채희윤, 〈높새바람 불다〉,《스무고개 넘기》

저것덜이 요 왼편짝 **깔끄막으로** 올라붙을라고 허는 것잉께 우리넌 죽은 디끼 있다가 저 잡것덜이 **깔끄막** 중테기(중턱) 쪼간(조금) 우에 쩌그 참나무 뵈제라?

_조정래,《태백산맥》

'깔끄막'은 '가파르게 비탈진 곳'이라는 뜻을 가진 말이다. 이 말은 필자에겐 더없이 친숙한 말이다. 어렸을 때부터 듣고 써 오던 말이기 때문이다. '깔끄막'은 '가풀막'의 방언형이고, 표준어 '가풀막'은 '가팔막'이 변한 말이다. '가팔막'은 '가파르-'가 줄어든 '가팔'과 '그렇게 된 곳'이라는 뜻을 더하고 명사를 만드는 접사 '-막'이 결합된 말이다.

비니루 푸대는 깔끄막을 타고

필자가 어렸을 때, 흙먼지 날리는 신작로에서 동네로 내려오는 고샅길은 제법 경사가 있는 '깔끄막질(깔끄막이 진 길)'이었다. 눈이 내리면 그곳은 아이들에겐 더없이 좋은 놀이터가 되었다. 밤새 눈이 쌓여 새하얀 아침이 밝으면, 아이들은 아침을 먹는 둥 마는 둥 너나없이 깔끄막질로 모여들었다. 그 아이들 손에는 누구나 할 것 없이 '비니루 푸대(비료 포대)'가 하나씩 들려 있었다. 그나마 꽤 사는 집 아이들은 그 안에 볏짚을 꼬깃꼬깃 가득 채워 오기도 했다. 소 먹일 사료가 없던 시절 겨울철에 짚은 소의 주된 여물이었기 때문에, 누구나 비니루 포대 안에 볏짚을 가득 채워 올 수 있는 것은 아니었다.

아이들은 약속이나 한 듯 깔끄막질을 뒤뚱뒤뚱 기어올랐다. 마침내 신작로가 있는 길 끝에 오르면 너도나도 비니루 푸대를 엉덩이 아래에 깔고 미끄러지듯 눈썰매를 탔다. 중심을 제대로 잡지 못해 뒤집어지거나 방향을 잘못 잡아 담벼락에 부딪히기 일쑤였다. 그런데도 뭐가 그리 좋은지 서로를 보면서 깔깔거리며 웃었다. 어떤 녀석은 돌부리에 꽁무니뼈를 부딪혀 엉엉 울기도 했다. 비니루 푸대에 볏짚을 넣는 이유가 바로 이 때문이다. 볏짚을 단단히 넣어 두면 돌부리에 걸려도 괜찮다.

그렇게 열심히 비니루 푸대를 타다 보면 어느새 깔끄막질은 눈이 눌리고 또 눌려서 빙판이 됐다. 어른들은 그만 타라고 성화였지만 그 말을 듣는 아이들은 아무도 없었다. 그 시절, 깔끄막질은 우리에게 눈썰매장을 내어 주었고, 비니루 푸대는 훌륭한 눈썰매가 되어 주었다.

'가풀막'의 방언들

우리나라는 지형적인 특성상 산이 많다. 산을 끼고 생긴 마을이 많다 보니 마을 곳곳에서 비탈진 언덕도 꽤 많이 볼 수 있다. 그래서인지 '가풀막'의 방언들은 지역에 따라 아주 다양하게 나타난다.

가푸악(중국)
꼬들배기(강원), 꼰들배기(강원)
여부래기(함북)

갈쿠막(전남), 갈크막(충남)

까크막(전남), 깔쿠막(전남), 깔크막(전남), 칼쿠막(전남)

까꼬막(경남), 까꾸막(경상), 까꿀막(전북), 까끄막(전라), 깔꾸막
(경북), 깔끄럼(전남), 깔끄막(전라), 깔막(전북, 충남), 깨끌막(경상)

까부막(경상), 까뿌막(경상), 까푸막(경남), 까풀막(경남), 깔푸막
(경남), 깔풀막(경남, 전북), 깨팔막(경북)

된깔막(충남), 옹깔끄막(전라), 옹깔크막(전라), 켄디래기(평남),
켄딕재기(평남)

'가푸악'은 중국의 조선족 동포의 언어사회에서 '꼬들배기, 꼰
들배기'는 강원도 지역에서 쓰이는 방언형이다. '언덕배기'처럼 '꼬
들'과 '꼰들'에 접사 '-배기'가 결합된 말인데 꼬들과 꼰들의 말뿌리
는 알 수 없다. '여부래기'는 함북 지역에서 쓰는 방언형이며, '갈쿠
막, 까꼬막'형들은 둘째 음절의 첫 자음이 연구개음 'ㅋ'이나 'ㄲ'인
방언형들로 경상, 전라, 충남 등지에서 두루 쓰인다.

거기를 가는 도중에 **깔끄럼에** 가서 모다럴(모터를) 인자 이 어깨다
지고 이렇게 올라가는디…….

깔끄럼에 올라가믄 헐근헐근허고(숨이 가빠 자꾸 헐떡거리며 그르렁
거리다) 숨이 가푸고(가쁘고) 그래요.

○ ∧ □

저런 디 **깔막으서** 인자 밀고 타는 것을 보고 찌끄럼(미끄럼) 탄다고 허지.

홍수 나먼 산이구 어디구 막 팽겨서 **갈크막** 생기는 게유.

을매나 심이 좋은지 사램이 **까꿀막도** 가뿐허게 올라가분져.

거그서 여그가 어디라고. 이 멀고 험헌 질을, 북망산만 험허고 멀고, 문경 새재 **까끄막만** 무섭고 높은 거이간디?   _최명희,《혼불》

오를 적엔 **깔꾸막이요** 내릴 적엔 비탈길이라.

_김지우, 〈눈길〉,《나는 날개를 달아줄 수 없다》

조선서는 똥장군 지고는 올라갈 수도 없는 **까꾸막** 땅도 얻기가 힘드는데 참 넓구먼.   _박경리,《토지》

특히 오르기 힘든 **깔크막이나** 외나무다리를 지날 때는 10환짜리 지폐도 꽂혀졌다.   _오찬식,《창부타령》

그러나 당신 팔자에 큰 자식을 두라 했으니 사십이 넘으면 **까꾸막에서** 평전으로 나올 기요.   _박경리,《김약국의 딸들》

'까부막'형은 모두 둘째 음절의 첫 자음이 순음인 'ㅂ'이나 'ㅃ', 'ㅍ'으로 시작되는 방언형들로 '깔풀막'을 제외하면 모두 경상도 지역에서만 쓰인다. '까부막, 까뿌막'은 '갸울다'의 경남 방언형인 '까불-'과 '-막'이 결합된 말이며, 나머지 방언형들은 '가풀막'과 '가팔막'이 변한 말들이다.

까푸막까지 올라갈라카마 힘이 마이 들긴데.

해지꺼름에 **깔풀막에서** 다리를 뻗는디 내일 파스랑 소맷집에서 골련 좀 사다 주렴.
_윤재룡, 〈재결이 울던 밤〉,《해미 낀 포구》

'된깔막, 옹깔크막, 켄디래기, 켄딕재기'는 '아주 가파른 가풀막'이다. '된깔막'은 '몹시 심하거나 모진'의 뜻을 갖는 형용사 '되-'의 관형형 '된'과 '깔막'이 결합된 방언형이다. '옹깔끄막, 옹깔크막'은 각각 '옹'과 '깔끄막, 깔크막'이 결합된 방언형으로, '옹'의 말뿌리는 짐작은 가지만 정확히 알기 어렵다. '켄디래기, 켄딕재기'는 '비탈'의 평안도 방언형인 '켄'과 '디래기, 딕재기'가 결합된 방언이다. '켄'은 '켠'에서 온 말이다. '가풀막'의 방언형들은 '길, 땅, 지다' 등과 결합해 또 다른 방언형들을 만들어 내기도 한다.

살다 보믄 그런 일도 있겄지. **까꾸막길도** 오르다 보믄 쉴 곳이 있는 것맨치로.
_박경리,《토지》

○ ∧ □

산에 올라문 **가푸악제서** 어주럽디.

저그 **깔막진** 디 가문 고사리가 썼어.

깨끌막진 길을 오래 걸으만 발가락이 아프니더.

'영'이라고 할 것까지는 못 되나 앞으로 퍽 **깔푸막진** 고개를 연상케 하였다.
_지하련,《도정》

이 사이를 좁다란 산협 소로가 고불고불 **깔끄막져서** 높다랗게 고개를 넘어갔다.
_채만식,《쑥국새》

새날 나루터의 아주머니 표현대로 태산준령은 아니었지만, 배를 내린 왜날서 갈궁으로 넘어가는 산길은 코가 땅에 닿을 정도로 **깔크막졌다.**
_오찬식,《갈궁별곡》

이젠 깔끄막진 고샅질에서 눈썰매를 타는 풍경을 눈썰매장에 내어 준 지 오래되었지만, 그때 같이 비료 포대를 타고 놀았던 친구들이 가끔은 그립다. 간간이 들려오는 소식을 들으며 웃음 지을 때도 있고 눈시울을 붉힐 때도 있다. 부디 그때 그 친구들이 세상의 한 자락에서 행복하게 살아가기를 기원해 본다.

마우재

∧ ○ □

#서방재 #신랑재 #얼마우재 #얼구재 #자구뱅이 #홀롱재

로씨야 사름으 낮차 부를 때 **마우재라구** 하디.

그러재문 진다잼둥, **마우재가** 이게얍지. 우리가 편안하당이 어찌
겠음.

_안수길,《북간도》

몇 해 전부터 **마우재들이** 철도를 놓는다는 말은 들었지만 그 철도
가 어디에 있는지, 기차란 물건이 뿔이 몇 개인지 리수동 사람들은
모르고 있었다.

_지오,《한》

○ ∧ □

우리는 어떤 특정 집단의 사람들을 지칭하는 말을 만들어 내기도 한다. 가령, 전라도 사람을 '깽깽이', 경상도 사람을 '보리문둥이', 강원도 사람을 '감자', 서울 사람을 '깍쟁이'라고 부르는 것처럼 말이다. '마우재'는 러시아 사람을 낮잡아 이르는 말로 주로 평북, 함경, 중국, 카자흐스탄에서 쓰인다.

누구나 하나쯤은 가진 별명

나무, 마당, 마당쇠, 도치, 도치뿔따구, 돌콩, 아방구리, 철방구리. 모두 지금까지 살아오면서 얻은 필자의 별명들이다. '도치, 도치뿔따구'는 아버지가 우리 가족 중에서 가장 못생겼다고 붙여 주신 별명이고, '돌콩, 아방구리, 철방구리'는 동네 형들이 붙여 준 별명이다. '돌콩'은 똥글똥글 야무지게 생겼다고 붙여 준 별명이고, '철방구리'는 예전에 풍선껌에 들어 있던 딱지 만화의 주인공이었는데, 그 주인공과 닮았다고 붙여 준 별명이다. 이 별명을 변형해 '아방구리'라고 부르기도 했다.

'마당, 마당쇠'는 필자가 고등학교 1학년 때부터 3학년 때까지 우연하게도 운동장 청소를 도맡아 해서 친구들이 붙여 준 별명이다. 친구들이 처음엔 '마당쇠'라고 부르다가 어감이 안 좋았는지 아니면 필자가 애잔해 보였는지 '쇠'를 빼고 '마당'이라 부르기 시작했다. 지금도 이 별명이 싫지는 않아 책의 첫 쪽에 이름을 쓸 때면 이름 앞에 꼭 '마당'을 붙여 쓴다. '나무'는 필자가 그늘나무처럼 편안하다 하여 최근에 얻은 별명이다. 이 별명도 꽤 마음에 들어 종종 이름 앞에 붙인다. 기분에 따라 '나무 ○○○' 또는 '마당 ○○○'이라고 쓰면 익숙한 이름이 더 특별하게 느껴지곤 한다.

가끔은 학창 시절 친구들의 별명을 떠올리며 배시시 웃기도 한다. '골펜'이라는 친구는 볼펜을 항상 잘못 불러서 붙은 별명이었다. 아무리 '골펜'이 아니고 '볼펜'이라고 말해 줘도 되돌아서면 "야, 골펜 좀 빌려줘"라고 말했다. 정말 웃음밖에 나오지 않았다. '날름쟁이'는 점심시간만 되면 여기저기 돌아다니면서 다른 친구들의 도시락 반찬을 날름날름 주워 먹어서 붙은 별명이고, '비둘기'는 영세명이 '베드로'인 친구의 별명이다.

별명은 개인에게만 있는 것이 아니다

누구나 별명 하나쯤은 있다. 별명은 개인에게만 있는 것이 아니다. 특정 집단의 사람들을 부르는 별명도 존재한다. '고본재, 마우재, 얼마우재, 자구뱅이, 얼구재, 홀롱재'가 대표적이다.

'고본재'는 카자흐스탄에서 대가를 지불하고 남의 땅을 빌려 농사를 짓는 고려인들을 이르는 말이다. 우리나라의 소작농과 비슷한 개념이다. 고본재는 여러 사람이 공동 투자로 사업을 할 때, 이들 투자자가 각각 내던 자본금인 '고본股本'과 '-재(者)'가 결합된 말로 보인다.

> 많은 고레 사람들이 기름진 땅이 있는 곳에 가서 **고본재**로 농사일으 했다.

'서방재, 신랑재'는 함경도와 중국의 조선족 동포의 언어사회에서 '새서방'을 의미하는 말이다. 새서방의 뜻을 오해하기 쉬운데, 이 말은 '사잇서방', 즉 '샛서방'이 아니라 '갓 결혼한 남자'를 뜻한다. 서방재와 신랑재는 '서방'과 '신랑'이 '-재'와 결합된 말로, '-재'는 사람의 뜻을 더하는 접사 '-자[者]'가 변한 말이다. '-자'는 명사의 뒤에 붙어 '~하는 사람'의 뜻을 더하는 아주 생산적인 접사이다.

'ㅏ'가 'ㅐ'로 바뀌는 것은 우리말에서 흔히 볼 수 있다. 가령, '감자>감재, 고구마>고구매, 임자>임재' 등을 그 예로 들 수 있다. 그런데 중앙아시아의 고려말에서 '서방재'는 총각을 뜻한다. 이와 비슷한 유형의 말로는 '따거재, 양구재, 얼르재, 푸끼재' 등을 들 수 있다. '따거재'는 키다리를 의미하는 중국 조선족 동포의 말로, 중국어 '大哥'에 '-재'가 결합된 말이다. '양구재'는 양키를 뜻하는 평안도 말로, 이때 '양구'는 '양코'가 변한 말이다. '얼르재'는 게으름뱅이를 뜻하는 조선족 동포의 말이다. '푸끼재'는 거짓말쟁이를 뜻하는 고려말로, 거짓말을 의미하는 고려말 '푸끼'와 '-재'가 결합된 것이다.

남이야 어떻든 무슨 상관이요? 그런데 **서방재두** 왔답데?

_장춘식,《아, 옛날이여》

어째 앙이 그러갰음? 첫날밤에 **신랑재** 되는 사람이 얼매나 흥(겁)이 낯갰음메?

_안수길,《통로》

'마우재'는 함경도 사람들이 러시아 사람을 낮잡아 이르는 말로, 털보를 의미하는 중국어 '毛子·máozi'를 차용한 말이다. '얼마우재(얼마우자)'는 '덜된, 모자라는, 어중간한'의 뜻을 더하는 접사 '얼-'과 '마우재'가 결합된 말이다. 얼핏 덜떨어진 러시아 사람을 말한다고 생각할 수 있지만 전혀 다른 뜻이다. 얼마우재는 함경도 말로, 러시아 사람의 흉내를 내면서 경망스럽게 구는 우리나라 사람이나 날강도를 뜻한다. 이 말은 러시아에 사는 타민족을 의미하는 중국어 '二毛者(알마오즈이)'에서 유래되었다는 설도 있다.

얼마우재는 북한에서 간행된 《조선말대사전》(2007년)에 '전날에, 얼치기 마우재라는 뜻으로 로씨야 사람이 아닌데 로씨야 사람처럼 말하고 행동하는 사람을 욕으로 이르는 말'이라고 풀이되어 있다. 이 외에도 한설야의 《탑》에서 보면, 얼마우재는 우리 동포와 러시아인 사이에서 태어난 2세를 지칭할 때도 쓰임을 알 수 있다.

박창호는 흔히 **얼마우재라고** 하는 사람이였다. _정기종,《녀가수》

○ ∧ □

➦ 얼마우재는 함경도 말로, 러시아 사람의 흉내를 내면서 경망스럽게 구는 우리나라 사람이나 날강도를 뜻한다.

아이구 말 맙소. 아무래도 우리 내지 땅이 좋습두마, 여기 오니 **얼마우자** 미워서 살겠습디?

_백신애,《꺼래이》

또 어떤 사람 말을 들으면 정말 노서아 사람의 피가 한 번이라도 섞였으면 어느 때든지 그것이 어린애에게 옮아서 유표한 **얼마우자가** 생긴다고 하였다.

_한설야,《탑》

'자구뱅이'는 카자흐스탄에서 쓰는 고려말로 우리 동포와 러시아인 사이에서 태어난 2세를 말한다. '자구'와 '-뱅이'가 결합된 것이며, '-뱅이'가 쓰인 것으로 보아 어느 정도 비하하는 의미가 있어 보인다.

한인 가운데 러시아 여자와 결혼한 사람들의 자녀들에게 조선말을 가르쳐주기 위해 조직한 **자구뱅이** 학교가 있었다.

_정철훈,《김알렉산드라》

자구뱅이들으 조센말으 잘 못하디.

김알렉산드라(실존 인물인 김알렉산드라 스탄케비치. 한국 최초의 공산주의자이자 휴머니스트)의 부친이 함경도 사람이고, 이 소설의 주 무대가 두만강 유역인 점을 감안하면 자구뱅이는 함경도 방언이라고 할 수 있다. 중앙아시아 고려말에서는 자구뱅이를 '자고배, 자구배, 자그배'라고도 하는데, 자구뱅이가 줄어든 말인지(자구뱅이>자구배이>자구배), '자구'에 '무리를 이룬 사람'의 뜻을 더하는 접사 '-배'가 결합된 말인지 알 수 없다. '얼구재'는 중앙아시아의 고려인들이 쓰는 말로, 자구뱅이와 우리 동포 사이에서 태어난 2세를 뜻한다.

아픈 역사 속 상처를 지닌 방언들

'홀롱재(홀로재)'는 집집을 찾아다니며 바늘이나 실, 머리꽂이, 화장품, 족집게, 거울 등 자질구레한 잡화를 팔던 중국 행상인을 이르던 말이다. 주로 압록강이나 두만강 유역 사람들이 썼다. '홀롱재'는 우리의 보부상과 유사하나 그 모습은 사뭇 다르다.

○ ∧ ▢

우리 보부상에는 '봇짐장수'와 '등짐장수'가 있다. 봇짐장수는 봇짐을 가지고 다니면서 물건을 파는 사람인데, 지역에 따라서 '봇짐당사, 봇짐당시, 포대깃짐장시, 폿짐장시'라고도 불린다. 등짐장수는 물건을 등에 지고 다니면서 파는 사람으로, 지역에 따라서 '등짐장새, 목패'라고도 불린다. 홀롱재는 멜대를 외어깨에 메고 그 양쪽 가장자리에 나무 광주리를 달아 그 안에 물품을 넣어 다니며 파는 행상인이다.

홀롱재는 중국어 '货郎子huòlángzhě'를 직접 차용했거나, 아니면 방물장수(혹은 황아장수)를 의미하는 '货郎huòláng'을 차용한 뒤에 사람의 뜻을 더하는 접사 '-재'가 결합된 말일 수도 있다. 왜냐하면 한자어 '货郎'은 중국 한자음으로 발음하고, '子'는 우리 한자음으로 발음했기 때문이다.

거 한족 **홀로재들으** 멜대 좌우짝 나무 쾅재(광주리)에 머리꽂개(머리꽂이)구, 그래모(얼굴에 바르는 화장품. 영어 'cream'의 일본식 발음)구, 동집게(족집게)구 섹겨을(석경石鏡)르 빗을르 벨란 걸 다 가지구 댕깁데. 벨란 걸 다 팔아. 그 한족 **홀로재를** 하룻밤 재왔드니 벨난 냄새가 다 납데. 문우 열어 놓고 개두 냄새가 메틀 가압데.

숙부께서는 한어에 능했는데 그때 중국말을 잘하는 사람이 없었다는게지. 그때 **홀롱재랑** 상당히 우쭐했다는게지.

_류연산,《중국 조선족 정초자-심여추》

'홀롱재'를 제외한 '고본재, 마우재, 얼마우재, 자구뱅이, 얼구재'는 우리 민족의 아픈 역사가 담겨 있는 말이다. 나라가 힘을 잃어 제 살던 고향을 떠나 만주 벌판으로, 중앙아시아로 내몰렸던 상처로 얼룩진 우리 민족의 말이다. 아직도 그곳에서 역사의 상처를 안은 채 살아가고 있는 이들이 있다는 사실을 잊어서는 안 된다.

툴렁이

ㅅ ㅇ ㅁ

#통가리 #감재 #감쥐 #뚤렁이 #북감자 #보래감자

내래 어릿을 적부터 **툴렁이** 마이 먹고 자랐디.

감자나 고구마는 지금은 건강식으로 각광을 받고 있지만, 보릿고개를 경험한 세대들에게는 굶주림을 채워 주었던 훌륭한 식량이었다. 같은 음식이라도 그 사람이 살아온 시간과 추억 속의 의미는 다를 것이다. '툴렁이, 툴러이, 뚤렁이'는 모두 감자를 부르는 말이다. 주로 평북 지역 사람들이 쓴다.

꺼먹솥에 한가득 있던 감자

어렸을 적 고향 집에도 겨릅대나 수숫대로 엮어 만든 통가리가 늘 윗방의 아랫목을 차지하고 있었고, 겨울이 되면 그 안에는 고구마가 잔뜩 쌓여 있었다. '통가리'는 '쑥대나 겨릅대, 뜸 등을 엮어서 둥글게 둘러치고 그 안에 고구마나 곡식을 채워서 쌓은 더미, 또는 그런 시설'을 말한다. 어린 시절, 감자와 고구마는 그저 군입정거리(군것질을 할 만한 거리)만은 아니었다. 지독한 보릿고개는 아니었지만 여름에는 감자, 겨울에는 고구마로 끼니를 때운 적도 많았다.

부엌의 꺼먹솥(무쇠솥)에는 껍질도 벗기지 않은 삶은 감자가 한가득 있었다. 그 감자가 점심 끼니라고 굳이 말하지 않아도 그걸로 알아서 점심을 에우곤 했다. 솥뚜껑을 열면 노릇한 감자 위에 하얀 분이 피어 있었다. 그 하얀 분을 핥아 먹으면 단맛이 났는데, 그 단맛이 그렇게 좋을 수가 없었다. 나중에야 안 사실이지만 그 하얀 분은 설탕이 아주 귀했던 시절에 단맛을 내는 사카린이나 당원이 감자를 찔 때 녹아서 엉겨 붙은 것이었다. 투명한 소금처럼 생긴 사카린과 하얀 알약처럼 생긴 당원은 그 단맛이 아주 강했다. 감자로 끼니를 때워야 하는 자식들을 향한 어머니의 사랑이 감자에 녹아 있었다.

겨울철에는 고구마가 감자를 대신했다. 겨울에는 앞산의 '벽돌바위'에 해가 걸리면 쇠죽을 끓여야 했다. 그쯤에는 밖에서 놀던 아이들이 정신없이 집으로 향한다. 쇠죽을 끓여야 하기 때문이기도 하지만, 라디오 연속극 〈태권 동자 마루치 아라치〉가 방송될 시간이었기 때문이다. 쇠죽솥은 크기가 아주 큰 솥이다. 쇠죽을 끓이려면 끙끙거리며 그 무거운 솥뚜껑을 열고, 부엌 한구석 가마니에 담겨 있는 여물을 쇠죽바가지로 쇠죽솥에 퍼 담고 아궁이에 불을 지펴야만 한다. 추운 겨울날 불을 때는 것은 그리 나쁘지 않았다. 쇠죽을 다 끓이고 나면 잉걸불이 새빨간 자태를 뽐내며 이글거린다. 이때가 가장 신나는 순간이다.

후다닥 일어나서 윗방의 아랫목에 자리 잡은 감자통가리에서 고구마를 꺼내온다. 그리고 부지깽이로 불등걸의 한가운데를 오목하게 만들어 그 안에 고구마를 넣는다. 그리고 다시 덮어 주면 그만이다. 삼십 분쯤이 지나면 이 세상 어디에서도 맛볼 수 없는 군고구마를 먹을 수 있었다.

'감자'의 방언들

필자는 최상규의 소설에서처럼 고구마가 들어 있는 통가리를 '고구마통가리'라 하지 않고 '감자통가리'라고 불렀다. 필자가 살던 고향에서는 감자와 고구마를 구분하지 않고 모두 '감자'라고 불렀기 때문이다. 굳이 구분해서 말하지 않아도 섞갈릴 일이 없으니 그랬을 것이다. 사실 지금도 꼭 필요할 때가 아니면 감자와 고구마를 구분해서 말하지 않는다. 지금이야 겨울에도 감자를 먹을 수 있고 여름에도 고구마를 먹을 수 있지만, 어린 시절에는 상상도 못할 일이었다.

거의 천장에 닿는 **고구마통가리가** 큼직하게 자리잡고 있었다.

_최상규, 《대춘》

'툴렁이'는 감자를 뜻하는 평북 지역의 심마니들이 쓰는 말인데, 그 말뿌리는 정확히 알기 어렵다. 감자와 고구마가 우리나라에 들어온 시기는 대략 18세기 후반 정도로 감자는 중국을, 고구마는 일본을 통해 들어왔다. '감자'는 한자어 '甘藷(감저)'가 변한 말이며, 고구마는 일본어 '古貴爲麻(고귀위마)'에서 왔다고 한다. 감자의 방언형들은 지역에 따라 아주 다양하게 나타난다.

감자(전라, 제주, 충남, 평남, 황북), 감재(강원, 경상, 자강, 전라, 평안, 함경, 중국), 감재(함북), 감제(강원, 평안), 감쥐(함경), 감지(강원, 양강, 평안, 함경, 황해, 중국)

가장구(강원), 가쟁이(강원)

갱개(양강, 함경), 갱게(함경), 갱기(함경)

군감자(경남), 궁감자(경남)

당개(평북)

동글감자(전남)

땅감자(경남)

○ ∧ □

뚤렁이(평북), 튤러이(평북), 튤렁이(평북)

보래감자(황해), 보래감지(평남), 보리감자(충남), 보리감지(평남)

부깜자(전남), 북감(전남, 제주), 북감자(전라, 충남), 북감재(전남),
붓감자(전북), 붓감재(전남)

산물(제주), 지슬(제주), 지슬감저(제주), 지실(제주)

알감자(황해)

올감자(황해), 올감재(평안, 황해), 올감지(평안, 황해), 울감자(황해)
울렁지(황해), 울령두(황해)

이듬감자(충남)

잠자(경남)

하지감자(강원, 경남, 전라, 충남), 하지감재(전라), 하지감지(전라),
하지마(전북), 하직감자(전라), 하짓감자(전라), 하짓감재(전남)

'감자, 감재, 감쟤, 감제'는 감자와 고구마를 아울러 이르는 말
이며, '감쥐, 감지'는 감자를 뜻하는 방언형이다. '감자, 감재, 감쟤,
감제'는 주로 전라, 제주, 충남, 평남, 황북, 중국 지역에서, '감쥐'는
함경 지역에서, '감지'는 강원, 양강, 함경 지역에서 쓰인다. '가장구,
가쟁이'는 강원도 영동 지역에서 주로 쓰는데, 그 말뿌리를 전혀 알
수가 없다. '갱개'는 양강, 함경, 중국 지역에서, '갱게, 갱기'는 함경,
중국 지역에서, '겡게'는 함경 지역에서 나타나는 방언형들이다.

보리허구 **감재는** 음곡이래서 해볕이 없어야 잘되는 줄 알았는데

올해보니 그게 아니더구마느.

_최국철,《간도전설》

새깃이 달린 제기루 **감쥐** 세 알으 바꿔 먹자던 삼봉이 청인이 되었
다구?

_안수길,《북간도》

'군감자, 궁감자'는 경남 지역에서 참감자 혹은 진감자(참감자
와 진감자는 '고구마'를 뜻하는 전남 지역의 방언형)에 상대해 감자를 이
르는 방언형들이다. 이 방언형들에서 나타나는 '군, 궁'은 모두 '좋
지 않은'의 뜻을 더하는 접두사 '군-'과 관련이 있는 것으로 보인다.
다시 말해서 '군감자, 궁감자'와 같은 방언형을 사용하는 화자들은
고구마에 비해 감자가 맛이나 질적인 면에서 떨어진다고 생각하는
듯하다.

'당개'는 평북 지역에서, '동글감자'는 감자의 모양을 형상화한
것으로 전남 지역에서 쓰인다. '땅감자'는 경상 지역에서 쓰는 방언
형으로 '감자' 앞에 '땅'이 결합된 말이다. 이때 감자와 감재는 뿌리
열매인 '감자ㅐ-'가 아니라, 홍귤나무의 열매인 '감자ㅐㅕ'이다. 따라
서 경상이나 강원 지역에서 감자ㅐ-는 땅속에서 자라는 감자ㅐㅕ라
는 화자들의 인식을 반영하고 있는 방언형들로 보인다.

우리 집에는 손자들 줄라고 **땅감자로** 아직도 좀 숭구 묵어.

'뚤렁이, 툴러이, 툴렁이'는 심마니들이 감자ㅐ-를 이르는 은어

○ ∧ □

❷ 경상이나 강원 지역에서 감자ㅐ‐는 땅속에서 자라는 감자ㅐ‐ᆿ라는 화자들의 인식을 반영하고 있는 방언형들로 보인다.

로 평북 지역에서 쓰인다. '보래감자, 보래감지'는 황해도 지역에서, '보리감자, 보리감지'는 충남, 평남 지역에서 쓰는 자주감자(기름한 모양의 껍질이 푸른 자줏빛을 띠는 감자)의 방언형이다. '보래, 보리'는 모두 색깔을 나타내는 '보라'가 변한 말들이다. '부깜자, 북감, 북감자, 북감재, 북감저, 북감제, 붓감자, 붓감재'는 모두 남감자(고구마의 방언형)에 상대해 감자를 달리 이르는 말이다.

'북감'은 '북감자'의 준말로 전남, 제주 지역에서, '북감자'는 전라, 충남 지역에서, '북감재, 북감저, 북감제'는 전남 지역에서, '붓감자, 붓감재'는 전남, 충남 지역에서 쓰는 감자의 방언형이다. '북감자'는 전라도에서 주먹감자나 돼지감자의 방언형으로 나타나기도 하는데, 이는 감자가 중국, 즉 북쪽에서 들어왔기 때문에 붙여진 이름이다. 고구마의 방언형인 '남감자'는 남쪽인 일본에서 들어왔기 때문에 붙여진 이름이다.

먹기는유, 그저 보리밥 한 댕이에 **북감자** 삶아 먹은 것 밖에 더
있나?

_유현종, 《들불》

'산물, 지슬, 지실, 지슬감저'는 제주 지역에서 쓰는 방언형들이
다. 제주 지역에서는 원래 '감저'는 고구마를, '지실'은 감자를 의미
했다고 한다. '산물'은 제주도의 지역 특성상 '산에서 나는 작물'이라
는 뜻으로, 감자를 지칭하게 된 것으로 보인다. '알감자'는 동글감자
와 마찬가지로 감자의 모양을 형상화한 이름으로 보인다. '올감자,
올감재, 올감지, 울감자'는 모두 접두사 '올-'이 결합된 방언형이다.
이때 '올-'은 '먼저'의 뜻을 더하는 말이다. 가을에 수확하는 고구마
보다 먼저 심어 키우는 것이 감자인 셈이다.

'울렁지, 울렁두'는 황해 지역의 방언형으로, 그 말뿌리는 전혀
알 수가 없으며 충남 지역에서 쓰는 '이듬감자' 또한 마찬가지이다.
경남 지역에서 사용하는 방언형 '잠자'는 'ㄱ'이 구개음화된 형태이
며(기둥>지둥, 기름>지름, 길>질 등), '하지감자, 하지감재, 하지감지, 하
지마, 하직감자, 하짓감자, 하짓감재' 등은 절기인 '하지'가 결합된
방언형으로, 감자를 수확하는 시기가 하지 무렵이라 붙여진 이름
이다.

감자를 보면 어린 시절, 결코 넉넉지 못했던 집안 형편이 떠올
라 마음이 아프기도 하지만 그리움도 크게 차오른다. 김동인의 소
설 〈감자〉는 감자였을까, 고구마였을까?

○ ∧ □

꾸
레
미

ㅅ ㅇ ㅁ

#부리망 #구리망 #꾸러미 #망

북측: 거기서 신문, 방송 자료를 보니까 대학교는 돈이 많이 드는
모양이더군요. 우리는 학교에서 돈 받는 거 없는데, 거기는
공납금이 높아진다고 말이 많더군요.

남측: 그만큼 개인의 능력도 높아지고 있어요. 선생님은 모든 일
을 국가에서 지원한다고 하시는데, 개인의 능력을 그렇게
무능화시켜서 되겠어요?

북측: '소 웃다가 **꾸레미가** 터진다'는 말이 있어요.

남측: 소가 웃는 건 일평생 못 봤고······.

1971년 9월 16일에 열렸던 5차 남북 적십자 회담 회의록의 일부이다. 북측 대표가 말한 "소 웃다가 꾸레미가 터진다"라는 말이 무슨 의미인지 도통 알 수가 없다. "소가 웃는 건 일평생 못 봤고 ……"라고 말한 것을 보면, 남측 대표도 그 뜻을 전혀 짐작하지 못한 듯하다. 이때 '꾸레미'는 '부리망'을 뜻하며 북한과 중국의 조선족 언어사회에서 주로 쓰인다. 부리망은 소로 논밭을 갈 때 주변의 곡식이나 풀을 뜯어 먹지 못하게 소의 주둥이에 씌우는 물건이다.

논밭을 갈 때면 항상 씌웠던 부리망

어렸을 적에 아버지는 아직 길이 덜든 소로 논밭을 갈 때면 늘 필자를 찾았다. 소가 고랑을 따라가며 쟁기를 끌어야 하는데, 길이 덜든 소는 자꾸 고랑을 벗어나기 마련이다. 그렇기 때문에 소가 고랑을 벗어나지 않도록 쇠고삐를 잡고 끌어 주는 일이 필자의 몫이었다.

소는 쟁기를 끌다가도 틈만 나면 풀을 뜯어 먹으려고 긴 혀를 내밀었다. 부리망은 그런 소의 행동을 통제해 줘서 논밭을 갈 때면 항상 씌우곤 했다. 소가 크게 숨을 내쉬면 코에서는 코가 입에서는 침이 튀어 부리망에 잔뜩 엉겨 붙었다. 가끔은 고삐를 잡은 손등에 튀기도 했다.

"이러루! 저러루! 워어!"

소를 몰 때면 이런 소리가 들판에 쩌렁쩌렁 울려 퍼졌다. '이러루'는 소가 바깥쪽으로 방향을 잘못 잡으면 안쪽으로 방향을 틀라고 내는 소리고, '저러루'는 소가 안쪽으로 방향을 잘못 잡으면 바깥쪽으로 방향을 틀라고 내는 소리이며, '워어'는 서라는 뜻으로 전북 지역에서 쓰는 말이다. '워어' 소리가 들리면 어쩌면 불편했을 부리망을 쓴 채 일하던 소도 쉬고, 그 소를 끌던 사람도 함께 쉬었다. 소에게도 사람에게도 참 반가운 소리였다.

삶은 소가 웃다가 꾸레미 터진다

북측 대표가 말한 '소 웃다가 꾸레미가 터진다'는 북한의 속담이다. 《조선말대사전》에 '삶은 소가 웃다가 꾸레미 터지겠다'는 속담이 나온다. 이는 '도저히 웃을 수 없는 삶은 소조차 너무나 어이없고 우스워서 한껏 입을 벌리며 웃다가 꾸레미까지 터지겠다'는 뜻으로, 하는 행동이 무척 어이없고 가소로운 경우에 상대방을 핀잔하는 말이다. 북한 속담 중 '삶은 게가 다 웃는다'도 같은 뜻이다.

북한 소설을 살펴보면 속담 외에 '꾸레미'가 쓰일 때는 대부분 '꾸려서 싼 물건'이라는 뜻으로 쓰인다. 이때 '꾸레미'는 표준어 '꾸러미'에 대응하는 문화어이다.

오던 길로 달려갔던 늑대는 잠시 후 큼직한 **꾸레미** 하나를 들고 돌아와서 그것을 손달구지에 척 올려놓았습니다.

_리완기,《곰서방의 짐수레》

리석은 손에 들고왔던 꿀과 **꾸레미** 하나를 내놓았다.

_백현우,《불을 다루는 사람들》

'꾸레미'는 중국의 조선족 언어사회에서도 북한과 같은 쓰임
을 보인다.

실로 소 웃다 **꾸레미** 터질 일이기도 했다.　　　　_류원부,《봄물》

이쁜이는 보리쌀자루와 **꾸레미들을** 들고 집으로 들어섰다.

_림원춘,《짓밟힌 넋》

삶은 소가 웃다가 **꾸레미** 터지겠다.　　　　_작자 미상,《웃음》

'부리망'의 방언들

'부리망'은 이제 거의 찾아볼 수 없다. 하지만 예전에는 우리의
일상생활과 밀접한 관련을 가지고 있었던 물건인 만큼 그 방언형
도 다양하게 나타난다. '꾸레미'는《조선말대사전》에 문화어로 실

○ ∧ □

려 있지만, 표준어의 관점에서 보면 평안도 지역에서 쓰는 방언형
이다. 다음은 모두 '부리망'의 방언형들이다.

구리망(경기), 구리매(중국)

꺼럭지(함남), 꺼레기(경북, 중국), 꺼레(함북), 꺼리(함북, 중국), 꾸
러기(함북), 꾸레미(평안, 중국), 꾸리(함북)

마울(제주), 망(경기, 경남, 전라, 충남), 망올(제주), 망태기(경기),
머구리(경북, 충북), 멍(경남, 전북, 충북), 멍구럭(전북, 충북), 멍구
리(충북), 멍에(강원), 멍지(강원)

세꾸레기(중국), 소꺼러지(경북), 소꺼리(함북), 소꺼찌(경북), 소
찌거리(경상)

소앞이(함남)

쉐망(제주), 쉐망우리(제주), 쉐망울(제주)

허거리(경상), 호소리(경상), 호어리(경상), 호리(경상), 홍소리(경
상), 홍어리(경상), 홍태기(경상)

'구리망'과 '구리매'는 각각 경기와 중국 지역에서 조사된 어휘
로 '구리'와 '망'이 결합된 말이다. '부리>구리'는 'ㅂ'이 'ㄱ'으로 변한
것인데, 이는 '붚>붑>북'으로 변한 것과 같은 현상이다. 경북과 중
국 지역에서 조사된 '꺼레기'는 마치 '어미'가 '에미'로 변한 것과 마
찬가지로 '꺼러기>꺼레기'와 같은 변화를 겪은 말이다. 여기서 '꺼
러기'는 함북과 중국 지역에서 나타나는 방언형 '꺼리'와 접사 '-어

❶ 《조선말대사전》에 '삶은 소가 웃다가 꾸레미 터지겠다'는 속담이 나오는데, 이는 '도저히 웃을 수 없는 삶은 소조차 너무나 어이없고 우스워서 한껏 입을 벌리며 웃다가 꾸레미까지 터지겠다'는 뜻이다.

기'가 결합된 것이다.

또한 함남 지역에서 조사된 '꺼럭지'는 '꺼리'와 접사 '-억지'가 결합된 말이다. 함북 지역에서 쓰는 '꺼레'는 '꺼레기'의 준말로 '꺼레기>꺼레이>꺼레'와 같은 변화가 일어났을 것으로 추정되나, 변화의 중간 단계에 있는 '꺼레이'는 조사된 바 없다. '커레기'는 함북 방언형으로 '거레기>커레기'와 같은 변화를 생각해 볼 수 있으나 아직까지 '거레기'에 대해서는 조사된 바 없다. '꾸러기'는 '꾸리'와 접사 '-어기', '꾸레미'는 '꾸리'와 접사 '-어미'가 결합된 방언형이다 (꾸러기>꾸레기, 꾸러미>꾸레미).

경기, 충남, 전라 지역의 방언형인 '망'은 '부리망'의 '망'이 단독으로 쓰인 것이며, 제주 방언형인 '마울'은 '망올'이 변한 말이다. '망올, 망태기'는 '망'과 '올, 태기'가 결합된 방언형들이다. 또한 '멍구럭, 멍구리, 멍에, 멍지' 등은 '망'의 변이형인 '멍'이 결합된 어휘이다.

‘소꺼러지, 소꺼리, 소꺼찌, 소찌거리’ 등은 부리망을 나타내는 방언형 앞에 ‘소’가 결합된 말이다. ‘세꾸레기, 쇠그래기, 쇠머거리, 쇠꺼럭지, 쇠꺼리, 쇠망, 쉐망, 쉐망우리, 쉐망울’은 ‘소의’ 뜻을 더하는 접사 ‘쇠-⟨세-, 쉐-⟩’가 결합된 말들이다. 여기에서 ‘쉐망, 쉐망우리, 쉐망울’은 제주 지역어로 ‘쇠’가 단모음 ‘쇠’로 발음되지 못하고 이중 모음 ‘쉐’로 발음되어 생겨난 방언형들이다.

　함남 지역어인 ‘소앞이’는 ‘소’가 결합된 다른 단어들과 결합 방식이 다르다. ‘소앞이’는 ‘소’와 ‘앞’이 결합된 ‘소앞’에 접사 ‘-이’가 결합된 방언형이다. 소 앞에 있는 것, 즉 부리망인 셈이다. ‘입망, 입마개’는 각각 ‘입’에 ‘망’과 ‘마개’가 결합된 방언형이며, ‘풀망’은 ‘풀’과 ‘망’이 결합된 방언형이다. 어쩌면 ‘입망, 입마개, 풀망’ 등은 부리망의 기능을 가장 잘 표현하고 있는 방언형일지도 모른다.

　경상 지역의 ‘찌거리’는 그 어원을 파악하기 어렵다. 또한 경상 지역의 방언형인 ‘허거리, 호소리, 호어리, 호리, 홍소리, 홍어리, 홍태기’ 등은 모두 ‘홍’과 관련된 방언형이나, ‘홍’이 어디에서 온 말인지는 추측하기 어렵다.

　소로 밭 갈라며는 소 이끄는 사람 없을 때는 꼭 **머구리로** 달아야 소가 풀을 안 먹습니더.

　밭을 갈거나 논을 갈거나 할 때는 소 입에 **멍구럭을** 씌워 놓아야 밭을 갈아. 풀 먹을 생각 못하게 **멍구럭얼** 해 둬야 일을 햐.

풀 못 뜯어 묵게 **멍드리럴** 씨이불제.

소로 밭일할 때는 **소꺼러지로** 꼭 해야된다.

이거 쇠에 씨우는 옛날이두 여거서 **쇠꺼럭지라** 말이.

풀망얼 안 씨우먼 소가 풀을 뜯어 먹은깨 쟁기질을 지대로 헐 수가 읎어.

소로 밭으 갈 때느 **허거리로** 하면 좋습니더.

밭일할 때 **홍오리** 안 씨만 소가 눈에 띠는 대로 다 먹을라 카거든. 그래가 밭 갈러 갈 때 **홍오리르** 씨아야 돼.

어느새 소는 일터를 잃고 '멍구럭, 소끄레기, 쇠꺼럭지, 홍오리' 같은 말들도 사라지고 있다. 소를 몰고 쟁기질을 하던 사람들만큼이나 먼 추억 속으로 묻히고 있지만, 이 말들 속에 담긴 문화와 정서만큼은 오랫동안 보존되길 바란다.

○ ∧ □

떡쉬움이

∧ ○ □

#쉬우다 #고디식하다 #금쪽하다 #돌굼

떡쉬움이르 넣어 쉬워서 떡으 굽어.

　'떡쉬움이'가 무엇인지는 모른다고 해도 위의 용례는 왠지 석
연치 않은 구석이 있어 보인다. '떡으 굽어' 때문이다. 일반적으로
우리는 '떡을 찐다'고 하지, '떡을 굽는다'고 하지 않는다. 물론 이미
만들어진 떡은 구워 먹을 수도 있지만, 떡을 만드는 과정을 '떡을
굽는다'고 표현하지 않는다. '떡쉬움이'는 빵을 만들기 위한 반죽을
발효시키는 이스트yeast, 즉 효모균을 뜻하는 말이다.

자신들의 언어로 구현하고자
생긴 '떡쉬움이'

고려인들은 1863년 지배 계급의 수탈을 피해 두만강을 건너 연해주(원동)로 이주했거나, 일제강점기에 일본의 식민 정책을 견디지 못해 이주한 사람들이다. 연해주에 거주하던 원동 사람들은 1937년에 소비에트 연방의 스탈린과 몰로토프가 중앙아시아 지역으로 강제로 이주시킨 사람들이다. 이들이 '고려인'으로 불리게 된 시기는 1988년 6월 구소련고려인협회가 결성되면서부터라고 알려져 있다. 하지만 실제 카자흐스탄의 고려인들은 자신들을 '고려 사람'으로 부르는 것을 더 좋아한다고 한다.

원동 사람들의 이주는 그저 지역만 옮겨 간 것이 아니었다. 그들 삶의 터전과 생활양식도 오롯이 옮겨 간 것이나 마찬가지였다. 카자흐스탄 사람들은 오랫동안 이어 온 유목 생활의 전통으로 말고기나 양고기로 만든 음식과 발효시킨 유제품을 주로 먹지만, 항상 빠지지 않는 음식이 '떡(빵)'이다.

'빵'과 '발효'라는 말은 일제강점기 이후에 쓰이기 시작했으므로 카자흐스탄 고려인들의 어휘 체계에는 없는 말일 수도 있다. 따라서 카자흐스탄의 고려인들은 '빵'과 '발효하다'를 그들의 언어로 구현하고자 그와 가장 유사한 의미를 갖는 '떡'과 '쉬우다'로 대체한 것으로 보인다. '떡쉬움이'를 보면 알 수 있다. 이 말은 남북한에서뿐만 아니라 중국 조선족 동포의 언어사회에서도 전혀 쓰이지 않

○ ∧ □

는 말이다. 중앙아시아 카자흐스탄에 거주하는 고려인들만 사용하는 고려말이다.

'떡쉬움이'는 명사 '떡'과 동사 '쉬우-'에 명사 파생접미사 '-ㅁ'이 결합한 '쉬움'에 또 접사 '-이'가 결합한 말이다. '쉬우-'는 '음식 같은 것을 상하게 하여 맛이 시큼하게 변하게 하다'라는 뜻을 가진 동사이다. 그렇다면 떡쉬움이는 '떡을 쉬게 하는 것'이 되는데 상식적으로 이해되지 않는다.

'떡'이나 '쉬우-'는 우리가 흔히 생각하는 그런 뜻을 가진 말이 아니다. '떡'은 빵을, '쉬우-'는 '발효하다'는 의미를 갖고 있다. 따라서 '떡쉬움'은 '발효'를, '떡쉬움하다'는 '발효하다'를 의미한다.

고려말의 이모저모

카자흐스탄의 고려말에서는 '쉬우다'와 같이 뜻바탕은 같지만 조금씩 의미가 변한 말들을 쉽게 찾아볼 수 있다. '경제하다'는 '돈이나 시간, 노력을 적게 들이다'라는 뜻이다. 그런데 고려말에서는 '절약하다'라는 의미로도 쓰인다.

'고디식하다'는 '고지식하다'의 자강도와 평안도 방언형인데, 고려말에서는 '쉽게 남을 믿는 데가 있다'는 뜻으로 사용된다. '금쪽하다'는 '화목하다'는 뜻을 갖는다. 이때 '금쪽'은 '금쪽같다'의 '금쪽'과 그 뜻바탕이 같은 것으로 보인다. 고려말에서 금쪽은 '매우 귀중한 물건이나 사람'을 이르는 말이다. 따라서 '금쪽하다'는 매우 귀중한 사람들끼리는 화목하게 지내야 한다는 카자흐스탄 고려인들의 의식을 잘 드러내는 말이라고 할 수 있다. '녀시기'는 '녀식女息'과 접사 '-이'가 결합된 말이다. 딸자식을 의미하는 녀식은 카자흐스탄의 고려말에서는 다른 뜻이다. 고려말에서 '녀시기'는 평칭으로 여자를 의미하기도 하지만, 혼인한 여자를 높여 부르는 존칭으로 쓰이기도 한다.

> **경제하려면** 집에서 만들어 먹어야지. 이걸 사 먹을려고 하면 다 돈이지 뭐.

> 가아느 너무 **고디식해서** 그냥 남에게 깜때(속아) 넘어갔다.

> 우리 집안이 **금쪽하게** 보낸다구 소문이 났다.

> 그전에느 **녀시기덜이** 절당(러시아정교회) 댕길 때 꼭 슈건으 골에 썼다.

우리나라에서 '대가리'는 '우두머리나 장長을 속되게 이르는 말'이지만, 고려말에서는 비하의 의미가 전혀 없다. '돈문세'는 '돈문서'의 고려말이다. 잘 알고 있는 것처럼 돈문서는 '돈을 꾸어 주거나 꾸어 쓸 때 내용과 조건을 적은 문서'지만 고려말의 '돈문세'

는 '가계부'를 뜻한다. '돌굼'은 예문에서 볼 수 있듯이 '돌려줘야 할 물건이나 돈'을 의미하는 고려말이다. '돌굼'은 동사 '돌구-'와 명사 파생접미사 '-ㅁ'이 결합된 말이다. '돌구다'는 강원도, 함경도, 중국의 조선족 언어사회에서는 '돌리다'를 뜻하는 방언형인데, 고려 말에서는 '돌려주다'를 의미하는 방언형이다. '동상'은 강원도, 경상도, 전라도, 충청도, 함경도, 중국의 조선족 언어사회에서 쓰이는 '동생'의 방언형이다. 그런데 고려말에서 '동상'은 '의형제'라는 뜻으로만 쓰인다. 이는 아마도 카자흐스탄 언어사회의 영향으로 보인다. '동상 간 놀다'는 '의형제를 맺다'라는 뜻이다.

그 사람이 보기에는 보통 사람처럼 보여도 경찰 **대가리예요.**

돈으 경제적을르 쓰자므 **돈문셰르** 해사(해야) 됀다.

나는 **돌굼으** 제때 줘야 시름 놓는다.

우리들으 오널 **동상** 간 놀았다.

카자흐스탄은 한반도와 수만 리 떨어진 고립된 언어의 섬이다. 따라서 고려말에서 일어난 의미 변화는 어쩌면 고려인들이 멀고 먼 이국 땅 카자흐스탄의 풍습과 문화, 생활에 적응하면서 일어난 당연한 결과일지도 모른다.

고려인 2세대들은 더 이상 고려말을 쓰지 않는다고 한다. 카자흐스탄의 새고려신문사를 방문했을 때 1세대 고려인 한 분이 "이제 2세대들은 고려말을 쓸 줄도 읽을 줄도 모른다"며 걱정하던 모습이 눈에 선하다. 이젠 카자흐스탄의 고려말을 보존하기 위한 절실한 노력이 필요할 때가 아닌가 싶다.

꾀복쟁이 친구

ㅅ ㅇ ㅁ

#꾀복쟁이 #꾀 #불알친구

꾀복쟁이 친구가 책음말은 재산인지 번연히 아는 놈이 도적질을
나서?
_윤흥길,《완장》

이미 두 번째 전화여서 그 애는 스스럼없이, 진짜 **꾀복쟁이 친구처**
럼 굴고 있었다.
_양귀자,《한계령》

예전에는 여름이 되면 아이들은 윗옷 하나만 걸치고, 신발도
신지 않은 채 동네 이곳저곳을 뛰어다니며 놀았다. 아이들에게 입

힐 만한 변변한 팬티 한 장 없었던 그 시절, 여름이면 어김없이 동네에 있는 물놀이터에서 꾀복쟁이 친구들과 놀았다. '꾀복쟁이 친구'는 '아랫도리를 벗고 같이 놀아도 부끄러움이 없을 정도의 나이일 때 만난 친구'를 뜻하는 말이다. 주로 전라도 지역에서 쓰인다.

꾀복쟁이 친구들과 함께였던 꼭두마리

어릴 적 동네 앞에 있던 내는 물이 늘 말라 있어 크고 작은 돌들만 보였다. 비가 아무리 많이 내려도 길어야 달포 정도 물이 흘렀다. 장마가 진 후에는 물이 무서운 속도로 흘러가 버렸다. 아이들과 놀던 동네 물놀이터는 '꼭두마리(큰물이 져서 물이 넘치거나 논에 물을 댈 필요가 없을 때 봇물을 다른 곳으로 돌려 빠져나가게 하는데, 그 봇물이 모이는 곳)'였다. 이곳은 여름내 물이 마르지 않았다. 그곳에는 큰 감나무 두 그루가 서 있었고, 감나무 밑에 아이들이 미역을 감고 놀 만한 물놀이터가 있었다. 여름날 햇볕이 뜨거워지면 아이들은 하나둘씩 꼭두마리에 모여 너나없이 물속에 뛰어들었다.

꼭두마리는 길이가 20여 미터, 폭은 5미터 정도 되는 곳이었는데, 감나무 바로 밑쪽으로는 아이들의 키를 훌쩍 넘길 정도로 깊은 곳도 있었다. 개헤엄을 잘 치는 아이들은 그곳을 건너갔다가 오며 의기양양해 하곤 했다. 어떤 아이는 감나무에 올라가 물속으로 뛰어내리기도 했다. 겁이 많은 아이들은 발부터 뛰어내렸고, 겁이

○ ∧ □

없는 아이들은 마치 다이빙하듯 머리부터 들이밀며 뛰어내렸는데, 잘못 뛰어 머리를 바닥에 박고 이마를 다치기도 했다.

　하얀 차돌멩이를 깊은 물속에 던져 놓고 먼저 찾아오기, '땅골('잠영潛泳'을 뜻하는 전북 완주 방언. '땅갈'이라고도 함)'로 멀리 가기, 물속에서 숨 오래 참기 시합 등을 하며 시간 가는 줄 모르고 놀았다. 입술이 파래지면 다시 냇가에 나가 달구어진 자갈돌 위에서 몸을 덥히고, 몸이 좀 따뜻해지면 다시 꼭두마리로 돌아왔다. 지금쯤 그 꾀복쟁이들은 어느 하늘 아래서 무엇을 하며 살아가고 있을까? 어느덧 흐른 시간들 뒤로 그리움만이 남았다.

소박한 정서가 녹아 있는 꾀복쟁이

　'꾀'는 원래 한자어 '고袴'에서 온 말이다. 최명희의 소설에서 '꾀를 벗는'은 옷을 다 벗는 것이 아니라 아랫도리만 벗는 것을 뜻한다. 박범신의 소설에는 '꾀벗고 장도칼 찬'이라는 문장이 나오기도 한다. 이는 윗도리만 입은 채, 아랫도리엔 아무것도 걸치지 않고 허리에 끈을 둘러 묶어 거기에 나무로 깎아 만든 장도칼을 찬 모습을 말한다. 마치 장군이 된 듯 의기양양하게 걷다가 하늘을 향해 칼을 높이 빼 들며 노는 또래의 아이들이 꾀복쟁이다. 필자의 어린 시절 쉽게 볼 수 있었던 친구들의 모습이다.

이래서 사나 지집은 **꾀**를 벗고 만나도 예禮를 치뤄야여.

_최명희,《혼불》

남 아니면 오뉴월에 **꾀**를 벗고 산다네.

_한승원,《해일》

'꾀벗다, 깨벗다, 께벗다'를 굳이 표준어로 바꿔 보자면 '발가
벗다'에 가장 가깝다. 하지만 '발가벗다'는 '꾀벗다'가 가지고 있는
문화와 정서를 오롯이 담지 못한다. 그 말 속에 숨어 있는 소박함이
사라지는 느낌이다. 꾀복쟁이 친구도 당연히 발가벗은 친구가 아
니다. 이때 '꾀복쟁이'는 옷을 홀랑 벗은 발가숭이 모습의 아이들이
아니다. '윗도리는 입고, 아랫도리는 벗어 자신의 몸이 보여도 부끄
럽지 않은 나이의 아이들'이다.

굶지만 않는담사 **깨벗고** 꼽사춤이라도 추겠다. _문순태,《타오르는 강》

그렇다면 앞으로 **꾀벗고** 장도칼 찬 신세되어 온갖 수모를 당하느니
보다 징 한번 요란히 치고 나서 생을 마감하는 것이 좋지 않겠는가.

_박범신,《물의 나라》

○ ∧ □

'꾀복쟁이 친구'와 같은 뜻의 방언들

'꾀복쟁이 친구'는 '꾀복쟁이'와 '친구'가, '깨복친구'는 '깨복'과 '친구'가 결합된 말이다. 따라서 두 단어는 꾀복쟁이일 때 만난 친구들을 지칭한다. 다시 말해서, 꾀복쟁이 친구와 깨복친구는 아랫도리를 벗고 같이 놀아도 부끄러움이 없던 시절에 만난 친구를 말한다. 어떤 사람들은 꾀복쟁이 친구를 '죽마고우竹馬故友'라고도 말하는데 이는 잘못된 것이다. 죽마고우는 대말을 타고 놀던 벗이라는 뜻으로, 어릴 때부터 같이 놀며 자란 친구를 말한다. 꾀복쟁이 친구, 깨복친구와는 거리가 멀다. 꾀복쟁이 친구, 깨복친구는 오히려 '불알친구' 혹은 '불알동무'와 가까운 말이다.

깨복친구들과 생키를 긁어먹고 또랑에서 깨벗고 멱을 감고…….

_백금남,《뺑덕어미 자서전》

'불알친구'는 '어린 시절 서로 불알을 보이며 가까이 지내던 친구'이다. 지역에 따라 '붕알친구, 붕알친고, 꼬치친구'라고도 하는데, '붕알'은 강원, 전라, 경상, 충청 지역에서 쓰이는 '불알'의 방언형이다. '붕알친구, 붕알친고'는 전라도에서, '꼬치친구'는 경상도 지역에서 쓰이는 방언형이다.

우린 서로 하루만 안 봐도 눈에 가시가 돋아날 것 같았던 **불알친구**

가 아니었냐.   _강호영, 《산촌수필》

얀마, 요 동네에 시방 교수가 누가 있냐? 내 눈엔 교수는 안 뵈고 꾀복쟁이 **붕알친구** 지게미만 뵈는구만.   _윤흥길, 《소라단 가는 길》

내 아는 사람 하나는, 아니 친한 내 **꼬치친구** 어머닌데, 아이지, 나이 칠십이 넘었으니까 이제 완전히 할머니제.

_김곰치, 《엄마와 함께 칼국수를》

꾀복쟁이 친구와 그 방언형들은 '친구'라는 단어가 붙기 때문인지 정겹다. 요즘에는 이토록 가까운 친구를 부르는 단어가 영어이거나 줄임말인데(예를 들어, '베프'는 '친한 친구'를 의미), 우리의 정서가 담긴 '꾀복쟁이 친구'로 부른다면 더욱 좋지 않을까?

○ ∧ □

섬닷허다

ㅅ ㅇ ㅁ

#굴풋하(허)다 #궁기 #굽굽 #꼽꼽

오널언 어찌 날쎄가 **섬닷헌** 거이 눈이 올랑가?

'섬닷허다'는 '먹은 음식이 시원찮아 배가 부르지 않고 부족한 느낌'이나 '날씨가 비나 눈이 올 것처럼 흐리고 선득함'을 뜻하는 말이다. 이 말은 전라 지역에서만 쓰인다. 어렸을 때 이 말을 쓴 기억은 없다. 나이가 들어 꾀복쟁이 친구들을 만나며 쓰게 된 말인데, 그 말맛이 입안에 착착 감기는 모습을 보면 필자도 어쩔 수 없는 전라도 촌놈인가 보다.

가을 산은 아무런 대가도 없이

필자가 다녔던 중학교는 집에서 6킬로미터쯤 떨어진 곳에 있었다. 당시 학생들의 시외버스 차비는 30원이었던 것으로 기억한다. 그 돈을 아끼려고 토요일에는 오전 수업이 끝나면 뒷집에 사는 고모할머니의 손자이자 친구인 종구와 산길을 걸어 집에 오기도 했다. 하지만 그것이 쉽지는 않았다. 한여름에는 더워서, 한겨울에는 춥고 눈 쌓인 길을 걷기 어려워서 산길을 걸어갈 엄두도 못 냈다. 봄은 따스했지만 우리에게 군입정거리를 내어 주지 않았다.

그러나 가을은 달랐다. 가을 산은 아무런 대가도 없이 우리에게 많은 것을 내어 주었다. 산길이 나 있는 너덜겅에는 으름이며, 다래, 꾸지뽕 열매가 이곳저곳 지천으로 널려 있었다.

으름은 작은 바나나 모양으로 적게는 두 개, 많게는 네다섯 개가 한 꼬투리에 달린다. 으름은 익으면 껍데기가 저절로 반으로 갈라지며 하얀 속살을 드러내는데, 검은 씨만 빽빽이 박혀 있는 것처럼 보인다. 일명 '코리언 바나나'이다. 그 검은 씨앗에는 하얀 과육이 붙어 있어서, 씨앗을 입에 한가득 넣고 우물우물 과육을 빨아 먹다가 단맛이 나지 않을 때쯤 되면 씨를 푸우푸우 뱉어 낸다. 그리고 또 입안 한가득 물고 우물거린다.

꾸지뽕나무의 열매는 제법 크다. 거의 탁구공만 한 크기의 열매는 익으면 붉은색으로 변한다. 꾸지뽕 열매는 따 먹을 때 조심해야 한다. 꾸지뽕나무에는 아주 커다란 가시들이 돋아 있기 때문이다. 꾸지뽕 열매를 따서 살짝 누르면 끈적거리는 허연 물이 나오는데 아주 달큰한 맛이 난다. 꾸지뽕나무 열매는 산을 넘는 우리에게 갈증을 해소시켜 주는 아주 고마운 열매였다.

그리고 다래는 잘 골라서 따 먹어야 한다. 다 익지 않은 열매는 매우 떫은 맛이 나기 때문이다. 잘 익은 다래는 약간 갈색으로 변하고, 손끝으로 살짝 눌러 보면 물렁한 느낌이 든다. 그런 다래를 골라 따서 입안 한가득 물고 살포시 깨물면 달큰한 과즙이 입안에 은은히 퍼진다. 시지 않고 아주 달콤한 키위나 양다래의 맛을 떠올려 보면 그 맛을 조금은 상상할 수 있을 것이다.

이렇게 두어 시간 걸려 집에 도착하면, 밭에 나간 어머니 대신 고모할머니가 늦은 점심을 차려 주며 "굴풋헐 틴디 어서 먹어"라고 하셨다.

굴풋혀서 어쩔끄나

'굴풋하다, 굴풋허다'는 '배가 조금 고픈 듯해 무엇인가 먹고 싶은 느낌이 있다'라는 뜻의 전라도 방언이다. 이때 '굴풋'은 아마도 '굶-'과 '풋'이 결합된 말로, '굶다'와 관련이 있는 듯하다. 여기서 '풋'은 '어렴풋하다'의 '풋'과 같은 것으로 보인다. 표준어 '궁금하다'와 같은 말이다.

깨는 볶아뒀다가 음식에 섞어 먹고 꼬깜 한 접은 큰방 쥔 주고 한 접은 저녁일 허고 **굴풋허면** 너 묵어라.

_김용택,《아들아》

명호는 **굴풋하던** 참이라 막걸리를 죽 들이켜고 안주로 젓가락을 디밀었다.

_송기숙,《은내골 기행》

'궁기허다, 굴품하다, 굽굽하다, 꿉꿉하다'는 모두 '굴풋허다'와 같은 말이다. '궁기허다'는 전남, '굴품하다'는 충남, '굽굽하다, 꿉꿉하다'는 강원 지역에서 쓰는 말이다. '궁기하다, 굴품하다' 또한 '굴풋허다'와 마찬가지로 그 말뿌리가 '굶다'와 관련 있을 것으로 보인다. '궁기'는 '굶-'과 '-기'가 결합된 '굶기'가 '굼기>궁기'와 같은 변화를 경험한 말이다. 마치 '감기'를 '강기'라고 발음하는 것과 같다. 따라서 '궁기'는 '굶은 느낌'이라는 뜻뿌리를 가지고 있다고 할 수 있다. '굴품'은 '굴풋'이 변화한 말이거나 '고프-'와 '-음'이 결합한 '고픔'이 변화한 것일 수 있다. '굽굽'과 '꿉꿉'은 같은 말인데 그 말뿌리를 전혀 알 수 없다.

궁기허면 무시(무)라도 깎어 묵어라.

그녀는 그 뒤로 엿치기해서 딴 엿 말고도 캐러멜이나 콩과자 같은 싸구려 과자를 내게 사주어 입이 **굴품하지** 않도록 신경을 썼다.

_이문구,《관촌수필》

○ ∧ □

지냑(저녁) 먹어도 밤만 되문 왜 이리 **굽굽한지** 모르겠네.

저읅(겨울)에는 밤이 질아 지냑으 먹구 나두 잠들기 즌에 머이 **굽굽해**.

섬닷혀서 어쩔끄나

'섬닷허다'는 '섬-'과 '닷', 그리고 '허다'가 결합된 말이다. '섬-'은 '서툰' 또는 '충분치 않은'의 뜻을 더하는 말 '선-'이 변한 말이며, '닷'은 표준어 '듯'과 같은 말이다. '듯'의 옛말은 '닷(《능엄경언해》)'이다. '닷'의 'ㆍ'가 'ㅡ'로 변하면 '듯'이 되고, 'ㅏ'로 변하면 '닷'이 된다. 옛글자 'ㆍ'는 'ㅏ', 'ㅡ', 'ㅓ' 등으로 변했고(ᄐᆞᆨ>턱, ᄀᆞᅀᆞᆯ>가을 등), 순음 'ㅁ, ㅂ, ㅃ, ㅍ' 아래서는 'ㅗ'로 변하기도 했다(ᄑᆞ리>포리(파리), ᄇᆞ람>보롬(바람), 볿다>볿다(밟다) 등). 따라서 '섬닷하다'의 기본 뜻은 '충분하지 않은 듯하다'이다.

섬닷허다는 말을 날씨와 연결해 쓰는 지역은 전북뿐이다. 아마도 '놀라거나 찬 기운으로 인해 갑자기 서늘한 느낌'을 뜻하는 '선뜩하다'와 관련이 있는 것으로 보인다. 비바람이나 눈바람이 불 때 뼛속까지 스며드는 그 기운을 생각해 보면, '섬닷허다'가 가지는 말맛을 느껴 볼 수 있을 것이다.

때가 되았는디 시방, 쪼깨 **섬닷헐랑가는** 몰라도 국수나 한 그럭씩
먹으러 가까요?

_이병천, 《에덴동산을 떠나며》

'섬닷허다'는 부족함과 차가운 느낌을 가진 말이지만, 필자에
게는 고모할머니가 떠오르는 따뜻한 말이기도 하다. 밥이 섬닷하
다 싶으면 감자, 고구마, 누룽지를 챙겨 주시던 고모할머니가 보고
싶어진다. 그 보고픈 마음에 시간의 무게가 더해져 마음도 더없이
무겁게 느껴진다.

손잡이뜨락또르

ㅅ ㅇ ㅁ

#뜨락또르 #딸딸이

그런데 언제를 넘어서는 길목으로 물건을 만재한 **손잡이뜨락또르가** 퉁퉁거리며 굼뜨게 넘어가고 있었다. _전복선,《고맙습니다》

보막이에 돌을 실어 가고 늦게야 돌아오는 **손잡이뜨락또르의** 퉁탕거리는 동음에 덕칠이는 정신이 들었다. _임국현,《이붓동네》

그런데 그 흙을 뭘루 나르겠소. **손잡이뜨락또르가** 있는 사람들이야 괜찮겠지만 딴사람들은 어떻게 하겠소! _최렬,《사라지는 모습》

'손잡이뜨락또르'는 '경운기'를 뜻하는 말로, 중국의 조선족 언어사회에서만 쓰인다. 이 말은 '손잡이'와 '뜨락또르'가 결합된 말이다. '뜨락또르'는 러시아어 'тра́кторный'의 북한식 표기로 트랙터를 이르는 말이다. '손잡이'는 경운기의 '방향 전환 레버'이다.

용돈벌이 '딸딸이'

어렸을 적에는 경운기를 '딸딸이'라고 불렀다. 필자가 대학교 1학년 때 아버지의 반대를 무릅쓰고 어머니가 딸딸이를 집에 들여놓았다. 그러나 쟁기와 소달구지에 익숙한 아버지에게 딸딸이가 달가울 리 없었다.

딸딸이는 필자의 생활도 바꿔 놓았다. 주말이 되면 집에 가서 논밭을 갈고, 로터리(경운기에 부착해 흙을 잘게 부수는 기계. 재래식 농기구 '써레'의 역할을 하는 현대식 농기구)도 쳐야 했다. 아버지는 딸딸이를 부리는 것을 좋아하지 않았고, 어머니는 딸딸이를 부리기에는 힘에 부쳤다. 그러다 보니 딸딸이를 부리는 일은 오롯이 필자의 몫이었다. 곧 논밭을 가는 일은 용돈을 벌기 위한 수단이 되었다. 남의 논밭을 갈아 주고 받은 삯의 반은 어머니의 몫이 되었다. 지금 생각해 보면 좀 억울하다는 생각도 든다. 어쨌든 경운기는 그렇게 필자의 대학 생활을 같이했다.

○ ∧ □

'딸딸이'의 다양한 모습들

한 단어가 서로 관련이 없는 여러 뜻을 갖는 경우가 종종 있다. '딸딸이'도 그중 하나이다. 우리 사회에서 '딸딸이'는 참으로 다양한 뜻을 갖는다.

이틀 후 **딸딸이** 차에 실린 혼수가 시집갈 때보다 많아져 왔다.

_이정환,《샛강》

이불 속에 숨어서 **딸딸이** 치니? _박성원,《이상한 가역 반응》

밤이면 **딸딸이** 전화기를 돌리는 상황근무자의 눈빛이 심란하게 보였으며, 무엇보다도 그놈의 쥐가 설치기 시작했다. _임찬일,《겨울쥐》

딸딸이를 울리며 자전거의 페달을 힘차게 밟아서 돌아왔다.

_조선작,《성벽》

성준형은 집에서 곧장 나온 듯 외투를 걸친 채 **딸딸이를** 신고 있었다. _김원일,《마당 깊은 집》

그 당시 나는 개비짱이 하던 **딸딸이** 수리방(지금의 자전거포)에서 일을 봤지요. _황석영,《어둠의 자식들》

아니에요, 그 밑에 딸아이가 하나 있어요. 이른바 **딸딸이** 엄마죠.

_김연,《나도 한때는 자작나무를 탔다》

　　이정환의《샛강》에 나오는 '딸딸이'는 지금은 그 자취를 찾아
볼 수 없게 된 삼륜차이다. 필자의 고향 마을에도 이 딸딸이가 하루
에 한 번 빵을 배달하기 위해 지나갔는데, 오르막길을 오를 때는 그
속도가 현저히 떨어졌다. 동네 형들은 그 틈을 노려 길가에 숨어 있
다가 딸딸이에 올라타 빵을 훔쳐 먹기도 했다.

　　박성원의《이상한 가역 반응》에서 '딸딸이'는 자위행위를 나
타낸다. 임찬일의《겨울쥐》에서는 다이얼을 돌리는 대신 손잡이를
돌려 쓰는 수동식 전화기를 말한다. 다이얼 전화가 나오기 전에 쓰
던 전화기인데, 필자의 고향에도 이장 댁에 이 전화기가 한 대 있었
다. 전화를 하고 싶으면 이장 댁에 가서 10원을 내고 까만색 전화기
에 달린 손잡이를 돌리면, 교환수의 예쁜 목소리가 들려온다. 그때
전화를 걸고 싶은 곳을 말하면 교환수가 연결해 준다. '번개딸딸이
(《표준국어대사전》에 '전화기를 속되게 이르는 말'이라고 실려 있음)'가 바
로 이 전화기를 말하는 것이 아닌가 싶다.

　　조선작의《성벽》에서 딸딸이는 '자전거나 자명종 등에서 종을
때려 소리를 내는 쇠방울'을 말한다. 이 쇠방울의 소리는 목신일의
동요 '자전거'에서 '따르릉따르릉'으로 표현된다. 김원일의《마당
깊은 집》에서 딸딸이는 '슬리퍼'이다. 필자가 군 생활을 할 때 경상
도 출신의 바로 위 고참병이 딸딸이를 좀 가져다 달라고 했는데, 무

엇인지를 몰라 진땀을 뺀 적이 있다. 지금 생각하면 그저 웃음만 피식 나오고 말지만……

김연의 《나도 한때는 자작나무를 탔다》에서 딸딸이는 '잇따라 태어난 두 딸'을 뜻하는 말이다. 이런 두 딸을 가진 엄마를 흔히 '딸 딸이 엄마'라고 부른다. 북한에서도 이와 같은 의미로 쓰이는 경우를 찾아볼 수 있다.

'경운기'의 방언들

1930년대 후반 《동아일보》에서 경운기를 처음으로 소개했다. 남한에서는 1960년대 초에 경운기가 처음 들어왔고, 1970년대 농업 기계화 정책에 힘입어 트랙터가 도입되었다. 그러나 북한의 상황은 달랐다. 북한에서는 이미 1970년대에 4만 1,000여 대의 뜨락또르를 보유하고 있었으나 경운기는 단 한 대도 없었다고 한다(《주간경향》(2019.9.13) '한국 테크노 컬처 연대기(8)' 참조).

논갈이 때만 해도 조합논들 사이에 앙바틈하게 끼운 그의 논을 빼놓고는 **뜨락또르가** 움직이기 힘들다고 조합에서 함께 간 뒤 논뚝을 세워 주겠다는 걸 쌈싸우다싶이 하여 진종일 논에 나와 지킨 일이 있고…….

_권정룡, 《애착》

뜨락또르는 1950년대 중반부터 북한의 문학 작품 속에 나타나기 시작했다. 다만 북한에서 간행된 국어사전에는 경운기와 딸딸이도 실려 있지 않을 뿐만 아니라, 북한의 문학 작품 속에서도 그 예를 찾아볼 수 없어 아쉽다. 북한에서는 경운기라는 말을 쓰지 않는다. 경운기의 북한말은 '경작기'이다. 남한에서는 경작기와 경운기가 모두 국어사전에 실려 있지만, 경작기는 거의 쓰이지 않는다.

게운기(강원), 겡운기(강원)
논간차(전남)
젱운기(전남)
손잡이뜨락또르(중국)

'게운기, 겡운기'는 강원 영동 지역에서 쓰이는 경운기의 방언형들이다. '게운기, 겡운기'는 모두 경운기가 소리의 변화를 거쳐 만들어졌다. '겡운기'는 '경운기>겡운기>겡운기'와 같은 소리의 변화를 경험했고, '게운기'는 '겡운기'의 'ㅇ'이 탈락한 형태이다.

게운기로 걸금(거름)을 실어 나른다와.

뱃단을 나르는 데도 옛날에는 지게 등짐과 우차(달구지)가 젼부였지, **겡운기가** 어디 있드랬어?

○ ∧ □

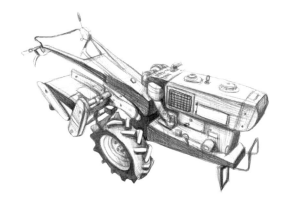

● '게운기, 겡운기'는 강원 영동 지역에서 쓰이는 경운기의 방언형들이다.

'논간차'는 전남 지역에서 쓰인다. 이 말은 '논을 가는 차'라는 뜻바탕에서 만들어진 것이다.

　　　촌에서 **논간차가** 질(젤) 빨리 댕갰제.

전남 지역에서 쓰는 '젱운기'는 '경운기>정운기>젱운기>젱운기'와 같은 소리의 변화를 겪은 말이다. '경운기'를 '정운기'로 부르는 것은 '기름'을 '지름', '기둥'을 '지둥', '길'을 '질', '김치'를 '짐치'라고 발음하는 것과 같은 소리의 변화이다. 이러한 소리의 변화는 서울을 제외한 우리나라 대부분 지역에서 일어난 음운 현상이다.
　　　손잡이뜨락또르는 중국의 조선족 언어사회에서만 쓰이는 말이다. 조선족 언어사회에서 뜨락또르가 등장하기 시작한 것은 북한과 같은 시기인 1950년대 중반이며, 손잡이뜨락또르는 1980년 초반부터 등장한다. 경운기는 1990년대 후반부터 쓰이기 시작했다. 이는 한중 수교 이후 남한 사회에서 유입된 것으로 보인다.

> 변전탑과 **뜨락또르** 임경소와 화려한 구락부를 내다보지 못한다면…….
>
> _김학철, 《현장에서》

> 총각들을 실은 **경운기가** 앞에서 가고 벤츠가 뒤에서 천천히 경운기를 따랐다.
>
> _우광훈, 《가람 건느지 마소》

비록 손잡이뜨락또르는 고유어와 러시아어가 결합된 말이지만 그 명명 방식이 아주 기발하다는 생각이 든다. 또한 중국 사회에서 적응하며 살아가야 하는 우리 겨레의 슬기와 지혜, 그리고 애환을 고스란히 담아내는 겨레말이라는 생각에 가슴 가득히 애잔함이 밀려온다.

꺼꿉서다

∧ ○ □

#꺼꿉다

비누칠한 머리를 박고 **꺼꿉서서** 푸푸 소리를 질렀다.   _《생의 흐름》

그러나 웃통을 벗어붙이고(벗어부치고) **꺼꿉서서** 세수를 하는 걸 보니, 팔과 어깨와 가슴이 어른 부럽지 않게 두드럭두드럭하다(불룩불룩하다).   _김남천, 《대하》

'꺼꿉서다'는 꼿꼿이 선 채 윗몸을 허리 아래로 굽히는 동작을 나타내는 평안 지역의 말이다. 이 말은 동사 '꺼꿉-'과 '서-'가 결합된 말이다. 평안도 방언이라 실생활보다 소설에서 접하기가 더 쉽다.

꺼꿉서서 세수하고 맞는 아침

겨울날 아침마다 어머니는 세수하고 밥 먹으라며 깨웠다. 더 자고 싶은 마음이 굴뚝같지만 어머니의 성화에 못 이겨 몸을 겨우 일으켜 방문을 열고 마루로 나서면 차가운 기운이 얼굴 가득 들이친다. 손으로 눈을 쓱쓱 비벼 눈곱을 떼고 부엌으로 가면, 따뜻한 물을 담고 있는 가마솥에서 김이 모락모락 피어올랐다.

다시 가마솥에서 따뜻한 물을 한가득 퍼서 우물가로 간다. 그곳에서는 스테인리스 세숫대야가 보기만 해도 찬 기운을 흠씬 내뿜으며 우리를 기다리고 있었다. 세숫대야에 따뜻한 물을 붓고, 두레박으로 한가득 우물물을 길어 섞는다. 그리고 손을 넣어 휘휘 저으며 물 온도를 가늠해 본다. 뜨거우면 길어 놓은 우물물을 더 붓고, 차가우면 가마솥에서 따뜻한 물을 더 퍼 와서 붓고 가장 적당한 온도를 찾아야 한다. 적정 온도를 찾아내면 비로소 상체를 허리 아래로 굽히고 세수를 한다.

어머니의 성화에 못 이겨 잠이 덜 깬 아이가 엉덩이를 추켜들고 연신 푸푸거리며 마지못해 세수를 하는 풍경. 지금은 그 시절의 추억일 뿐이지만, 수도 시설이 보편화되기 이전에는 흔히 볼 수 있는 풍경이었다.

○ ∧ □

'꺼꿉서다'를 통해 본 우리네 정서

꺼꿉서서 세수하기는 마치 하루를 시작하는 의식과도 같았다. 지금은 꺼꿉서서 세수를 하려면 영 불편하지만 그때는 너무나 익숙한 자세였다. '꺼꿉서다'는 말도 예전에 발표된 작품에서는 쉽게 볼 수 있지만 최근에는 보기가 어렵다.

'꺼꿉다, 꺼굽다'는 이광수의 《꿈》이나 김동인의 《어떤 날 밤》에서 볼 수 있는 것처럼, 상체를 허리 아래로 굽히는 동작을 말한다. '꺼꿉서다'는 꺼꿉은 상태로 서 있는 동작을 말한다.

> 그 사람이 깜짝 놀라서, **꺼꿉어서** 이것을 줍더니, 잠깐 무엇을 생각하더니, 아따 물값이다 하고 나를 주어요.
>
> _이광수, 《꿈》

> 그 동작을 얼마나 오래 했는지 좌우간 허리가 아프도록 **꺼꿉어** 서서 구두끈 장난만 하고 있네.
>
> _김동인, 《어떤 날 밤》

> 서너 간이 될까 말까 하는 물 아래켠에서 궁둥이를 이쪽에다 대고 기역자로 **꺼꿉서서** 열심히 물바닥(물 밑)을 들여다보는 아이가 있다.
>
> _허준, 《잔등》

> **꺼꿉서면** 흰 가슴이 팡파짐하니 엿보여서 부인네들끼리지만 부끄러웠다.
>
> _김남천, 《대하》

잠자코 부어서는 곰배님배(물건이 거듭 쌓이거나 일이 계속 일어남을 나타내는 말. 표준어는 '곰비임비'이다) 마시는 사이 주전자는 점점 가벼워지며 **꺼꿉서기를** 요하더니 주룩 하고 방울만이 뚝뚝 잔 안에 든다.

_계용묵, 《심원》

놀 거리가 별로 없었던 어린 시절에는 가끔 꺼꿉서서 세상을 바라보곤 했다. 꺼꿉서서 보는 동네 모습은 재미있고 신기했다. 동네 사람들이 걸어오는 모습이 우스꽝스럽게 보이고 길게 뻗은 나무들과 흘러가는 구름의 모습은 새로웠다. '기역자로 꺼꿉서서 열심히 물바닥을 들여다보는 아이', '제방 아래에서 꺼꿉서서 무엇인가를 거두고 있는 농군', 이 모두 '꺼꿉서다'가 소환하는 우리들의 정서이다.

계용묵, 김남천, 김동인, 이광수, 허준 모두 평안도 출신의 작가들이다. 계용묵은 평북 선천, 김남천은 평남 성천, 김동인은 평남 평양, 이광수는 평북 정주, 허준은 평북 용천 출신의 소설가들이다. '꺼굽다, 꺼꿉다, 꺼꿉서다'는 모두 평안도 방언으로 우리가 보존하고 지켜야 할 소중한 우리말이다. 이 나이 들어 서울 길거리에서 '꺼꿉서서' 세상을 바라볼 수는 없는 일. 언제 고향 집에 내려가면 한 번쯤은 '꺼꿉서서' 그때 그 시절을 추억해 보고 싶다.

○ ∧ □

탯
자
리

ㅅ ㅇ ㅁ

#쌈터

저 눈물 나는 어미의 땅, 아비의 땅, 내 명줄 받아 태어났던 **탯자리라** 그리운 땅, 울며 울며 떠나왔던 조선으로 부디 다시 돌아가기를 원한다는 말인가.

_최명희,《혼불》

그쪽 땅에 탯줄을 묻은 사람들 중에 가끔 그런 분들이 생기곤 하니까요. **탯자리** 지력이 좀 드센 탓이라 할까요……

_이청준,《춤추는 사제》

나도 보성서 낳더라면 이 판에 장기나 한번 번듯하게 두는 것인데,
우리 부모들이 **탯자리를** 잘못 잡은 것 같소. ＿송기숙,《녹두장군》

'탯자리'는 '탯줄을 묻은 자리, 곧 자기가 태어난 곳'을 뜻하는
말이다. 탯자리는 '자란 곳'을 뜻하는 '쌈터'와 함께 주로 전라도 지
역에서 쓰인다. 탯자리와 쌈터는 누가 뭐래도 전라도 사람의 정서
를 옴스레기(고스란히) 담아내는 전라도 탯말이다.

할머니의 혼불

《혼불》을 읽기 전에는 '탯자리'라는 말을 한 번도 들어 보지 못
했다. 앞에 소개한 문장은 청암 부인의 손자 강모가 멀리 이국땅 만
주에서 고향을 그리워하는 한 장면이다. 혼불이라는 단어를 들으
면 어릴 적 어느 정월 대보름 무렵이 떠오른다.

정월 대보름 며칠 전, 미리 구해 놓은 헌 깡통을 통나무에 찔러
박고 못으로 잔뜩 구멍을 내 불깡통을 만든다. 정월 대보름 전날에
쥐불놀이를 하기 위해서이다. 대보름 전날 저녁이 되면 불깡통 제
일 밑에는 불쏘시개를 넣고 그 위에 뒷산에서 따온 관솔을 잔뜩 채
운다. 그리고 불쏘시개에 불을 붙인 다음, 불깡통의 손잡이를 잡고
큰 원을 그리며 돌린다. 그러면 불깡통의 관솔에 불이 붙고 커다란
불덩이가 빙글빙글 돌아간다. 약속이나 한 것처럼 불깡통을 돌리

는 아이들이 강변으로 모여든다. 수십 개의 불깡통이 여기저기 돌아가는 모습이 참 장관이었다.

그렇게 신나게 불깡통을 돌리고 있을 때, 고향 집 초가지붕 위로 맑고 푸르스름한 빛이 하늘로 올라가는 것을 봤다. 깜짝 놀라 아버지에게 말씀드렸더니, 아버지는 할머니의 '혼불'이라고 하셨다. 혼불이 나가고 삼 일이 지났을 때 할머니는 세상을 떠나셨다.

하나뿐인 탯자리, 또 다른 러전 쌈터

강모가 그리워하는 대상인 '탯자리'는 태아의 젖줄인 '태胎'와 '자리'가 결합된 말이다. 자기가 태어난 곳을 뜻하는 탯자리. 어디 그곳이 고향뿐이겠는가? 탯자리는 이 땅을 떠나면 모국이요, 이승을 떠날 때면 혼불의 안식처가 되는 곳이다. 때로 탯자리는 '아이를 받는 자리'라는 뜻으로도 쓰인다.

통증이 일순 가라앉는 틈을 타서 속치마를 벗고 **탯자리를** 폈다.

_오유권,《대지의 학대》

내 **태자리가** 고흥 여자만 출신이라 했지라? 나는 거그서 나고 거그서 이 나이 되도록 커뿌렀제.

_김주영,《아라리 난장》

태자리에 그대로 주질러앉아(주저앉아) 토박이가 된 대다수 마을 사람들의 경우와는 달리 최씨는 소싯적부터 타관으로 나가서 차갑고 매운 객지 바람에 부대끼다가 돌아온 처지였다.

_김주영,《고기잡이는 갈대를 꺾지 않는다》

탯자리는 고향과는 다른 말이다. 고향은 자기가 태어나서 자란 곳을 말한다. 그러나 탯자리는 자기가 태어난 곳을 말할 뿐 태어나서 자란 곳은 아니다. '탯자리에 그대로 주질러앉아' 살게 되면 탯자리가 고향이 된다. 자란 곳을 의미하는 말은 '쌈터'이다.

소철리 안에 사태라는 데가 내 **쌈터입니다.** 태나기는 그 안 동네에서 태어났제라.

에잇, 대장부 **쌈터를** 떠나는 거다. 니까짓 잡귀 떼에게 질 날까부냐! **쌈터를** 뜨면 잘 살 거라던 점장의 말이 문득 생각났다.

_이정환,《샛강》

쌈터는 '싸움이 벌어진 곳'인 '싸움터'의 준말이기도 하지만 또 다른 뜻도 갖고 있다. 탯자리가 태어난 곳이라면, 쌈터는 어린 시절 꾀복쟁이 친구들과 천지분간('하늘과 땅을 구별한다'는 뜻으로 옳고 그름, 좋고 나쁨 등을 구별하거나 가려서 앎)하지 못하고 산으로 들로 싸댕기며(쏘다니며) 뛰어놀던 곳을 뜻하는 말이다. 즉, 자란 곳을 말한다.

○ ∧ □

탯자리와 쌈터가 같은 사람들에겐 탯자리와 쌈터는 곧 고향을 의미한다. 그렇지만 탯자리와 쌈터가 다른 사람들에게 쌈터는 제2의 고향인 셈이다. 고향은 탯자리와 쌈터가 같아야 한다.

그러나 어디 꼭 그러겠는가? 어디든 정붙이고 살면 고향이고 쌈터인 것이지. 쌈터는 꼭 태어난 곳이 아니더라도 살아온 터전이 되는 곳이다. 누구에게나 쌈터는 바뀔 수 있지만, 탯자리는 한 번 정해지면 그만이다. 탯자리는 바뀔 수 없다. 쌈터는 여러 곳이 될 수 있지만 탯자리는 누구에게나 하나만 존재할 뿐이다.

탯자리가 삶의 근원이자 발상지라면, 쌈터는 곧 삶의 터전이 되는 곳이다. 인구가 도시로 몰리면서 이제는 도시가 많은 이들에게 삶의 터전이 되었으나 그래도 정붙이기는 영 쉽지 않다. 탯자리와 쌈터는 그래서 더욱 소중하고 오래도록 간직하고 싶은 말이 아닐까.

갱갈할매숟가락

∧ ○ □

#챙이조개 #치조개 #돗귀

갱 가는디 뭔 숟구락을 갖구 가겄슈. **갱갈할매숟가락** 그눔 한쪽얼 숟구락처룸 썼이유.

갱갈할매숟구락은 회로 먹으면 증말 맛나유. 그거 따문 홍재(횡재) 한 거유.

'그눔 한쪽얼 숟구락처룸'이라고 쓴 것을 보면 '갱갈할매숟가락'은 짝을 이루는 물건이다. 숟가락을 안 가져가서 숟가락 대신으

○ ∧ □

로 갱갈할매숟가락을 썼다는 말이다. 숟가락처럼 썼다는 그것이 무엇인지 쉽게 짐작하기 어렵다. 그런데 사실 갱갈할매숟가락은 진짜 숟가락은 아니다. '갱갈할매숟가락'은 '키조개'를 뜻하는 말이다. 이 말은 주로 충남 해안가 지역에서 쓴다.

또 다른 바다의 추억, 갱갈할매숟가락

바닷가를 찾은 사람들이 많이 먹는 음식 중 하나가 조개구이이다. 크기도 모양도 다양한 조개들을 불판 위에 올려 조개가 입을 벌리기를 기다리는 시간은 지루하지 않다. 잔뜩 기대감을 품고 서서히 열리는 조개를 보는 재미 또한 조개구이를 먹는 맛이리라. 다양한 조개들 사이에서도 유독 눈에 띄는 조개가 있다. 손바닥만큼 큰 키조개이다.

키조개는 껍데기의 폭이 좁고 아래로 갈수록 점점 넓어지는 삼각형 모양이 곡식의 티끌을 골라내는 키를 닮았다 하여 그 이름이 붙었다고 한다. 키는 예전에 자다가 소변 실수를 한 아이가 소금을 받으러 다닐 때 쓰기도 했다. 필자도 그런 경험이 있다. 그럴 때면 이웃집 아주머니는 소금을 주고 벙그레 웃으시며 필자의 머리를 쓰다듬어 주셨다. 어린 나이에도 얼마나 창피했는지 모른다. 얼굴이 화끈 달아올라 황급히 집으로 줄행랑을 쳤고, 어머니는 그런 필자를 살포시 안아 주셨다.

키조개의 껍데기는 크기가 커서 잘 씻어 놓으면 활용하기가 좋다. 볶음밥을 담을 때 활용하면 예쁘게 꾸민 느낌을 낼 수 있고, 모래 놀이를 하는 아이가 삽 대신 쓰기에도 좋다. 숟가락이 없는 상황에서 급하게 써야 할 때도 도움이 된다. 물론 껍데기가 약해 여러 번 쓸 수는 없지만, 다 먹고 활용하는 재미를 느껴 보는 것도 추억이 되지 않을까?

'키조개'의 방언들

실제로 '갱갈할매'가 키조개 껍데기를 숟가락으로 썼는지는 알 수 없지만, 키조개의 다른 이름인 갱갈할매숟가락은 키조개의 모양새보다는 그 쓰임을 본떠서 만든 이름이다.

가리조개(충남)

갱갈할매숟가락(충남)

개닥(전남), 개당(전남), 개덕(전남), 개두(전남), 개적(전남), 게이지(경남, 전남)

귀머거리(전남)

도끼조개(충남), 도치뿔(전남)

쳉이(전남), 체지조개(경남), 칭이조개(경남)

치조개(전북, 충남)

○ ∧ □

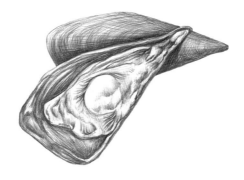

❷ 키조개는 껍데기의 폭이 좁고 아래로 갈수록 점점 넓어지는 삼각형 모양이 곡식의 티끌을 골라내는 키를 닮았다 하여 그 이름이 붙었다고 한다.

'가리조개, 갱갈할매숟가락'은 충남 해안가에서 쓰는 방언형이다. '가리조개'의 '가리'가 무엇을 뜻하는지는 정확히 알 수 없지만, 키조개의 모양새와 관련이 있어 보인다. '갱갈할매숟가락'은 갯일을 하러 나간 할머니가 숟가락 대신 쓰는 조개이다.

'개닥, 개당, 개덕, 개두, 개적'과 '귀머거리' 모두 전남 지역에서 쓰이는 말인데, 그 말뿌리가 무엇인지는 알기 어렵다. 우리는 흔히 귀머거리라고 하면 '귀가 먹어서 소리를 듣지 못하는 사람'으로 알고 있다. 설령 거기서 비롯되었다고 해도 키조개의 어떤 특성 때문에 귀머거리가 키조개의 방언형이 되었는지 추정하기는 쉽지 않다.

개당언 흑산에서는 여간 귀헤라우. 여그서는 잘 안 나.

요거는 저 안에 꼭대기가 큰 거이 있거든, 크기 땜이 **개지는** 비싼 거이라.

'도끼조개, 도치뿔'은 키조개의 모양을 본뜬 방언형들이다. 도끼, 도치의 모양새를 닮은 조개가 곧 키조개인 것이다. 도끼의 이전 형태는 '돗귀(《월인석보》)'이고, 도치의 이전 형태는 '도최(《능엄경언해》)'이다. '돗귀'는 '돗귀>도뀌>도끼'와 같은 소리의 변화를 거쳐 표준어로 자리매김했지만, '도최'는 '도최>도취>도치'와 같은 소리의 변화를 겪었는데 표준어 반열에는 오르지 못했다.

어마, 아적두 **도끼조개를** 안 먹어 봤슈? 아따 이 양반 큰일날 양반이구먼.

도끼조개 그그는 구우 무우도 맛있고, 날거로 무우도 맛있제.

아따 **도치뿔** 그거 큰 것은 겁나게 크제라. 혼차 다 못 묵제.

'쳉이, 치조개'도 패각의 모양을 형상화한 방언형들이다. '쳉이'와 '치'는 모두 '키'를 나타내는 말이다. '쳉이'는 '치'와 접사 '-엉이'가 결합된 말인데, '청이>쳉이>칭이'와 같은 변화를 겪은 것이다. 쳉이는 오줌싸개들에게 벌 받는 도구이기도 했다. 지금이야 그럴 리 없겠지만 예전에는 웃음을 주는 하나의 풍경이었다.

○ ∧ ▢

'치조개'는 '치'와 '조개'가 결합된 말이다. '치'는 곡식에 섞여 있는 쭉정이나 검불, 티끌 등을 골라내는 데 쓰는 '키'를 말한다. '키'가 '치'가 된 것은 '킷다리>칫다리, 기둥>지둥, 기름>지름, 길>질' 등과 같이 소리가 변화한 것이다. 즉, 치조개는 조개의 모양새를 본뜬 키조개의 다른 이름이다.

쳉이 그거 한 마리 까갖고 쏠어 놓으민 참 푸짐허고 만나제.

아따 그거 치 안있단가? 그거 비스롬허게 생깄응개 **치조개여.**

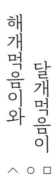

해개먹음이와 달개먹음이

∧ ○ □

#가심이 #굴 #올개돌개길이 #차물그릇이 #가심이 #선땀이 #골이

낼으 **해개먹음이**럴 볼 수 있간둥?

달개먹음이 멫 년에 한 번으 난다.

'해개먹음이'와 '달개먹음이'는 순우리말처럼 보이기도 한다. 동화에서나 나올 듯한 이 예쁜 말들은 말 그대로 해, 달과 관련이 있다. '해개먹음이'는 일식日蝕, 日食, '달개먹음이'는 월식月蝕, 月食을 나타내는 중앙아시아의 고려인들이 쓰는 고려말이다.

○ ∧ □

우리말에는 재미난 이야기들이 많이 숨어 있다. 그중 하나가 해개먹음이와 달개먹음이다. 이 두 단어는 함경도 지방의 설화에서 유래한 것으로 전해진다.

까막나라는 해와 달이 없어서 밤이고 낮이고 늘 깜깜했다. 그래서 까막나라의 왕은 해와 달이 모두 있는 이웃 나라가 샘이 나고 부러웠다. 어느 날 까막나라의 왕은 불개에게 해와 달을 물어오라고 명했다. 불개는 왕의 명을 받들어 해를 가져오려고 해를 덥석 물었다가 너무 뜨거워서 뱉어 버렸다.(일식이 일어난 것이다.) 불개는 다시 달을 가져오려고 달을 덥석 물었는데 이번에는 너무 차가워서 뱉어 버렸다.(월식이 일어난 것이다.)

이 설화는 민속 채집을 위해 전국 각지를 돌아다닌 유진태 선생이 1930년에 펴낸 《조선민담집》에 실려 있다. 1923년 8월 12일에 함남 함흥군 함흥면 하동리의 김호영 씨에게서 채록한 것이다. 그러나 아쉽게도 우리말이 아니라 일본말로 기록되어 있다.

필자도 어렸을 적 부분 일식을 본다고 아주 진한 갈색의 빤딱 종이(셀로판지)를 눈에 대고 본 적이 있다. 일식을 그냥 보면 눈이 먼다는 어른들의 말에 생각해 낸 방법이었다.

함경도에서 일식은 '해개먹음', 월식은 '달개먹음'이라고 하는

❷ 어느 날 까막나라의 왕은 불개를 시켜 해와 달을 물어오라고 명했다. 함경도 지방의 설화이다.

데, 이를 줄여서 '해개' 또는 '달개'라고도 한다. 해개먹음이와 달개먹음이는 '해개먹음'과 '달개먹음'에다가 접사 '-이'를 덧붙인 말이다. 처음 들을 때는 생소하게 느껴질 수 있는데, 보면 볼수록 말맛이 있고 정겨운 말이다.

고려말에는 '-이'를 자주 붙인다

해개먹음이, 달개먹음이 외에도 정겨운 고려말이 많다. '훈자'는 '훈장勳章'이며 '가심이'는 '가슴'이다. '케우다'는 '미어지다'는 뜻이며, '골이'는 '골'에 접사 '-이'가 결합된 말로 '머리'를 뜻한다. '골이가 일을 잘한다'는 머리가 잘 돌아간다는 뜻이 아니라 '머리가 좋다'는 뜻이다. '넘어나다'는 '넘쳐나다'는 뜻이며, '선땀이'는 '식은땀'이다. 이 말은 '식다'의 고려말 '설다'의 관형형 '선'과 '땀', 그리고 '-이'가 결합된 말이다. '큰아매'는 '할머니'를 뜻한다. '소비돈이'는 '소비'와 '돈'이 결합된 '소비돈'과 '-이'가 결합된 말로 '용돈'을 뜻한다.

그 사름이 일으 잘해 훈자르(훈장을) 타 **가심이에** 달았다.

골이가 일으 잘한다.

강물이 **넘어난다** 하므 집이 물역에 있어 **선땀이가** 난다.

우리 큰아매느 날마둥 **소비돈이르** 준다.

'올개돌개길이'는 '구불구불'을 뜻하는 '올개돌개'와 '길'이 합쳐진 '올개돌개길'과 '-이'가 결합된 말이다. 즉, 구불구불한 길을 뜻한다. '바뿌다'는 '바쁘다'가 아니라 '험하다'를 뜻하는 고려말이다. '차물그릇이'는 '차물그릇'과 '-이'가 결합된 말이며 '주전자'를 뜻한다. 앞에서 살펴본 고려말을 보면 하나의 특징이 눈에 보인다. 명사에 아무런 의미 없는 접사 '-이'를 덧붙이는 것이다.

올개돌개길이가 돼서 차르 몰기가 **바뿌다.**

차물그릇이에다가 물으 끓에서 차물으 마신다.

이역만리 남의 땅에서 고렷사름, 고려인, 큰땅배기로 불리며
살아온 우리의 겨레붙이가 그들만의 방식으로 써 내려온 고려말은
우리의 소중한 언어 유산이다.

○ ∧ □

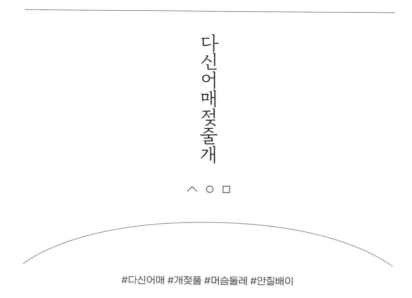

다
신
어
매
젖
줄
개

ㅅ ㅇ ㅁ

#다신어매 #개젖풀 #머슴둘레 #안질배이

진짜 **다신어매젖줄개**느 신(흰) 꽃이 피니더.

　'다신어매정줄개, 다신어매젖줄개'는 '민들레'의 경상도 방언
이다. '다신어매'는 '의붓어미'를 말한다. 민들레 꽃대를 부러트리면
하얀 즙이 나오는데 양이 아주 적다. '다신어매'가 의붓자식한테 젖
을 적게 먹일 것이라는 편견이 깔린 뜻바탕에서 만들어진 말이 '다
신어매젖줄개'이다.

민들레 꽃대

어릴 적 봄이면 동네에는 노란 민들레꽃으로 가득했다. 집 담벼락 밑, 길가, 냇둑, 잔디밭 어디에든 노란 민들레꽃이 지천으로 널려 있었다. 지금 생각해 보면 못된 짓이지만 어린 마음에 민들레 꽃대를 뚝뚝 부러뜨리곤 했다. 부러뜨린 꽃대에서는 하얀 액체가 나왔다. 한번은 호기심에 손가락을 살짝 찍어서 맛을 봤다가 엄청 써서 된통 혼난 적이 있다. 그날은 온종일 쓴맛의 기운이 가시지 않고 입안을 빙빙 맴돌았다. 민들레꽃이 할머니 머리처럼 하얗게 되면 역시나 꽃대를 꺾어 후 하고 불었다. 하늘로 두둥실 떠올라 날아가는 민들레 홀씨를 보며 신나게 뛰어다니기도 했다. 그때는 그저 재미로 한 일이었지만, 그것이 민들레의 의도였다는 것을 나중에야 알게 되었다.

민들레를 유용하게 쓰기도 했다. 어머니가 토끼 밥을 주라고 하면, 밖에 나가서 민들레도 뿌리째 쑥 뽑고 씀바귀도 캐 왔다. 그걸 토끼장에 넣어 주면 토끼들은 그 쓴 것을 맛있게도 먹었다. 그때는 그런 토끼들이 정말 신기했다. 어떻게 쓴맛이 나는 풀을 저렇게 맛있게 먹을까……. 아버지는 입맛이 없으시다며 씀바귀를 잘게 썰어 밥에 넣고 고추장에 비벼 드시기도 했다. 아버지가 씀바귀를 한 입 먹어 보라고 하면 민들레의 쓴맛을 이미 맛봐 머리를 절레절레 저었다.

○ ∧ ☐

'다신어매', '개젖풀'과 관련된 방언들

요즘에는 다양한 형태의 가정이 있다. 한부모 가정, 다문화 가정, 재혼 가정이 있고 1인 가정도 있다. 이러한 가정들이 서로 편견 속에 고립되지 않도록 사회적으로도 많은 노력을 기울이고 있다. 하지만 지금보다 보수적인 분위기였던 과거에는 편견이 심했다. 특히 의붓어머니에 관한 편견이 가장 심했는데, 방언이 만들어진 바탕을 보면 그러한 현실을 확인할 수 있다.

다선애미(경남), 다선어매(경남), 다섯째엄마(경남), 다슨어매(경남), 다신이비(경북), 다시에미(경북), 다심어멍(제주)

으듭엄마(충북), 으붓어매(충남), 으붓에미(강원), 이부어매(경북), 이부어미(함북), 이붓어매(전남, 중국), 이붓엄매(중국), 이붓에머(함남), 이붓에미(러시아), 이붓온마(평남), 잇에미(러시아)

낯선어마이(경북), 다신어마이(경북), 으듭어머이(충북), 이봇어마이(경북)

다슴아방(제주), 다심아방(제주), 다신아베(경남), 다신아비(경상), 다신애비(경상)

아부애비(함북), 이부애비(함북, 중국), 이붓아비(함북), 이붓애비(경북, 평안, 함북), 잇애비(러시아)

다신아바이(경북), 다신아부지(강원), 이부더아버지(전남), 이붓아부지(전남), 이아부비(경남)

의붓어미, 의붓어머니, 의붓아비, 의붓아버지의 방언형들은 경남 방언형인 '다섯째엄마'와 경북 방언형인 '낯선어마이'를 제외하면 크게 두 가지 유형으로 나누어 볼 수 있다. '다신형'과 '의부형'이다. '다신'은 '대신'의 방언이다. '다신어매'는 '대신 엄마' 곧 '의붓어미'가 된다. '낯선어마이'가 '의붓어미'가 되는 것은 그 뜻바탕이 이해가 되지만, '다섯째엄마'의 뜻바탕이 무엇인지는 알기 어렵다.

그 집 **다신어매가** 말수도 없고 사람이 점잖다.

자는 **다신어미래도** 아들한테 지극정성이대이.

가들 엄마가 **다신엄마래도** 친엄마맨치로(친엄마처럼) 정성들이 키왔잖네.

가들 어매가 **다신어마이래도** 그꼬 잘한다카대.

삼춘네 아덜은 **다슴아방신디도** 경 잘헌덴 ㅎ멍양.

그래 잘해줘도 **다신애비는** 어쩔 수 없는 모양이시더.

다신아바이라고 어데 써붙이 놓고 댕이나?

❷ '다신어매정줄개, 다신어매젖줄개'는 '민들레'의 경상도 방언이다. 이때 '다신어매'는 '의붓어미'를 말한다.

민들레는 해가 잘 드는 곳이라면 들판은 물론 길가에서도 잘 자라는 꽃이다. 솜털처럼 보송보송한 열매가 되면 바람에 멀리 날아가 번식을 하는데, 어린아이들도 민들레의 번식을 웃으며 열심히 돕는다. 바람을 타고 멀리 날아간 민들레 열매처럼 민들레의 방언도 우리나라, 중국, 중앙아시아에서 두루두루 나타난다.

개젖풀(강원)
다신어매젖줄개(경북), 다솜어매젖줄개(경북), 다신어매정줄개(경상), 다신어매젖줄개(경상)
도끼밥(전남), 토끼밥(전남)

둥굴레(양강, 함경), 등글레(경북)

들마꽃(경상)

말똥굴레(경북)

맨드라미(경북, 전북), 맨드래미(경남), 문들레미(평안, 중국), 미은들레미(경남), 민드라미(강원, 경상, 전라, 충북), 민드레미(경상), 민들레미(경상, 충북)

머슴둘레(전남), 머슴들레(경상, 전남), 머신들레(중국), 머심달레(경남), 머심둘레(경남, 전라, 중국), 모슴들레(경남, 전남), 무미들레(충남), 무순둘레(함경, 중국, 카자흐스탄), 무운둘레(함남), 므슨들레(함남), 민들리(전라, 중국)

멘들레(중국), 면들레(경기, 중국), 문둘레(평안, 함남, 황해, 중국), 문들레(경북, 평안, 함남, 중국), 민달레(경남), 민덜레(경남, 중국), 민둘러(중국), 민둘레(경상, 전남, 충북, 평북, 중국)

세똥나물(경북), 소똥구부리(경남), 쇠똥나물(경북)

세투레(함남)

신내이(경상), 신냉이(경상), 씬내(경남, 전북, 충북), 씬내이(경상), 씬냉이(경상)

씨갱이(강원)

씬나물(경상, 충청)

안질배이(경북), 앉은뱅이(평안), 앉은뱅이꽃(평안)

진달레(경북)

○ ∧ □

'개젖풀, 다신어매젖줄개, 다솜어매젖줄개'는 그 뜻바탕이 같은 것으로 보인다. '개젖풀'은 '개'와 '젖', 그리고 '풀'이 결합된 강원도 방언인데, '개'가 무엇을 뜻하는지는 확실하지 않다. '다신어매젖줄개, 다솜어매젖줄개'는 경북 지역에서 쓰는 말로 '다신어매, 다솜어매'는 '의붓어미'를 뜻한다.

민들레를 여서는 **개젖풀이라고도** 하지. 우습지. 그게 민들레 꺾으면 거게서 흰 물이 나온다 안하나.

'도끼밥, 토끼밥'은 전남 지역에서 쓰는 말로 민들레가 토끼의 먹이로도 많이 쓰여서 붙은 이름이다. '둥글레'는 양강과 함경 지역에서, '등글레'는 경북 지역에서 쓰는 말인데 이 단어가 '둥굴레'와 관련이 있는지는 알 수 없다. '들마꽃'은 경상도 지역에서 쓰는 말인데 '들마'의 말바탕은 알 수가 없다. '말똥굴레'는 경북 지역에서 쓰이는 말이다.

나비, 제비야 깝치지 마라. 맨드라미, **들마꽃에도** 인사를 해야지.

_이상화,《빼앗긴 들에도 봄은 오는가》

길섶에 **말똥굴레가** 노랗게 폈더라.

민들레의 옛말은 '므은드레(《동의보감》)'이다. '머슴둘레'나 '무

순둘레'로 유추해 볼 때 '므은드레'의 이전 형태는 '므슨드레'였을 것
으로 추정된다. '머슴둘레, 머신들레, 머심달레, 머심둘레, 모슴들
레, 무순둘레'는 '므슨드레'가 변한 말들이다. '머슴둘레'형은 경상,
전라, 충남, 함경, 카자흐스탄 등 다양한 지역에서 쓰인다. '멘들레'
형은 '므은드레'가 변한 말들이며 경기, 경상, 자강, 충북, 평안, 함
남, 중국 등에서 쓰인다.

길가에 **머슴둘레가** 피었어.

시골에서는 요거 **머심둘레라** 그래요. 요건 쌈도 싸묵고 약대야요.

나 올개(올해) **무순둘레** 마이 캐 말렸어.

'세똥나물, 소똥구부리, 쇠똥나물'은 경상 지역에서 쓰이는 말
이다. 이 방언형들은 '쇠똥'과 관련이 있는데, 민들레가 자라는 환
경과 관련이 있을 것으로 보인다. 함남 방언 '세투레' 역시 말바탕
을 전혀 알 수가 없다.

요새는 민들레라고 한디, 옛날에는 **소똥구부리라고** 했어.

'신내이, 신냉이, 씬내, 씬내이, 씬냉이'는 경상, 전북, 충북 지
역에서 쓰는 말인데, 모두 '신'과 '씬'에 '냉이'가 결합된 말이다. 이

○ ∧ □

들 모두 민들레의 맛과 관련이 있다. '신'은 '쓰다'의 경상도 방언인 '시-'에 '-ㄴ'이 결합된 말이며, '씬'은 '쓰다'의 방언 '씨-'와 '-ㄴ'이 결합된 말이다. '신내이'는 '신냉이'의 'ㅇ'이 탈락된 형태이며, '씬내'는 '씬내이'가 줄어든 말이다. 강원도에서 쓰이는 '씨갱이' 역시 '쓰다'와 관련이 있으며, 경상과 충청 지역에서 쓰이는 '씬나물'은 '씬'에 '나물'이 결합된 말이다.

경북, 충북, 평안 지역에서 쓰이는 '안질배이, 앉은뱅이, 앉은뱅이꽃' 모두 민들레의 모습을 본떠 만들어진 말이다. 경북 방언형 '진달레'의 '진'이 무엇인지 알 수 없다. 민들레의 방언형들은 민들레의 특징과 용도, 모양, 맛 등을 지역에 따라 다양하게 형상화해 붙인 이름이다.

민들레를 안질배이라고 그러대요.

말은 한번 사라지면 되살리기가 어렵다. '시나브로'를 다시 살려 쓰는 데 십 년이 걸렸다고 한다. 방언은 비록 표준어로 대접은 못 받지만 우리의 정서와 감정을 고스란히 담아내는 아주 소중한 그릇이다.

간
풀
다

ㅅ ○ ▢

#개궂다(개구지다) #간푸쟁이 #자장궂다 #재장궂다

내가 열여섯에 시집을 갔는데, 가니께 신랑 나이가 열한 살이더마.
게다가 우찌나 **간풀던지** 여름이믄 또랑에서 미꾸라지 잡노라고 옷
이 흙에 범벅이 되고, 겨울이믄 얼음판에서 온종일 미끄럼을 타는
바람에 바지 밑바닥이 성할 날 없었고…….   _박경리,《토지》

어릴 적에는 차분하더니만 요사는 **감풀아서** 옷이고 머고 감당을
못하겠십니다.   _박경리,《토지》

○ ㅅ ▢

'간풀다'는 '하는 짓이 부잡하고 아주 짓궂다'는 뜻으로, 주로 전남과 경남 지역에서 쓴다. 이 말은 너무 짓궂어서 밉살스러울 때도 쓸 수 있지만, 하는 행동이 귀엽고 살가울 때도 쓸 수 있다.

밉살스럽고 사랑스러운 의미를 담은 '간풀다'

서희의 몸종 봉순이가 한 많은 세월을 돌이켜 보며 열한 살짜리 꼬마 신랑의 모습을 그려 내는 《토지》의 한 대목을 읽다 보면, '간풀다'가 무슨 말인지 어렴풋하게 짐작할 수 있다.

도랑에서 미꾸라지를 잡느라 옷이 흙 범벅이 된 것만 봐도 알 수 있듯, 꼬마 신랑은 온갖 말썽을 다 피운다. 개구쟁이를 연상케 하는 꼬마 신랑의 철없는 짓은 밉살스럽기도 하지만, 때론 귀엽고 살갑게 느껴지기도 한다.

필자도 어렸을 적에 산과 들에서 개구리를 잡고, 산골짝을 흐르는 개울에서 가재 잡고, 논두렁에서 콩을 뽑아다가 불에 그슬려 먹고, 친구들과 옹기종기 강변에 모여 앉아 남의 감자밭에서 훔쳐 온 감자를 구워 먹었다. 가끔 간 큰 형들은 뱀도 잡아서 구워 먹었는데, 한 조각 떼어 주며 먹어 보라고 하면 질겁하고 줄행랑을 쳤다.

'간풀다'의 말맛은 마당에서 온갖 말썽을 다 피우며 놀고 있는 손자 녀석을 흐뭇한 눈길로 바라보며 혼잣말하는 우리네 할아버지의 말 한마디에서 쉽게 느껴 볼 수 있다. 이 말은 주로 전남과 경남 남해, 하동 등지에서 쓰이는 말이다. 전남 지역에서는 '간푸다' 또는 '간프다'의 형태로 쓰이기도 한다.

　　허참, 그놈 **간풀어지게** 노는구먼!

　　그 문댕이는 왜 그리 **간푸냐**?

　　자는 에렜을 때는 참 **간팠는디** 커각고는 착허다.

　　'간풀다'는 말은 여자애들에게 쓰지 않고 남자애들에게만 쓴다. 물론 자기 자신에게 쓸 때는 나이와 관계없이 쓸 수 있다.

　　나가 젊었을 직에 얼매나 **간풀았는지** 앙가?

'간풀다'와 닮은 말

　　'간풀다'와 닮은 말은 '짓궂다'와 '장난궂다'이다. '짓궂다'는 '장난스럽게 남을 괴롭고 귀찮게 해 달갑지 아니하다'는 뜻이다. '장난궂다'는 북한에서 간행한 《조선말대사전》에 실려 있는 말이다. 그 뜻은 '장난기가 있거나 또는 매우 많다'라고 풀이되어 있다. '짓궂다'는 말의 뜻에서 알 수 있는 것처럼, 그 행위의 결과는 달갑지 않은 것이다.

○ ∧ □

'간풀다'의 장난스러운 행위의 결과도 달갑지 않은 것이 사실이다. 하지만 간풀은 행동을 하는 아이가 좀 더 친근하고 살갑게 느껴질 수 있다는 점에서 짓궂은 행동과는 다르다. '장난궂다' 역시 '간풀다'가 갖는 친근하고 살가운 정서적 의미를 담아내지 못한다. '감풀다'는 《표준국어대사전》을 보면 '거칠고 사납다'로 풀이되어 있어 '간풀다'와는 그 뜻이 사뭇 다르다. 혹시 '감풀다'의 뜻풀이가 잘못된 것은 아닐까 하는 생각이 든다.

'간풀다'와 닮은 또 다른 말은 '개궂다'와 '개구지다'이다. '개궂다'는 경북 지역에서, '개구지다'는 전라도 지역에서 쓰는 말인데, 그 뜻은 '하는 짓이 잔망스럽고 귀여운 데가 있다' 정도로 풀이된다.

씨름이며 닭싸움이며를 하느라 한참 동안 **개구지게** 놀고 난 아이들이 비녀봉으로 칡이나 캐러 갈까 하고 둑을 내려설라치면…….

_이서하,《서점 앞에서》

길다란 속눈썹 속에 젖은 듯한 눈이 철을 가만히 응시할 때면 철은 **개궂고** 못된 짓을 하다가도 슬그머니 그만두기가 일수였다.

_정연희,《한 뼘의 땅》

'간푸다'의 '간푸'와 '-쟁이'가 결합되면 '간푸쟁이'가 된다. 간푸쟁이는 '하는 행동이 부잡하고 아주 짓궂은 아이'다. 개구쟁이 같은 아이의 모습이 떠오르는 말이다.

어찌나 부잡한지 저 **간푸쟁이** 데꼬는 암것도 못해라우.

워매, 인자 우리 집 **간푸쟁이** 학교 갔다 온갑소.

요즘에는 '개구지다'라는 말을 많이 쓴다. 전라도 지역에서 쓰는 '개궂다'와 같은 말은 '자장궂다, 재장궂다, 지장궂다'이다.

아이구 저런 **재장궂은** 놈! 이건 뭐헐라 여그다 갖다 놔.

자넌 **지장궂어도** 한나두 밉지가 안혀.

《표준국어대사전》에는 개구쟁이라는 말이 '심하고 짓궂게 장난을 하는 아이'로 풀이되어 있다. 개구쟁이가 '개구지다'의 '개구'와 그것이 나타내는 특성을 가진 사람의 뜻을 더하는 '-쟁이'가 결합된 말이라면, 개구쟁이는 '하는 짓이 잔망스럽고 귀여운 데가 있는 아이'가 아닐까.

'간풀다, 간푸쟁이, 개궂다, 개구지다'는 우리 겨레가 살려 써야 할 소중한 말들이다. 시간이 흐를수록 표준어의 그늘에 가려 사라지는 우리말이 너무나 많다. 간푸쟁이 하나가 사라지는 것은 단순히 말 하나가 사라지는 것이 아니다. 그 안에 고스란히 담겨 있는 우리의 정서와 감정도 함께 사라지는 것이다. 이렇게 소중한 언어유산이 사라진 세상은 어떤 세상일까? 상상하고 싶지 않다.

○ ∧ □

와
가
리

∧ ○ ▢

#말매미 #쓰름매미 #와갈와갈 #미얀매미
#뜰매미 #쓰르람매미 #시오시매미 #씨롱이

여름이 **와가리가** 울어대기 시작허믄 시끄러서 잠얼 자들 못혀.

    '와가리'는 한여름에 와갈와갈 유난히 시끄럽게 우는 매미이
다 이 매미는 윤기 나는 아주 짙은 검은색이며 매미 중 가장 크다.
다른 매미와는 달리 나무의 높은 곳에서만 앉아 울어서 잡기 힘들
었다. '와가리'는 매미의 울음소리를 표현한 '와갈'과 명사를 만드는
접사 '-이'가 결합된 말로, 전북 지역에서 '말매미'를 이르는 말이다.

꾀복쟁이 친구들과 함께했던 즐거운 놀이

어린 시절 여름날, 매미 잡기는 꾀복쟁이 친구들과 함께했던 즐거운 놀이의 하나였다. 매미를 잡는 방법에는 여러 가지가 있다. 매미채로 손쉽게 잡을 수도 있고, 밀껌이나 거미줄을 이용해서 잡을 수도 있다. 물론 이도 저도 없으면 맨손으로 잡으면 그만이다.

요즘에는 밀껌이 낯설지도 모르겠다. 보리밭에서 밀 이삭을 끊어다가 밀알을 추려낸 다음, 입에 넣고 계속해서 씹으면 점성이 꽤 강한 밀껌이 된다. 이 밀껌을 긴 막대기나 장대 끝에 붙여서 높은 나무에 매달린 매미를 탁 찍어서 잡는다. 밀껌이 없을 땐 거미줄을 이용하기도 한다. 철사를 둥그렇게 구부려 긴 막대기나 장대 끝에 매달고, 그 위에 거미줄을 빙빙 돌려 가며 감으면 거미줄 뭉치가 만들어진다. 이 거미줄의 점성을 이용해 나무에 매달린 매미를 잡는다.

그렇게 매미를 직접 잡아 학교에서도 못 배운 매미의 모습을 자세히 관찰하면서 호기심을 채우곤 했다. 자연이라는 거대하고도 신비한 학교에서 꾀복쟁이 친구들과 마음껏 배움을 만끽한 것이다. 울음소리를 따라하고, 잡은 매미를 다시 날려 보내면서 말이다. 지금은 곳곳에 곤충 박물관도 있고, 인터넷에서 자세한 정보를 얻을 수 있어서 호기심을 더 쉽게 충족해 준다. 하지만 매미채를 들고 뛰어다니는 아이가 많이 줄어들어 아쉽기도 하다.

○ ∧ □

계절을 알려 주는 존재들이 있다. 봄이 되면 화사한 꽃들과 나비들이 인사하고, 귀뚜라미 우는 소리가 가을을 알리며, 겨울에는 찬바람과 눈이 새로운 계절을 알려 준다. 여름을 알려 주는 존재는 단연 매미이다. 맴맴 우는 소리를 떠올리기만 해도 뜨거운 공기가 밀려오는 느낌이다.

벙치매미(강원)
미얀매미(전북)
와가리(전북), 왕자리(제주), 왕잘(제주), 왕재(제주), 왕재열(제주), 왕잴(제주)
심방재열(제주)
뜰매미(전북), 쓰르람매미(전남)
시오시매미(전북), 시오시(전북), 씨조지매무(강원), 씨롱이(충남)

'벙치매미'는 강원 지역의 말로 털매미를 이른다. 매미 중에서 제일 먼저 세상의 빛을 보는 매미가 털매미이다. '벙치매미'는 벙어리매미의 강원도 말인데, '벙치'는 강원과 충남 지역에서 쓰이는 '벙어리'의 다른 말이다.

한여름이 되면 여게서 제일 많은 매미가 **벙치매미** 아니여, 가들이

찌찌찌 하고 울면 시끄러운 게 말도 못해.

매미 중으서는 **벙치매미가** 질 먼저 나와.

아칙부터 저래 **벙치매미가** 울어대이 오널도 엄청시리 찌겠다만.

'미얀매미'는 털매미 다음으로 세상에 나오는 참매미를 말한다. 미얀매미가 울면 한여름이다. '미얀'은 매미의 옛말 '미야미'가 변한 말이다. 미얀매미는 매미의 울음소리를 본떠 만든 이름이다. 어릴 적에 '저 매미는 뭐가 그리 미안해서 온종일 미안하다고 우는지 모르겠다'는 생각을 한 적도 있다.

한여름이 되무는 **미얀매미가** 우찌나 시끌럽게 울어대 쌓는지 몰러.

'와가리, 왕자리, 왕잘, 왕재, 왕재열, 왕잴'은 모두 말매미를 뜻하는 말들이다. '와가리'는 매미 울음소리를 본뜬 전북 지역의 말이고, '왕자리, 왕잘, 왕재, 왕재열, 왕잴'은 제주 지역의 말이다. 제주 지역의 방언형들은 '크기가 매우 큰'을 뜻하는 접사 '왕王'이 결합된 것이다. '자리, 잘, 재열, 잴'은 모두 매미를 뜻하는 제주말이다. 우리나라에서 서식하는 매미 중에 가장 큰 매미가 말매미이다. '말매미'의 '말'도 '큰'의 뜻을 더하는 접사이다. '말거미, 말거머리, 말개미'도 접사 '말'이 결합된 것이다.

○ ∧ □

● '와가리'는 한여름에 와갈와갈 유난히도 시끄럽게 우는 매미이다.

와가리가 젤 커. **와가리가** 울먼 귀창이 완전히 나가 불 정도여.

재열도 종류가 하지('하다'는 '많다'의 옛말). 그냥 잴도 잇곡 **왕잴도** 잇곡.

우리 **왕재열** 잡으레 가카?

이젠 아이덜도 **왕자리** 잡으멍 놀지 아녀양?

'심방재열'은 유지매미를 지칭하는 말이다. 해질 무렵이 되면 유지매미가 울기 시작하는데, 그 울음소리는 털매미와 거의 비슷하다. '심방재열'은 제주 지역에서 쓰며 '심방'은 '밤'을 뜻하는 말로 보인다. '심방중이'는 강원도 말로 '밤에도 쉬지 않고 매우 열심히 일하는 사람'을 뜻한다. 제주도 말 심방재열은 '밤에 우는 매미'라는 뜻바탕을 가진 말로 보인다. '심방재열'은 유난히 가죽나무(참죽나무)에 앉아서 우는 것을 좋아한다.

심방재열은 밤에만 울곡.

'쓰르람매미'는 쓰르람쓰르람 운다고 붙여진 이름이다. '뜰매미'는 전북 지역에서, '쓰르람매미'는 전남 지역에서 쓰는 말이다.

뜰매미가 울면 여름 막바지여.

쓰르람쓰르람 운깨 **쓰르람매미지라.**

'시오시시오시, 씨조지씨조지, 쌔롱쌔롱, 씨롱씨롱' 모두 애매미의 울음소리이고, '시오시매미, 시오시, 씨조지매무, 씨롱이' 모두 애매미를 나타내는 말들이다. '시오시매미, 시오시'는 전북 지역에서, '씨조지매무'는 강원 지역에서 쓰는 말이다. 애매미는 세상의 빛을 가장 늦게 보는 매미이다. 애매미가 울면 찬바람이 불기 시작한다. 여름의 막바지인 것이다. 털매미의 울음소리가 여름의 시작을 알리는 신호탄이라면, 애매미의 울음소리는 여름이 가고 있음을 알리는 신호탄이다.

○ ∧ □

낮으로 참매미가 지냑으로 **씨조지매무** 울어대구 그래도 시끄러운 거보담 듣기 좋지.

시오시매미가 울먼 찬바람이 불기 시작혀.

'미얀매미, 와가리, 뜰매미, 쓰르람매미, 시오시매미, 시오시, 씨조지매무, 씨롱이'는 모두 매미의 울음소리를 본떠 만들어진 말이고, '왕자리, 왕잘, 왕재, 왕재열, 왕잴, 불매미'는 모두 매미의 모양을 본떠 만든 말이다. '심방재열'은 매미의 생태를 반영해 만들어진 말이며, '벙치매미'는 그 유래를 정확하게 알 수 없다.

각자의 울음소리를 표현한 이름을 갖고 있는 매미들처럼, 우리의 정서를 담은 우리말이 오래오래 전해지면 좋겠다.

오여손잽이

∧ ○ □

#가락잽이 #까락잽이 #에손잽이 #엔손잽이 #엔손재 #왠손재 #왼손재
#왠손배기 #왼손재기 #인손좨기 #왼손쟁이 #인손잽이 #짝재비

뒷간에 다녀와서 **오여손잽이가** 되고 보니까 나만 해방 전으로 되
돌아가서 좌우익을 함께하고 있는 듯한 느낌이 들데.

_이문구,《산너머 남촌》

아 아들은 왜정 때버텀 **오여손잽이루** 호가 났구 메누리는 인공 때
여으맹위원장질 헤먹었는디, 워째 조이가 옳다는겨.

_김성동,《엄마와 개구리》

○ ∧ □

‘오여손잽이’는 ‘오여’에 ‘손잽이’가 결합된 말로, 왼손잡이의 충남 방언이다. ‘오여’는 ‘왼’과 같은 뜻이다. ‘오여손’은 왼손, ‘오여발’은 왼발, ‘오여팔’은 왼팔이다.

얼레리꼴레리 외약잽이래요

오늘 하루의 일상을 보내면서 손이 없다면 어떨까. 손은 상상조차 할 수 없을 정도로 아주 많은 일을 한다. 우리는 먹을 때도 일할 때도 놀 때도 손을 사용한다. 그리고 사람마다 주로 사용하는 손이 있다. ‘왼손잡이, 오른손잡이’가 바로 이를 표현하는 단어이다.

어렸을 적 필자는 왼손잡이였다. 왼손에는 젓가락, 오른손에는 숟가락을 들고 밥을 먹었다. 그 모습을 본 아버지는 밥 먹을 때 양손을 다 쓰는 건 식사 예절에 어긋난다고 하시면서 체통을 지키라 하셨다. 그 시절 필자는 왜 양손을 다 쓰면 안 되는지 이해하지 못한 채, 오른손잡이가 되려고 노력했다.

어릴 적 꾀복쟁이 친구 중에는 양손잡이가 있었다. 왼손잡이가 흉도 아닌데 “얼레리꼴레리 얼레리꼴레리 외약잽이래요 외약잽이래요” 떼창을 부르며 놀렸고, 결국 그 친구가 울음을 터트리고서야 노래를 그쳤다. 지금 생각해 보면 모자란 행동이었다. 자신과 다르다고 놀림의 대상으로 삼았으니……. 어른이 된 지금도 종종 이처럼 철없는 사람을 만나기도 한다. 그럴 때면 왼손잡이라고 놀림을 받던 그 친구의 울음이 떠오른다.

'왼손잡이'의 방언들

어느 문화권이든 왼손잡이에 대한 편견이 있는 듯하다. 매년 8월 13일은 '세계 왼손잡이의 날'로, 그 편견을 없애기 위한 다양한 행사를 펼치고 있다. 왼손잡이의 여러 방언들을 살펴보면서 편견을 없애 보자.

가락잽이(전북), 까락잽이(전북), 까락손잽이(전북)
에손잽이(중국), 엔손잽이(경기, 중국), 엔손재(함북, 중국), 왠손재(함북, 중국, 카자흐스탄), 왼손재(함북), 왠손배기(경남, 중국), 왼손재기(평안, 함경, 황해), 왠손좨기(함북), 인손좨기(자강, 평북, 함경), 왼손쟁이(중국), 왼손잽이(강원, 양강, 전라, 충청, 평안, 황해)
왼동잽이(전남), 완짝이(함북), 왜짜깨비(중국), 왠짝잽이(경남, 중국)
오약손잽이(전라), 오약잽이(전북), 오여손잡이(충남), 외약손잽이(전라), 외약잽이(전라)
왜잽이(평안, 중국), 왜집이(중국), 왼빵이(강원), 왼삐(강원), 왼자바래기(경북), 왠재기(평안, 함북, 중국), 왠잽이(평안, 중국), 왼잽이(경북), 웬갱이(제주)

○ ∧ □

● '오여손잽이'는 '오여'에 '손잽이'가 결합된 말로, '오여'는 '왼'과 같은 뜻이다.

'가락' 혹은 '까락'과 '-잡이, -잽이'가 결합된 말인 '가락잽이, 까락잽이, 까락손잽이'는 유일하게 전북 지역에서 나타나는 말인데, 필자도 정말 흔히 쓰던 말이다. '가락, 까락'은 '왼'과 같은 말이다. 그런데 이 말의 말바탕이 무엇인지는 짐작조차 할 수 없다. '가락, 까락'은 '다리, 발'과는 결합하지 않아서 '가락발, 까락다리'라는 말은 쓰이지 않는다.

가락잽이가 쓰는 낫이 따로 있어. **가락잽이는** 글도 외약손으루 쓰지.

까락잽이들이 영리허다곤 헌디, 까락손 쓴다고 어릿을 직이 많이 혼났어.

요짐에는 **까락손잽이들이** 쌨드만. 옛날이는 글덜 안 힜어. 까락손을 쓰문 즈그 아부지안티 겁나게 혼나고 그맀그덩.

왼손과 왼손의 다른 말인 '에손, 엔손, 왠손, 인손'과 사람의 뜻을 더하는 말 '-배기, -재, -재기, -좨기, -잽이, -쟁이'가 결합된 말들은 다양한 지역에서 발견된다. '에손잽이, 엔손잽이, 엔손재, 왠손재, 왼손재, 왠손배기, 왼손재기, 인손좨기, 왼손잽이'는 모두 왼손잡이의 다른 말들이다.

'에손잽이'는 중국 지역에서, '엔손잽이'는 경기와 중국 지역에서 쓰인다. '엔손재, 왠손재, 왼손재'는 '엔손, 왠손, 왼손'과 사람의 뜻을 더하는 말인 '-재'가 결합된 말로, '-재'는 한자어 '-자者'가 변한 말이다. '엔손재'는 함북과 중국 지역에서, '왠손재'는 함북, 중국, 카자흐스탄 지역에서, '왼손재'는 함북 지역에서 쓰는 말이다. '왠손배기'는 '-배기'가 결합된 말로 경남과 중국 지역에서 쓰는 말이며, '왼손재기, 인손좨기'는 '-재기, -좨기'가 결합된 말이다. '-재기, -좨기'는 '-자기自己'와 같은 말이다.

나느 밥먹을 때는 **엔손재다.**

왠손재느 왠손을르 글으 쓰구 밥두 먹는 사름이다.

왼동잽이가 일을 잘하는 것은 아닌디 심이 시긴 셔.

○ ∧ ▢

'왼손쟁이'는 중국의 조선족 동포 언어사회에서 쓰이는 말로 '-쟁이'가 결합된 말이다. '왼손잽이'는 왼손잡이가 변한 말로, 우리나라 대부분 지역과 중국의 조선족 언어사회 등에서 쓰는 말이다.

> 좌익을 **왼손잽이로**, 우익을 오른손잽이로 알고 있는 무지헌 사람들이 죽었어.
>
> _문순태, 《41년생 소년》

'왜잽이, 왜집이, 왼뺑이, 왼삐, 왠재기, 왠잽이'는 모두 '왼'을 뜻하는 말 '왜, 왼, 왠'과 '-잽이, -집이, -뺑이, -삐, -재기'가 결합된 말들이다. '왜잽이, 왜집이, 왠잽이'는 경북, 평안, 중국 지역에서 쓰는 말로 '왜, 왠'은 '왼'이 변한 것이다. '왼동배기, 왼동잽이'는 전남 지역에서 쓰이는 말로 '왼닥, 왼동'은 왼쪽을 뜻한다. '왼뺑이, 왼삐'는 강원 지역의 말로 '-뺑이, -삐'는 '-뱅이'다(-뱅이>뺑이>빼이>빼>삐>삐).

> 이건 또 어디서 나타난 **왼삐** 귀신인고? _김남일, 《천재토끼 차상문》

> **왠재기가** 골이(머리가) 좋다더라.

> 난 **웬갱이라부난** 검질매는 골겡이나 듬북 비는 호미나 **웬갱이용으로** 만들앙 써.

'오약손잽이, 오약잽이, 오여손잡이, 외약손잽이, 외약잽이, 외여잡이'는 '왼'과 '왼'을 뜻하는 말 '오여, 오약, 외약, 외여'가 '-잡이, -잽이'와 결합된 말이다. '오약손잽이, 외약손잽이, 외약잽이, 오약잽이'는 전라 지역에서, '오여손잡이'는 충남 지역에서 주로 쓰인다.

쌍둥이 둘째가 **오여손잡인데** 아무리 가르쳐도 못 고쳐.

호맹이로 밧을 매도 **외약손잽이** 거이 따로 있어.

나넌 **외여잡이라도** 글씨는 오른손으루 쓰유.

왼손잡이를 뜻하는 많은 방언들이 왼손잡이에 대한 우리 사회의 편견을 여실히 보여 주는 것이 아니겠는가. 필자가 아는 바로 오른손잡이의 방언은 '바른쪽배기, 오른재기, 오른잽이' 세 개뿐이다. 왼손잡이에 대한 편견은 이제 우리 사회에서 사라진 지 오래다. 오른손잡이로 살아가는 지금 때론 아버지가 원망스러울 때도 있다. 오늘날 양손잡이는 한손잡이보다 장점이 훨씬 많아 보이기 때문이다. 오여손잽이라는 방언을 사용할 때도 편견은 덜어내면 어떨까?

○ ∧ ▢

머
구
리

ㅅ ㅇ ㅁ

#가가비 #개고래기 #개구래기 #깨고래기 #깨구라기
#깨굴래기 #깨우래기 #먹자개 #먹자구 #먹자귀 #먹장구

풀잎의 이슬은 아직 다 마르지 않았고 바위 틈바구니에 흘어진 잔
디에는 커다란 구렁이가 똬리를 틀고서 떡 **머구리** 한 놈을 우물거
리며 있는 중이매.

_김유정,《산골》

어느 것은 하늘 못 보고 해 못 보는 **머구리** 신세라고, 그곳은 순간
순간 죽음이 도사리고 있다.

_손춘익,《머구리》

'머구리'는 개구리를 뜻하는 말로 문헌 자료에는 개구리보다

더 일찍 나타난다. 머구리는 1463년에 간행된 《법화경언해》(조선 세조 9년(1463)에 황수신 등이 왕명에 따라 《묘법연화경》을 한글로 풀이한 책)에 처음 등장하고, 개구리는 1576년에 간행된 《신증유합》(조선 선조 때 유희춘이 《유합》을 증보한 한자 학습 입문서)에 처음 등장한다. 표준어가 된 개구리와 다르게 머구리는 방언으로 남게 되었다.

개구리와 숨바꼭질

조팝나무 가지는 개구리를 잡는 데 참 요긴하게 쓰였다. 조팝나무 가지를 하나 꺾어서 논두렁을 두드리면 풀 섶에 숨어 있던 개구리들이 깜짝 놀라 뛰어오른다. 그때 잽싸게 손으로 개구리를 잡았다. 개구리를 잡는 것도 재미있었지만 동네 아이들과 함께 뛰어다니는 그 시간이 마냥 즐거웠다.

겨울에는 괭이를 가지고 여기저기 돌을 들추고 작은 자갈들을 파내어 겨울잠을 자고 있는 개구리를 잡곤 했다. 그 개구리로 가재를 잡을 수도 있었다. 개울에 가서 가재를 주전자 한가득 잡아 와 어머니에게 드리면 프라이팬에 볶아 주셨다. 프라이팬에 볶으면 진한 갈색이던 가재 몸이 붉은색으로 변한다. 가을엔 매미채로 메뚜기도 잡는다. 논에 가서 매미채로 고개 숙인 벼 이삭 위를 훑으면 메뚜기가 대여섯 마리씩 잡혔다. 그렇게 잡은 메뚜기는 아버지의 좋은 술안주감이 되었다.

○ ∧ □

'개구리'의 방언들

　여름이면 전국 방방곡곡 어디서나 개구리를 흔히 볼 수 있다. 우리에게 친숙한 존재인 만큼 개구리의 방언 또한 많다.

　가가비(제주), 가개비(제주), 가굴래비(제주), 개개비(제주), 글가비(제주), 글개비(제주)

　개고락지(강원, 전라, 함남), 개구락지(강원, 전라, 충청, 함경, 황남, 중국), 까고락지(전북), 깨고락지(경북, 전라, 충청), 깨구락지(경기, 전라, 충남, 중국), 깨오락지(전라), 깨우락지(전라), 꽤구락지(충남)

　개고래기(전라, 충청, 함남), 개구래(함북), 개구래기(강원, 양강, 전라, 함경, 중국), 개구래이(경북), 개우래기(전남), 깨고래기(전라, 충청), 깨구라기(충청), 깨구래기(강원, 경기, 전라), 깨굴래기(전남), 깨우래기(전남)

　개고리(강원, 경기, 전라, 경북, 함경, 황남), 깨가리(경남), 깨거리(중국), 까고리(경북, 전남), 까구리(경상), 깨고리(강원, 경상, 전라, 충남), 깨구리(강원, 경기, 경상, 전라, 충청), 깨까리(경북), 깨꼬리(경남), 깨꾸리(강원, 경북, 충청), 깨우리(전남), 꽤구리(충남)

　개고태기(전라), 개골태기(전라), 개굴태기(전라), 깨굴태기(전남)

　개골새(황북)

　개구락(충남)

　개오라지(전남), 개구래지(함남)

까구랭이(경북), 깨구랭이(경상), 깨구래이(경상)

깨굴챙이(전남)

깨구락대기(전남)

머가리(황해), 머거리(전남), 머구리(강원, 전남, 함경), 머우리(함북), 메구레(함북), 메구리(평안, 함경)

머거비(황해)

머구락지(함북, 중국), 머구랙지(함북), 머그락지(함북, 황해, 중국, 카자흐스탄), 멀구락지(함북), 멀그막지(함북), 메구락쥐(함북), 메구락지(함경, 중국), 메그락지(함남, 중국, 카자흐스탄), 메꾸락지(함경), 모구락지(함북, 중국)

머구래기(함북), 메구래기(함남), 메구래지(함남)

먹자개(황해), 먹자구(함남, 황해), 멱자구(강원, 경기, 평안, 황해), 먹자귀(황해), 멱자귀(평남, 황해), 먹장구(자강, 형안, 함남), 멱장구(자강, 평안, 중국), 먹저구(황해), 머저귀(황해), 먹저귀(황해), 먹저기(황해), 메자구(평북), 멕자구(양강, 평안, 함남, 중국), 멕자귀(양강), 멕자기(함남), 멕장구(강원, 자강, 평안, 함북, 황해), 멕재기(함경), 멕쟁기(평북), 멱장귀(황남), 멱장기(평북), 멕대기(함남), 멕새기(함경)

하마(중국), 하매(평북)

　　개구리의 방언은 개구리의 울음소리를 흉내 내거나 모양을 본뜬 말들이 많다. 가령, '개구래기'는 울음소리 '개굴'과 '조그만 것'

● 개구리의 방언은 개구리의 울음소리를 흉내 내거나 모양을 본뜬 말들이 많다.

의 뜻을 더하는 말 '-아기'가 결합된 '개구라기'가 '개구래기'로 변한 것이다.

그런데 제주 방언인 '가가비, 가개비, 가굴래비, 골가비, 골개비' 등은 그 말바탕을 도무지 알 수가 없다. '개고락지, 개구락지, 까고락지, 깨고락지, 깨구락지, 깨오락지, 깨우락지, 꽤구락지'는 모두 개구리의 울음소리에 '-악지'가 결합된 것이다. '-악지'는 '-아기'와 같은 말이다. '개고래기, 개구래기, 개구래이, 개우래기, 깨고래기, 깨구라기, 깨구래기, 깨굴래기, 깨우래기, 깩고래기'는 '-아기'가 결합된 말들이며, '개고리, 깨가리, 깨거리, 까고리, 까구리, 깨고리, 깨구리, 깨까리, 깨꼬리, 깨꾸리, 깨우리, 꽤구리' 또한 개구리의 울음소리와 명사를 만드는 말 '-이'가 결합된 말들이다. '뻐꾸기'도 개구리와 같은 방법으로 만들어진 말인데, 뻐꾸기의 울음소리 '뻐꾹'과 '-이'가 결합된 것이다.

옛날에는 **개고락지가** 엄청나게 많았으나 하도 잡아먹어서 요중년 에는 예전 같지 않다와.

깨우리 한 마리럴 소리개란 놈이 물구 날러.

개구래기 우는 소리 정말 시끄럽소.

졸복쟁이(올챙이)가 커서 **깨구락지** 대까?

남술이는 이런 자신이 있는지라 명태를 한숨에 내리바수는데 그것 은 마치 율모기가 **깨고리를** 잡아먹듯 차차 명태의 몸뚱아리가 입 안으로 들어가며 바삭바삭 소리만 쉴새 없이 나는 것이었다.

_이기영,《봄》

저녁밥을 먹고 난 뒤 토끼 밥을 주고 요강을 씨로 가니 우리 담 넘 에서 **개고리** 소리가 들린다. _이오덕,《허수아비도 깍꿀로》

저 올구채이(올챙이) 꼬랑대기가 어업서지며 **깨구리가** 대능 거야.

왼손에는 강된장 끼얹은 보리밥 소쿠리, 오른손에는 청주 병을 들 고 가다가 가파른 시골길에서 돌을 차고는 앞으로 비참하게 자빠 졌다 패대기쳐진 **개구락지** 꼴이었다. _이윤기,《위대한 침묵》

○ ∧ □

'개고태기, 개골태기, 개굴태기, 깨굴태기'는 전라도 지역에서만 쓰이는 말로, '앞에 결합한 말의 속성을 갖는 것'의 뜻을 더하고 명사를 만드는 말 '-태기'가 결합된 것이다. 다시 말해서 '개골태기'는 '개골 하는 속성을 가진 것', 즉 개구리가 되는 것이다. '개골새'는 황북 지역에서 쓰는 말인데, '개골'과 결합한 '새'가 무엇인지는 분명하지 않다. 개구리가 펄쩍 뛰어 오르는 모습을 새에 비유한 것인지도 모르겠다. '개구락'은 명사를 만드는 말 '-악'이 결합된 말로 충남과 자강 지역에서 쓰인다. 같은 방식으로 만들어진 말에 '주무르-'와 '-억'이 결합된 '주물럭'도 있다.

'개오라지, 개구래지' 또한 '조그마한 것'의 뜻을 더하는 '-아지'가 결합된 말이다. '망아지'나 '송아지'의 '-아지'와 같다. 경상 지역에서 쓰이는 '까구랭이, 깨구랭이, 깨구래이'는 '-악지, -아지, -아기'와 같은 뜻을 나타내는 '-앙이'가 결합된 말인데, '깨구래이'는 원래 '깨구랭이'의 'ㅇ'이 탈락한 말이다. 'ㅇ'이 탈락하는 현상은 경상도 말의 특징이다. 가령, '호랭이'를 '호래이', '가랭이'를 '가래이'라고 하는 것과 같다. '깨굴챙이'는 '-탱이'와 같은 말인 '-챙이'가 결합된 말이다.

북한이나 조선족 동포들은 '머굴머굴'

'머가리, 머거리, 머구리, 머우리, 메구레, 메구리'는 개구리의 울음소리 '머굴, 머갈, 머걸, 머울, 메굴'과 명사를 만드는 말 '-이'가 결합된 것이다. '머갈, 머걸, 머울, 메굴'은 '머굴'이 변한 말이다. 개구리가 '머굴머굴' 운다고 하면 아마 의아해하는 사람들이 많을 것이다. 그러나 중국 조선족 동포의 소설에서 개구리의 울음소리를 '머굴머굴'로 표현한 걸 볼 수 있다.

> 허기를 쫓으며 간신히 몸을 지탱해 가던 소녀는 그때 문득 개구리 울음소리를 들었습니다.
> **머굴머굴 머굴머굴.**
> **머머굴머머굴 머머굴머머굴.**   _구호준,《도시머구리》

'메구레'는 '-에'가 결합된 말로 천둥을 뜻하는 '우레'와 똑같은 방식으로 만들어진 말이다. '우레'는 '울-'과 접사 '-에'가 결합됐다. 황해 지역에서 쓰이는 '머거비'는 그 말바탕을 전혀 알 수가 없다. '개구리'형은 주로 남한 지역에서, '머구리'형은 주로 북한 지역과 중국 조선족 동포의 언어사회에서 사용되고 있음을 알 수 있다.

개구리의 또 다른 이름 '먹자개, 먹자구, 멱자구, 먹자귀, 멱자귀, 먹장구, 멱장구, 먹저구, 머저귀, 먹저귀, 먹저기, 메자구, 멕자구, 멕자귀, 멕자기, 멕장구, 멕재기, 멕쟁기, 멱장귀, 멱장기'에서 '먹, 멱, 머, 멕'은 모두 목의 앞부분을 뜻하는 '멱'에서 온 말이다. '멱>먹'은 반모음 'y'가 탈락한 형태이며, '머'는 '먹'의 'ㄱ'이 탈락한 것이다. '멕'은 이중모음인 'ㅕ'가 단모음 'ㅔ'로 바뀐 것이다. 쉬운 예

○ ∧ □

로 '면사무소'를 '멘사무소'라고 하는 것을 들 수 있다. '먹, 멱, 머, 멕'에 결합된 '자, 저, 자개, 자구, 자귀, 저구, 저귀, 저기, 자기, 재기, 쟁기, 장귀, 장기' 등은 모두 다 타악기 장구와 관련된 말들이다.

'멱장구'형의 다른 이름들은 개구리가 울 때 입가에 울음보가 부풀어 오르는 모습을 장구에 비유한 것이다. '멕대기'와 '멕새기'는 함경 지역에서 주로 쓰이는 말인데, '-새기'는 '-대기'가 변한 것으로 보인다.

나느 아아 때부터 **머그락지르** 무섭아했다.

논에서는 **메구락지들이** 울고 있다.

배가 불룩 나온 거 다 **멕자구라** 기래.

멱장구래 논에 많디유.

대학 다니던 시절, 아버지가 술을 드시면 여지없이 밤에 물꼬를 보러 나가야 했다. 논들에 들어서면 그렇게 시끄럽게 울던 개구리들이 사람의 인기척을 느끼고 울음을 뚝 그쳤다. 그러면 풀 섶에 부스럭부스럭 발자국 소리만이 들녘 가득 울릴 뿐이었다. 요즘에는 시골에 가도 개구리 우는 소리를 듣기가 쉽지 않다. 논들에 그렇게 울어대던 개구리들은 어디로 갔을까?

장
싸
귀

ㅅ ㅇ ㅁ

#장꽝 #곱도리 #깍제이 #깍젱이 #꼬막 #독 #뚝자배기 #뚝주배기
#시발옹케미 #시발옹케기 #오가리 #오모가리 #오목투가리 #뚜가리 #옹조리 #투가리

장싸귀르 아적(아침)부텀 깨문 어이 함둥?

'장싸귀'는 '뚝배기'를 뜻하는 함북 지역의 말이다. '장'과 '싸귀'
가 결합된 말로 '싸귀'는 고령토, 장석, 석영 따위의 가루를 빚어서
구워 만든, 희고 매끄러운 사기그릇을 뜻한다. 즉, 장싸귀는 장을
끓이거나 장을 담아내는 뚝배기를 뜻함을 알 수 있다.

ㅇ ㅅ ㅁ

소담한 장싸귀

어릴 적 고향 집 우물가에는 소담한 장꽝('장'과 '광'이 결합된 말로 '장독대'를 말함)이 자리 잡고 있었다. 거기에는 크고 작은 단지들이 옹기종기 모여 살았다. 간장독이나 된장독, 김칫독, 고추장 단지는 덩치가 아주 컸고, 작은 단지들에는 참깨며 들깨, 콩 등이 소담하게 담겨 있었다.

가을이 되면 장독대는 더욱 풍성해진다. 비바람이 친 다음 날에는 꼭두새벽부터 일어나 산으로 들로 다니며 떨어진 대추와 밤, 감 등을 포대 한가득 주워 왔다. 땡감은 물에 우려내 먹고, 생밤은 장독에 담아 두고, 생대추는 널어 말린다. 벌레 먹은 밤은 쪄 먹고, 멀쩡한 것들은 어머니가 오일장에 내다 팔았다.

그렇게 가을이 가고 겨울이 오면 장독 뚜껑 위에는 눈이 수북이 쌓이고, 김칫독은 땅속에 묻혀 겨울을 나야 했다. 크고 작은 장독 뚜껑 위에 쌓인 눈이 녹아내리며 줄 얼음이 얼고, 장독대의 구석진 한편에는 장싸귀 서너 개가 하얀 눈을 빵모자처럼 둘러쓴 채 어머니의 손길을 기다리며 천덕꾸러기처럼 포개져 있었다.

장독대와 관련된 방언들

예전에는 어느 집이나 햇빛 잘 드는 곳에 옹기종기 모여 있는 장독들을 볼 수 있었다. 우리 어머니들은 모든 음식의 맛을 결정하는 온갖 장이 담긴 장독들을 애지중지하며 보살폈다. 이젠 시골에서도 장독대를 쉽게 볼 수 없지만, 그 한 켠에서 우리 곁을 오래 지켜 온 뚝배기의 방언형들은 다양하게 남아 있다.

곱도리(함북)

깍제이(경북), 깍젱이(경북)

꼬막단지(경남)

독사발(제주), 뚝시발(전남), 투수발(전남), 툭사발(경상, 전남), 툭사바리(경남)

두구레기(함남), 두수레기(함남)

둑바리(경남), 뚜꾸바리(경북), 뚜바리(강원), 뚝바구(강원), 뚝바리(강원), 투바리(경북, 제주), 투구바리(경북), 투발(전남), 툭바리(경남), 툭파리(경남)

뚜뱅이(경북), 뚝뱅이(전남), 툭배이(경상), 툭뱅이(경상, 중국)

뚝사리(경남), 뚝수리(경남), 툭시리(경북)

뚝시기(경북), 툭사구(경남), 투구사기(전남), 툭사기(경북)

뚝자배기(경북), 뚝주배기(경북)

옹기툭바리(경남)

사붕대기(전남), 사푼대기(전남), 살분대기(전남)

숭년배기(전남)

시바리(평안), 사바리(경남)

○ ∧ □

시발옹케미(평안), 시발옹케기(중국)

수습반덕지(전남), 시습반덕지(전남)

오가리(경남, 전남), 오갈숫(전남), 오갈솥(전남), 오모가리(전북),
오목투가리(전남)

옹구대미(전남), 옹구대기(전남)

장곡도리(중국), 장곱도리(함북), 장뚜가리(강원), 장뚜과리(강원), 장뚝배기(강원), 장빠재기(강원), 장사괭이(강원), 장소티(중국), 장싸귀(함북), 장싸기(함북), 장쿠가리(충남), 장툭바리(경남)

지르단지(경남), 지리솥(경북), 질투가리(강원), 쨀내비(평북)

쪽배기(경북), 투배기(전남), 툭배기(경남, 전라, 제주, 충청, 중국)

추머리(전남), 추바리(경북), 추발(경북), 툭추바리(경북)

뚜가리(강원), 옹조리(전남), 투가리(강원, 경기, 전라, 충청, 중국),
투갱이(전라, 충남)

'곱도리'는 곱돌을 깎아 만든 뚝배기를 가리키는 함북 지역의 말이다. '곱도리'는 '곱돌'과 명사를 만드는 접사 '-이'가 결합된 말이다. '깍제이, 깍젱이'는 경북 지역에서 쓰며 종지의 방언형인 '깍지'에 작다는 뜻의 '-엉이'가 결합된 말이다. '깍젱이'는 우리가 생각하는 일반 뚝배기가 아니라 크기가 좀 작은 알뚝배기이다. '꼬막단지'는 경남 지역에서 쓰는 말로 아주 작은 단지 뚝배기를 말한다. 이때 '꼬막'은 '꼬막손'의 '꼬막'과 같은 말로, '아주 작은'이라는 뜻을 갖는다.

뚝배기의 방언형에 결합된 '독(둑), 뚝(뚜), 툭(투)' 등은 운두가 높고 중배가 부르며 전이 달린 큰 오지그릇이나 질그릇을 뜻하는 '독'에서 온 것으로 보인다. '독사발, 뚝시발, 투수발, 툭사발, 툭사바리'는 '사발'과 사발의 또 다른 말인 '시발, 수발, 사바리'가 결합된 말들이다. '사바리'는 '사발'과 '-이'가 결합된 말이다.

느네 아덜은 베 하영 고파산디사 **독사발에** 몹국 하나 거려주난 다 먹어라(너의 아들은 배가 많이 고팠는지 독사발에 모자반국 하나 떠 주니까 다 먹더라).

옛날 하영 셔난 **독사발** 다 어디사 가 부러신디 몰르쿠다(옛날에 많이 있었던 독사발이 다 어디 가 버렸는지 모르겠다).

'두구레기'와 '두수레기'는 함남 지역의 말로, 두구레기는 제주 지역의 '독사발'처럼 '독'과 '-으러기'가 결합된 '도그러기'가 '두구레기'로 변한 것이다. '두수레기'는 '두구레기'가 변한 말이다. '둑바리, 뚜꾸바리, 뚜바리, 뚝바구, 뚝바리, 투바리, 투구바리, 투발, 툭바리, 툭파리'는 모두 '바리'가 결합된 말이다. '바리'는 여자의 밥그릇 혹은 승려의 공양 그릇을 말하며, '바구, 파리'는 '바리'가 소리의 변화를 경험한 것이다. '뚜뱅이, 뚝뱅이, 툭배이, 툭뱅이'는 모두 '-뱅이'가 결합되어 있다. '-뱅이'는 '그것을 특성으로 지닌 사람이나 사물'을 뜻하며, '-배이'는 '-뱅이'에서 'ㅇ'이 탈락한 것이다. '뚝사리, 뚝

수리, 툭시리'는 '사리, 수리, 시리'가 결합된 말인데, '사리, 수리, 시
리'는 모두 '운두가 조금 높고 굽이 없는 접시 모양으로 생긴 넓은
질그릇'인 '소래'가 변한 말이다(소래>소리>수리).

> **뚜뱅이에** 댄장 끓이만 맛도 좋지만 잘 식질 않애.

> 얼매나 뜨겁운동 **뚝시기로** 들고 오다가 널자 깼뿌랬대이.

> **뚝바리에** 담긴 기 안 데핀 건 줄 알고 잡았다 아주 혼쭐이 났다니.

> 된장은 **뚜꾸바리에** 끓이야 제맛이다.

> 비가 이리 오는 기 **뚝바구에** 된장국 끓에 묵으면 좋겠잖나.

　　'뚝시기, 툭사구, 투구사기, 툭사기'는 '사기'가 결합된 말인데, '사구'와 '시기'는 '사기'가 변한 말이다. 경북 지역에서 쓰이는 '뚝자배기'와 '뚝주배기'는 둥글넓적하고 아가리가 넓게 벌어진 질그릇인 '자배기'가 결합된 말이다. '주배기'는 '자배기'가 소리의 변화를 겪은 것이다. '옹기툭바리'는 '옹기'에 '툭바리'가 덧붙여진 말로 '툭바리'는 뚝배기를 이르는 말이다. '사붕대기, 사푼대기, 살분대기'의 '사붕, 사푼, 살분'은 '사기그릇'의 옛말인 '사푼즈'의 '사푼'에서 유래한 것이다. '숭년배기'는 '숭년'과 '-배기'가 결합된 것으로 보인다. '숭년'이 무엇인지 정확히 알 수 없지만 '숭늉'이 아닌가 싶기도 하다. '시바리'와 '사바리'는 '사발'과 '-이'가 결합된 말로, '시바리'는 '사바리'가 소리의 변화를 겪은 것이다.

　　뚝주배기에 음식을 하만 식지도 않고 좋아.

　　옹기툭바리언 아조 편하게 쓰는 그릇이제.

　　숭년배기 들 때 조심해라잉. 손 딘께.

　　'시발옹케미'와 '시발옹케기'는 '시발(사발)'에 '옹케미'와 '옹케기'가 결합된 말이다. 이 방언들은 조선족 언어사회에서만 쓰이는 말로 '뚝배기'의 모양을 형상화한 것으로 보인다. 이때 '옹케미'는 '옹키-'와 '-어미'가 결합된 '옹커미'가 변한 말이며, '옹케기'는 '-어기'가

○ ∧ □

결합된 '옹커기'가 변한 말이다. '옹커미>옹케미, 옹커기>옹케기'는 '어미>에미, 구렁이>구렝이'와 같은 소리의 변화이다. '수습반덕지, 시습반덕지'는 전남 지역에서만 쓰이는 말로 '수습, 쑤습, 시습'과 '반덕지'가 결합된 말인데 '수습, 쑤습, 시습'이 무엇을 의미하는지 도무지 알 수가 없다. '반덕지'는 '소래기'의 전라도 말이다.

장은 **시발옹케기에** 끓이야디 제맛이디.

뚝배기라고는 벨라 안했어요. **수습반덕지라겠제**.

시습반덕지에다 밥 비베 먹다가 쫓게났다네.

'오가리, 오갈솟, 오갈솥, 오모가리, 오목투가리'는 '시발옹케미, 시발옹케기'와 마찬가지로 뚝배기의 오목한 모양을 형상화한 말들이다. '오갈'은 '옥-(욱-)'과 '-알(-울)'이 결합된 말로 '오목한'이라는 뜻이다. 즉, '오갈솟, 오갈솥'은 오목한 솥 뚝배기를 말한다. '오가리'는 '오갈'과 명사를 만드는 말 '-이'가 결합된 말이며, '오모가리'는 '오목'과 '-아리'가 결합된 말이다. '옹구대미'와 '옹구대기'는 '옹구(옹기)'와 '대미, -대기'가 결합된 말이다. 그 뜻바탕은 '옹기 같은 것' 정도이다. '장곡도리, 장곱도리, 장뚜가리, 장뚜과리, 장뚝배기, 장빠재기, 장사괭이, 장소티, 장싸귀, 장싸기, 장쿠가리, 장툭바리'는 모두 '장醬'이 결합된 것으로 뚝배기의 용도를 형상화한 말들이다.

'빠재기'는 강원 지역에서 쓰이는 '자배기'의 또 다른 말이며, '사갱이'는 탕기를 뜻하는 강원도 말이다. '소티'는 '솥'과 '-이'가 결합된 말이며, '쿠가리'는 '투가리'가 변한 말이다.

'지르단지, 지리솥, 질투가리'에서 '지르, 지리, 질, 쩰'은 모두 질그릇을 만드는 흙인 '질'을 의미한다. '쪽배기, 투배기, 툭배기'는 모두 '툭'에 '그런 물건'을 뜻하는 '-배기'가 결합된 말이다. '쪽배기'의 '쪽'은 '뚝'이 변한 말이며 '투배기'는 '툭배기'의 'ㄱ'이 탈락된 형태이다.

'추머리, 추바리, 추발, 툭추바리'는 '주발周鉢'의 또 다른 말인 '추발'과 관련된 말들이다. '추바리'는 '추발'과 '-이'가 결합된 말이며 '추머리'는 '추바리'가 '구발'은 '주발'이 변한 말이다. '뚜가리, 투가리, 옹조리'는 '뚝, 툭, 옹기'와 '-아리'가 결합된 말이다. '옹조리'는 '옹기'와 '-아리'가 결합된 말인 '옹가리'가 소리의 변화를 겪은 것이다. 전라와 충남 지역에서 쓰이는 '투갱이'는 '툭'과 '탕기'를 뜻하는 말인 '갱이'가 결합된 말이다.

듬북장(담북장, 청국장)은 **뚜가리에** 끓에야 제맛이 난다.

한여름에 더워 죽겠다만 **뚜가리에** 장국을 끓에가지고 오니 화도 못 내고 환장하겠다와.

예전에는 뚝배기에 청국장이나 된장찌개를 끓여 내는 것이 전부였으나 요즘은 뚝배기의 쓰임이 아주 다양해졌다. 뚝배기 계란 찜, 뚝배기불고기, 해물뚝배기 등에도 쓰인다. 뚝배기는 투박하지만 소박한 우리 음식을 오롯이 담아내는 그릇이며, 담아내는 사람의 정성이 가득한 그릇이다.

퍼들개

∧ ○ □

#미꾸락지 #옹구락지 #바들묵치 #실구리 #논드람쟁이
#말배꿉 #맹가니 #징검댕이 #종개미

퍼들개래 요짐 들어 잘 잽히지 아니 함둥.

'퍼들개'는 함경 지역에서 쓰이는 말로 '미꾸라지'를 뜻한다.
'퍼들'은 '퍼들퍼들'에서 온 말이다. '퍼들퍼들'은 '물고기가 가볍고
빠르게 꼬리를 치거나 뛰어오르는 소리'를 나타내는 말이다(필자
의 뜻풀이다). '퍼들개'는 '퍼들'과 '-개'가 어우러져 만들어진 말이다.
'-개'는 표준어의 뜻으로는 '일부 동사 어간 뒤에 붙어 그러한 행위
를 특성으로 지닌 사람'의 뜻을 더하는 말이다. 그러나 지역에 따라

서는 사람뿐만 아니라 동물을 나타내기도 하는 것 같다. '퍼들개'는 미꾸라지가 움직이는 모양을 형상화한 '미꾸라지'의 또 다른 이름이다.

봇도랑 바닥에 고물고물 많았던 미꾸라지

논농사가 끝나고 나면 동네 어른들은 봇도랑을 막아 봇물을 헛돌(물이 넘치거나 농사가 끝나 물이 필요 없을 때 봇물을 다른 곳으로 돌려 빠지게 하는 도랑)로 흘려보냈다. 두서너 시간이 지나면 봇도랑이 바닥을 드러낸다. 바닥을 드러낸 봇도랑에는 미꾸라지, 중태기(중고기), 지름쟁이(기름쟁이) 들이 물이 조금 고여 있는 바닥에 고물고물 수도 없이 많았다.

그때 양동이 하나 들고 가서 물고기를 그냥 주워 담았다. 그러나 주워 담는 일이 그리 쉽지는 않았다. 손바닥으로 움켜쥐었다 싶으면 물고기가 양옆으로 잘도 빠져나간다. 정신없이 주워 담다 보면 검정 고무신 안으로 미꾸라지가 들어가 화들짝 놀라 바닥에 곤두박질치기도 했다. 가끔 운 좋은 동네 형들은 뱀장어를 잡기도 한다. 어떤 형은 두세 마리씩 잡기도 하는데, 부러운 듯 쳐다보면 마음씨 좋은 형은 슬그머니 한 마리를 양동이에 넣어 주기도 했다. 당시 초등학생이었던 필자는 뱀장어를 잡을 엄두도 못 냈다. 미끄럽기도 하지만 물릴까 봐 겁이 났다. 뱀장어를 잡던 형들은 봇도랑의 양옆에 자란 수초를 뜯어 뱀장어를 잡는 데 사용했다.

한 양동이를 가득 채우는 데는 채 두 시간이 걸리지 않았다. 물고기로 가득 찬 양동이를 들고 낑낑대며 집에 도착하면 어머니는 많이도 잡았다고 좋아하셨다. 어머니는 양동이를 받아들고 중태기만 골라내셨다. 중태기는 배를 갈라 내장을 빼내야 했기 때문이다. 미꾸라지와 기름쟁이는 소금을 뿌려 박박 문질러 닦았다. 그리고 가마솥에 물을 끓여 된장을 풀고, 시래기를 넣은 다음 물이 펄펄 끓으면 손질해 놓은 물고기를 넣어 끓이고 또 끓이셨다. 그렇게 끓이고 나면 물고기들의 형체는 거의 보이지 않았다. 요샛말로 어머니는 '어탕' 혹은 '잡어탕'을 끓여 주셨던 것이다. 물론 뱀장어는 아버지의 술안주가 되었다. 이젠 그 봇도랑에 뱀장어, 미꾸라지, 기름쟁이가 살지 않는다. 농지 개량이라는 빌미로 봇도랑 바닥과 양옆에 콘크리트가 쳐졌기 때문이다. 간혹 송사리나 중고기만이 힘겨운 몸짓을 할 뿐이다.

'미꾸라지'의 방언들

송나라 사신이 고려를 방문하고 쓴 책에도 추어탕이 나온다. 미꾸라지는 오랜 시간 동안 우리와 함께하며 훌륭한 식재료로 활용되고 있다. 그래서인지 '미꾸라지'의 방언은 지역에 따라 매우 다양하게 나타난다.

ㅇㅅㅁ

가는종개미(함남)

메꼬락지(경북, 전남), 메꾸락지(황해), 미꾸락지(강원, 전라, 충남, 함북), 미꾸락치(중국), 미꿀락지(황해), 미꼬락지(전남), 미끄락지(충남, 함경, 황해, 중국)

옹구락지(전남), 웅고락지(전남), 웅구락지(전남), 웅구럭지(전남), 웅그락지(전남), 웅으락지(전남)

옹구래기(전남), 옹그래기(전남)

우무러지(전북)

웅거지(전남)

메꾸라지(경북), 미꼬라지(경북, 전라, 제주, 충남), 미꼬라치(전남, 충남), 미꾸러지(제주), 미끄라지(경남, 전남), 미꼴라지(경북), 미꿀리지(충남, 함남), 밀꼬라지(경남)

미꼬래기(경북, 제주), 미꾸래기(경북, 전라), 미끄래기(황해)

미꼬래(경남), 미꼬래이(경상), 미꼬랭이(경상, 전라), 미꼴래이(경북), 미꾸랭(경북), 미꾸래이(경북), 미꾸랭이(경상, 전라)

미꾸리지(충남, 함남)

미꾸랑지(강원, 황해), 미꾸랑치(경남), 미끼랑지(평남)

메꼬리(경북), 미꼬리(경남, 전북), 미꼴리(전남), 미꾸리(강원, 경기, 경북, 전라, 충청, 함북, 중국), 미꿀(함북, 중국), 미끄리(충남), 미끼리(충남), 미쭈리(중국), 밀꼬리(전남), 밀꾸리(전남)

미꼬래미(전남, 충남), 미꾸라미(강원, 경기, 경북, 전라, 제주, 충북), 미꾸래미(경상, 전라, 충북, 평남), 미끄래미(충남, 평남)

미꾸락데기(전남), 옹구락데기(전남), 웅거럽데기(전남)

미꾸람지(강원, 전북, 충남)

바들묵치(경북)

버들개(함경), 퍼들개(함남)

세천에(함경), 소천어(함남), 소천에(함남), 쇠춘에(함남), 쇠친에(함남), 외친에(함남)

실구리(경북)

논드람쟁이(경북)

돌종개(함북)

따뚫이(평남)

말배꼽(평북)

맹가니(평북)

장금당우(평북), 중금댱우(평북), 중구메(함남, 중국), 징구메(양강, 함북), 중그미(평북), 중그마리(평북), 증그마리(평북), 징그마리(평북), 중금다리(평북), 중금티(평북), 징구말티(평안), 징검댕이(평북), 징구막지(평안)

종개미(함경)

징구래기(평안), 징구리(황해), 징굴락지(황해), 징글래이(황해), 징글랭이(황해)

찌찌고기(중국), 찌찌개(중국), 찌찍개(중국), 찍찍개(함경, 중국), 찍찍이(함경, 중국), 찔찡개(중국), 칙칙이(중국)

포도재(함북)

○ ∧ □

용고기(강원), 용곡지(강원), 용디레(함북, 중국), 용지레기(강원, 함남, 중국)

하느종개(함남), 하늘종개(평북, 함남)

함남 지역에서 쓰는 '가는종개미'는 '가는'과 '종개미'가 결합된 말인데, '종개미'는 '종개'의 다른 이름이다. 함남 지역 사람들은 '미꾸라지'보다 '종개'가 더 통통하다고 인식하는 듯하다. '메꼬락지, 메꾸락지'의 '메꿀'과 '메꼴'은 '미꾸라지'의 옛말 '믯구리(《훈몽자회》)'가 변한 말이며, 여기에 명사를 만드는 '-악지'가 결합된 것이다. '미꾸락지, 미꿀락지, 미꼬락지, 미끄락지'는 '메꼴'이 변한 '미꼴, 미꿀, 미끌'에 '-악지'가 결합된 말이다.

메꾸락지래 여기 논에두 많다우.

논이 농약을 많이 헝께 **미꾸락지구** 참게구 없어진 지 오래여, 우렁두 읎구.

'옹구락지, 웅고락지, 웅구락지, 웅그락지, 웅으락지' 등은 모두 전남 지역에서만 쓰이는 '미꾸라지'의 다른 이름이다. 이 방언들은 모두 '몸 따위를 움츠러들이다'를 뜻하는 '웅그리다'에 그 뜻바탕을 두고 있다. 미꾸라지는 어디서든지 몸을 곧추 펴고 있지 못한다. 늘 어느 쪽으로든 웅그리고 있다. '웅그락지' 부류들은 '웅그리-'와

'-악지'나 '-억지'가 결합된 형태이다. '옹구래기'와 '옹그래기'도 전남 지역에서만 쓰이는 말로, 이 역시 '옹그리-'와 '옹그리다'가 변한 말 '옹구리-'가 '-아기'와 결합된 말이다. '-아기'는 '-억지'나 '-악지'와 마찬가지로 '작음'의 뜻을 더하는 말이다. '우무러지'는 '우므리다'가 변한 말 '우무리-'와 '작음'의 뜻을 더하는 '-아지'와 '-어지'가 결합된 것이다. 전남 지역에서만 쓰이는 '웅거지'도 '옹그리다'에 그 뜻바탕을 두고 있는 것으로 보인다.

옹구락지 잡어서 추탕 끓이믄 겁나 맛나제.

애들이 어른들보다 **옹그락지를** 더 잘 잡제.

논에 뻘을 파내면 누런 **웅거지** 나오고 그랬어.

찌드런 **웅거지럴** 갖고 추어탕 안 허요?

나가 **옹구래기를** 잡으로 쪽대를 들고 둠벙으로 들어가고 그랬는디.

요새는 **옹그래기** 잡으로 다닌 사람이 촌에도 없제.

가실에 입맛 없을 때 **우무러지** 잡어 갖고 갈아서 국 낋이 묵어.

○ ∧ □

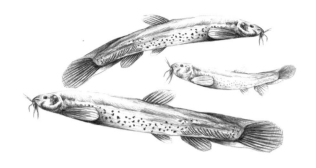

❷ 미꾸라지의 방언은 지역에 따라 매우 다양하게 나타난다.

논바닥을 파 보믄 **우무러지가** 구물구물해 불었어.

'메꾸라지, 미꼬라지, 미꼬라치, 미꾸러지, 미끄라지, 미꼴라지, 미꿀리지, 밀꼬라지'는 '메꿀'과 '미끌', 그리고 '미끌'이 변한 말인 '미꼴, 미꿀'이 '-아지, -어지'와 결합된 말이다. '미꼬라치, 미꼴라지, 미꿀리지, 밀꼬라지'는 모두 '미꼬라지'가 변한 말이다. '미꼬래기, 미꾸래기, 미끄래기'는 '미끌'과 '미끌'이 변한 말 '미꼴, 미꿀'에 '-아기'가 결합된 말이다. '미꼬랭이, 미꾸래이, 미꾸랭이'는 '미꼴'과 '미꿀'에 '-앙이'(명사를 만드는 말 '-앙'과 '-이'가 결합된 말. 가령 '고랑'은 '골'과 '-앙'이 결합된 말)가 결합된 것이다. '-앙이'는 '-악지'나 '-아지'와 같이 '작음'의 뜻을 더하는 말이다. '미꼬래, 미꼬래이'는 '미꼬랭이'가 '미꼴래이, 미꾸랭'은 '미꾸랭이'가 변한 말이다. '미꼴라지, 미꾸리지'는 '미꼴, 미꿀, 미끌'이 '우무러지'처럼 '-아지'나 '-어지'와 결합된 말이다. '미꼴라지, 밀꼬라지'는 '미꼬라지'가 변한 말이며, '미꾸리지'는 '미꾸러지'가 변한 말이다(미꾸러지>미꾸레지> 미꾸리지).

'미꾸랑지, 미꾸랑치, 미끼랑지'는 '미끌'과 '미낄'이 '-앙지'와 결합된 말로, '-앙지'는 '-악지, -아기, -아지' 등과 같은 말이다. '미꾸랑치, 미끼랑지'는 모두 '미꾸랑지'가 변한 말이다. '메꼬리, 미꼬리, 미꼴리, 미꾸리, 미끄리, 미끼리, 미쭈리, 밀꼬리, 밀꾸리'는 '메꼴, 미꼴, 미꿀, 미끌'과 명사를 만드는 '-이'가 결합된 말이다. '미꼴리, 밀꼬리'는 '미꼬리'가 '미쭈리, 밀꾸리'는 '미꾸리', '미끼리'는 '미끄리'가 변한 말이다. '미꿀'은 '미꾸리'가 줄어든 것이다. '미꼬래미, 미꾸라미, 미꾸래미'는 '미꼴'과 '미꿀'에 '-아미'('명사를 만드는 말 '-음'과 '-이'가 결합된 '-음이', '-으미'가 '-아미'로 변한 말)가 결합된 말로, '-아미' 또한 '작음'의 뜻을 더하고 명사를 만드는 말이다.

아 둠벙으 가서 그 **미꾸래기** 열 개만 잡으먼 탕국 하나는 끓이제.

미꾸랭이는 잡으며는 손이 미끌해지지러.

미꾸래이로 국 끓이 묵구로 쫌 잡아 온나.

미꾸랑지로 추어탕을 얼큰하게 한 그릇 해 와요.

○ ∧ □

미꾸랑치 잡는다꼬 가더마는 옷마 홀박 다 베리고 옸다.

요새는 농약을 하두 많이 하니께 **미꾸라미두** 별루 없어.

오널 **미꾸래미나** 잡으러 가입시더.

애들이 도랑에서 **미꿀을** 잡드만.

'미꾸락데기, 옹구락데기, 웅거럽데기'는 모두 '-데기'가 결합된 방언이다. '-데기'는 '그와 관련된 일을 하거나 그런 성질을 가진 사람'의 뜻을 더하는 말이다. 그런데 전남 지역의 다른 방언에서 볼 수 있는 것처럼 '-데기'는 동물을 나타내기도 한다. '미꾸람지, 미끄람지'는 '미꿀, 미끌'과 '-암지'가 결합된 말로, '-암지' 또한 '작음'의 뜻을 더하는 말이다.

애기들은 **미꾸락데기를** 얼기미로 잡고, 지집들은 논을 파 보면 뻘을 파서 잡고, 남정네들은 쪽대로 좀 짚은 디서 잡고 그랬어.

인자는 **옹구락데기** 보기도 어려워. 식당에서 파는 건 다 중국산인가 보드만.

고년이 똑 어디서, **미꾸람지** 새끼 같다! 에엥, 고년이⋯⋯ 그러지

말구, 이년 춘심아!　　　　　　　　　　　_채만식,《태평천하》

미꾸람지를 얼게미(어레미)로 잡아도 한 주진자(주전자) 금방 잡는다.

　경북 지역에서만 쓰는 '바들묵치'는 아주 독특하게 만들어진 말이다. '바들묵치'는 '바들'과 '치' 사이에 '검은 빛깔'의 뜻을 더하는 '먹-'이 끼어든 것이다. 이러한 방식은 국어에서는 좀처럼 보기 드문 현상이다. 이 말에는 미꾸라지가 버들치보다 좀 더 검은빛을 띤다는 경북 지역 사람들의 인식이 반영돼 있다. '바들치'는 진한 갈색의 물고기를 나타내는 '버들치'의 다른 이름이다. 함경도에서 쓰이는 '버들개'는 '버들'과 '-개'가 결합된 말이며, '-개'는 원래 '그러한 행위를 특성으로 지닌 사람'의 뜻을 더하는 말이다. '-개'도 '-데기'와 마찬가지로 꼭 사람만을 의미하지는 않는 것으로 보인다. '버들개'의 '버들'은 '버들거리다'의 '버들'과 같은 말이다. '버들개'는 '버들치'가 유영하는 모습을 본떠 만들어진 것으로 보인다.

　'세천에, 소천어, 소천에, 쇠춘에, 쇠친에, 외친에'는 모두 함경도 지역에서 쓰이는 말인데, 한자어 '소천어小川魚'에서 유래했다. '소천어'는 원래 '자그마한 냇물에서 사는 물고기'를 뜻하며, 함경도에서는 '미꾸라지'의 또 다른 이름으로 쓰인다.

　그카구 그르카구 무스(무) 좀 **세천에** 같은 기 잇으무(있으면) 여서 지제두 먹구.

○ ∧ □

여보, 창복이 잡아온 **쇠친에** 모두 넣구 재장으 끓이구 감쥐르 썰어 넣구 밥으 많이 해서 아들으 폭 멕이오.　　　　　_안수길,《새벽》

　　'실구리'는 '가느다란'의 뜻을 더하는 말 '실-'과 '구리'가 결합된 말이다. 어쩌면 근거 없는 추정일지 모르지만 '구리'는 '구렁이'가 변한 것으로 보인다(구렁이>구렝이>구레이>구레>구리). '논드람쟁이'도 경북 지역에서만 쓰이는 말로, '논'과 '드람', '-쟁이'가 결합된 말이다. 즉 '논에서 사는 미꾸라지'를 뜻한다. '드람'은 '들-'과 명사를 만드는 '-암'(지금은 쓰이지 않는 말로, 명사를 만드는 옛말 '-움'이 변한 말)이 결합된 말이다. '돌종개'는 '품질이 떨어지는'이라는 뜻을 더하는 말 '돌-'과 종개가 결합된 것으로 함북 지역에서 쓰인다. 아마도 함북 사람들은 '미꾸라지'보다는 '종개'를 더 쳐주는 것 같다. 평남 방언인 '따뚫이'는 미꾸라지의 습성을 잘 표현하고 있다. '따뚫이'는 '따'와 '뚫-', '-이'가 결합된 말로, 미꾸라지가 땅을 뚫고 들어가 사는 모습을 형상화한 것이다.

　　실구리가 하도 미끄라서 손으로 잡기는 어려우이더.

　　아재 말이요? **논드람쟁이** 잡으러 갔심더.

　　평북 지역에서 쓰이는 '말배꿉'과 '맹가니'는 그 뜻바탕을 알기 어려운 말이다. 조심스레 유추해 본다면 칠성장어과의 민물고기인 '칠성말배꼽'을 떠올릴 수 있다. 그렇다면 '말배꼽'은 '장어'인 셈이다. 따라서 '말배꼽'은 '말의 배꼽'인 것으로 보이며, 장어와 미꾸라지 입이 말 배꼽과 비슷해서 붙여진 이름으로 보인다. '맹가니'는 '맹과니'가 변한 것으로 보인다. '맹과니'는 '겉으로 보기에는 눈이 멀쩡하나 앞을 보지 못하는 눈, 또는 그런 사람'을 뜻하는 '청맹과니'의 방언이다. 미꾸라지의 시력이 좋은지 나쁜지를 여기저기 찾아봤지만, 어디서도 미꾸라지의 시력에 대해서 말해 주는 데는 없었다. 평북 지역 사람들이 '미꾸라지'를 '맹가니'라고 부르는 것은 아마도 미꾸라지의 시력이 좋지 않다고 생각하기 때문이 아닌가 싶다.

　'장금당우, 중금댱우, 중구메, 징구메, 중그미, 중그마리, 증그마리, 징그마리, 중금다리, 중금티, 징구말티, 징검댕이, 징구막지'는 '중구메, 징구메'를 제외하면 모두 평안도 지역에서 쓰는 말인데, '장금, 중금, 중굼, 징굼, 징금'이 결합된 것이다. '중금, 중굼, 징굼, 징금, 징검'은 모두 '장금'이 소리의 변화를 겪은 말이다. '장금'은 '장금장금'의 '장금'으로, '장금장금'은 '작은 동작으로 느리게 걷거나 기는 모양'을 뜻하는 '앙금앙금'의 옛말이다.

　'장금'이 결합된 방언들은 모두 미꾸라지가 진흙 바닥을 느리게 기어가는 모양을 형상화한 것이다. '장금당우'와 '중금댱우'는 '장금, 중금'과 '당우, 댱우'가 결합된 말이다. '당우, 댱우'는 자강과 평안 지역에서 쓰이는 '장어'의 다른 이름이다. '중구메, 징구메'는 양강, 함경, 중국 지역에서 쓰이는 말로 '중굼, 징굼'과 '에'가 결합된 말이다. '에'는 '고기'를 뜻하는 한자어 '어魚'이다. '중그미'는 평북 지역에서 쓰이며, '중금'과 명사를 만드는 말 '-이'가 결합된 것이다. '중그마리, 증그마리, 징그마리'는 '중그미'와 같이 평북 지역에서만 쓰이는 말인데, '중금, 증금, 징금'과 '-아리'가 결합된 것이다. 평북 방언 '중금다리'는 '중금'과 '-다리'가 결합된 것이다. '-다리'는 '어떤 속성을 가진 사람이나 동물, 물건'의 뜻을 더하고, 명사를 만드는 말이다. 때로는 '늙다리'처럼 '비하'의 뜻을 더하기도 한다.

'중금티, 징구말티'는 평안도 지역에서 쓰인다. 이 방언들은 '중금, 징구말'에 '-티'가 결합된 것이다. 평안도 말 '-티'는 '-치'의 원 말로 '물고기'라는 뜻이다. '중금티, 징구말티'는 기어 다니는 물고 기라는 말이다. '징검댕이'는 '징검'과 '-댕이'가 결합된 것으로, '-댕 이'는 '손목댕이'나 '옆댕이'의 '-댕이'와 같은 말이다. '징구막지'는 '징굼'과 '-악지'가 결합된 말로 평안 지역에서 쓰인다. 함경 지역에 서 쓰는 '종개미'는 '종개'에 '미'가 결합되어 있는데 '미'의 말바탕은 알 수가 없다.

'징구래기, 징구리, 징굴락지, 징글래이, 징글랭이'는 모두 북 한의 서부 지역인 평안도와 황해도에서 쓰는 방언으로, '징그럽다' 는 뜻바탕을 갖는다. 실은 필자도 시장에서 미꾸라지를 파는 가게 를 지나다가 수십 마리가 서로 엉키어 고물거리고 있는 모습을 보 고 징그럽다는 생각을 한 적이 있다. 평안 지역에서 쓰이는 '징구래 기'는 소리를 흉내 내는 말 '징굴'과 '-아기'가 결합된 '징구라기'가 변한 말이다. '징구리'는 '징굴'과 '-이'가 결합된 말이다. 황해도 지역에서 쓰이는 '징굴락지, 징글래이, 징글랭이'의 '징굴락지'는 '징굴'과 '-악지'가, '징글랭이'는 '징글'과 '-앙이'가 결합된 '징글랑이'가 소리의 변화를 겪은 말이다. '징글래이'는 '징글랭이'의 'ㅇ'이 탈락한 형태이다.

이거 **징구리구나**. 개굴물에 감탕서 이거 많이 있지 이거.

찍찍개루 탕을 맹글어 먹으면 좋다고 합데.

찍찍이느 이자(이제) 아쓸해서(몹시 싫증 나서) 몬 먹겠더라.

'찌찌고기, 찌찌개, 찌찍개, 찍찍개, 찍찍이, 찔찡개, 칙칙이'는 함경도와 중국의 조선족 언어사회에서 쓰이는 말이다. 이 방언들은 모두 미꾸라지의 울음소리 '찌찌, 찌찍, 찍찍, 찔찡, 칙칙'이 결합된 것이다. 함북 지역에서 쓰이는 '포도재'는 그 말바탕은 전혀 알 수가 없는데, '포도'가 결합된 물고기의 이름으로는 '버들붕어'의 전남 방언인 '포도고기'가 있다.

강원, 함경, 중국의 조선족 언어사회에서 쓰이는 '용고기, 용곡지, 용디레, 용지레기'는 모두 미꾸라지를 '용'에 비유한 말이다. 평북과 함남 지역에서 쓰이는 '하느종개'와 '하늘종개'는 미꾸라지의 습성을 형상화한 말이다. 미꾸라지는 평소에 아가미 호흡을 하지만 가끔 수면에 머리만 물 밖으로 내밀고 공기 호흡을 하기도 하는

데, 그 모습을 본떠 붙여진 이름이 '하늘종개'이다. '하느종개'는 '하늘종개'의 'ㄹ'이 탈락한 형태이다.

1960년대에는 논가에 **용고기도** 많았으나, 지금은 오염되지 않은 곳을 제외하고는 귀경하기가 수월찮다.

미꾸라지의 또 다른 이름들은 미꾸라지의 모양이나 형태, 울음소리, 서식처, 습성, 미꾸라지에 대한 언중들의 인식을 형상화한 것이다.

고향 마을 봇도랑에서 바지를 허벅지까지 걷어 올리고 미꾸라지를 잡지 못해도 좋다. 단지 미꾸라지들이 다시 본래 살던 곳으로 돌아왔으면 좋겠다는 작은 소망을 가져 본다.

두루바리

∧ ○ □

#구레미 #오래이 #갈범 #갈호 #호래이

내래 어렸을 적이는 **두루바리** 같은 거는 맨손으로 때레잡았디. 알간?

'두루바리'는 평안북도의 낭림산 심마니들이 '호랑이'를 말하는 은어이다. '도루바리, 도루바이, 도리바리'라고도 한다. '두루바리'는 호랑이가 발이 빨라 수백 리를 두루 돌아다닐 수 있어서 붙여진 이름이라고 한다. 이 설이 맞다면 '두루바리'는 '두루'와 '발', 그리고 명사를 만드는 '-이'가 결합된 말이다.

○ ∧ □

수많은 이야기를 만들어 낸 호랑이

　예전에 필자의 고향 마을에도 호랑이가 살았다고 한다. 동네 어르신들은 호랑이에 얽힌 다양한 경험담을 들려주곤 했다. 한 아저씨는 산에 갔다가 호랑이 새끼를 발견해 집으로 데려왔다고 한다. 그랬더니 그날 후로 밤마다 황소만 한 호랑이가 대문을 떡하니 지키고 있었다는 것이다. 결국 아저씨가 호랑이 새끼를 내어 주었더니 호랑이는 새끼를 데리고 다시 산으로 갔다고 한다.

　호랑이를 보고 놀라서 도망쳤다는 어르신들도 많았다. 나무하러 갔다가 호랑이를 보고 기겁을 해서 지게도 벗어 던지고 내려온 분, 한밤중에 달구지를 끌고 가다가 신작로에 호랑이 한 마리가 떡 버티고 있어서 소와 달구지도 버리고 혼자서 줄행랑을 친 분도 있다. 나무를 하러 갔다가 호랑이 한 마리가 너덜겅에 앉아서 앞발로 돌을 툭 쳐서 굴리는 것을 보고 허겁지겁 집으로 온 분도 있다. 지금도 어르신들에게 들었던 이야기가 사실인지 아닌지 반신반의할 뿐이다.

　필자는 고등학교 1학년 때 호랑이를 처음 보았다. 그때까지만 해도 필자는 동물원에 한 번도 가본 적이 없었는데, 고등학교에 진학하려고 전주시로 유학을 갔다가 전주 동물원에서 호랑이를 처음 봤다. 처음에는 그 위엄에 놀랐지만 점차 그 모습이 익숙해지고 친숙해졌다. 우리네 조상들도 마찬가지였을 것이다.

'호랑이'의 방언들

호랑이는 오래전부터 민속 신앙의 대상이었으며 민담이나 속담의 주인공이었다. 때로는 경외의 대상이 되었고, 익살스러운 표현의 대상이 되기도 했다. 아래는 호랑이의 또 다른 이름들이다.

대가름(평북), 대매(함북)

도루바리(평북), 도루바이(평북), 도리바리(평북), 두루바리(평북)

산주인(평북)

구레미(강원)

눈크마니(강원), 눈큰놈(강원), 왕눈이(강원)

대추니(강원)

산개(강원)

코짤맹이(강원)

갈범(함북), 갈오(함북), 갈호(함남)

돈범(함남)

산신령(충남), 산짐승(강원)

오래이(경남), 호래(강원, 충북, 함경), 호래이(강원, 경상, 전라, 황해), 호랭이(강원, 경기, 경상, 전라, 제주, 충청, 평북, 중국), 호리이(강원), 호링이(강원, 전라), 화랭이(경상)

베미(함북), 버엄(경북, 충북), 벰(함북, 중국), 봄(경기, 황해), 뷤(자강, 평안, 황해), 빔(경북)

○ ∧ □

'대가름, 도루바리, 도루바이, 도리바리, 두루바리'는 평안북도 낭림산 지역의 심마니들이 쓰는 '호랑이'를 뜻하는 은어이다. '대매'는 함북 지역의 심마니들이 쓰는 은어이다. '대가름'과 '대매'는 그 말바탕을 알기 어렵다.

　'구레미, 눈크마니, 눈큰놈, 왕눈이, 대추니, 산개, 코짤맹이'는 모두 '호랑이'를 뜻하는 태백산 심마니들의 은어이다. '구레미'는 호랑이의 앞모습이 구레나룻이 있는 것처럼 보여서 붙여진 이름이다. '눈크마니, 눈큰놈, 왕눈이'는 눈이 큰 호랑이의 특성을 잘 보여 주는 이름들이다. '산개'는 호랑이를 '산에 사는 개'로 인식한 데서 만들어진 말이며, '코짤맹이'는 호랑이의 코가 짧다고 인식한 데서 비롯된 이름인데 호랑이의 코가 정말 짧을까?

　'갈범, 갈오, 갈호'는 '백호'에 상대해 우리가 흔히 생각하는 갈색 호랑이를 이르는 말로, '갈오'는 '갈호'가 변한 말이다. 함남 지역에서 쓰이는 '돈범'의 '돈'이 무엇인지는 전혀 갈피를 잡을 수가 없다. 충남 지역에서 쓰이는 '산신령'은 '호랑이'를 신격화한 이름이고, '산짐승'은 호랑이가 산에 사는 대표적인 동물임을 말해 주는 이름이다.

　'오래이, 호래, 호래이, 호랭이, 호리이, 호링이, 화랭이'는 모두 '호랑이'가 변한 말이다. 이 중 가장 널리 쓰이는 말은 '호랭이'다. '호래이'는 '호랭이'의 'ㅇ'이 탈락한 형태이며, '호링이'는 '호랭이>호렝이>호링이'와 같은 변화 과정을 거친 말이다. '호리이'는 '호랭이>호래이>호레이>호리이'와 같은 소리의 변화를 겪은 말이고, '호래'는

❷ 호랑이는 오래전부터 민속 신앙의 대상이었으며, 민담이나 속담의 주인공이었다.

'호래이'가 줄어든 말이다. '화랭이' 역시 '호랭이'가 변한 말이다.

이전에 우리 동네 **호래이** 할배가 골목에서 우는 아를 보고 주미이 (주머니)를 만지작거리메 제끼칼(주머니칼)을 꺼내는 칙하메 "이눔, 우는 아 붕알 까자카머(까자고 하면)" 아가 질겁하고 울음을 끈쳤다. 사람이 쎄우다가(우겨대다가) 보면 없는 **호리이도** 맹글어 낸다는 속 담도 있다.

'호랑이'는 한자어 '호랑虎狼'과 명사를 만드는 '-이'가 결합된 말 이지만, '범'은 '호랑이'를 뜻하는 순우리말이다. '베미'는 '범'과 '-이' 가 결합된 '버미'가 변한 말이다. '어미'가 '에미'로 변한 것과 같은 소 리의 변화이다. '버엄'은 '범'과 명사를 만드는 '-엄'이 결합된 말인 데, '-엄'은 지금은 사용하지 않는 옛말이 되었다. '벰, 봄, 뷤' 또한 모

○ ∧ □

두 '범'이 변한 말이다. '호랑이'의 또 다른 이름들은 호랑이의 생김 새나 속성을 빗대서 만들어진 것이 대부분이다.

우리 민족은 새해가 되면 액운을 막으려고 곳곳에 호랑이 그림이 그려진 부적을 붙이곤 했다. 한반도는 호랑이가 포효하는 모습을 닮았다고 한다. 호랑이가 등장하는 전설은 또 얼마나 많은가. 호랑이는 이렇게 우리 조상들의 삶 깊숙이 살아 있어 수많은 이야기와 풍속을 남겼다. 호랑이의 다른 이름이 무엇이든 호랑이는 동심童心의 한 축에 영원히 살아남을 것이다.

꾹돈

ㅅ ㅇ ㅁ

#찔러주다

"너절한 자식, 이 차는 단속이야" 했더니 그자가 **꾹돈을** 찔러주지
않겠습니까.

_정성훈, 《메아리》

꾹돈! 남한 사람들에게는 아주 생소한 말이지만 그 뜻을 파악
하는 건 그리 어렵지 않다. '꾹돈'은 '꾹'과 '돈'이 결합된 말로, '꾹'은
'무언가를 야무지게 찌르는 모양'을 나타내는 말이다. '꾹돈'은 '꾹
찔러주는 돈'이다. '찔러주다'는 '남에게 암시하거나 귀띔하다', '남
의 결함을 따끔하게 지적하다', '무엇을 남몰래 건네다'를 뜻하는 말

이다. 꿍돈은 첫 번째, 두 번째 뜻과는 전혀 관련이 없다. 세 번째 뜻인 '무엇을 남몰래 건네다'와 관련 있는 말로 북한과 중국의 조선족 언어사회에서만 쓰인다.

비뚤어진 가치관을 가진 인물들의
문제 해결 수단, 뇌물

동서고금을 막론하고 좋은 사회인지 아닌지를 평가하는 기준이 있다. 바로 뇌물이다. 부패한 권력이 힘을 가진 사회일수록 뇌물이 횡행한다. 뇌물은 비뚤어진 가치관을 가진 인물들에게는 자신이 원하는 바를 쉽게 얻는 방법일 수도 있다. 하지만 뇌물은 마치 마약과도 같은 속성이 있다. 그 순간은 자신의 욕망과 욕심을 채워줄지 모르나 점점 더 강도 높은 뇌물의 압박에 시달리게 된다.

우리는 살다 보면 시험에 들 때가 있다. 그런데 그때마다 뇌물을 쓴다면 어떻게 되겠는가. 인간은 영민하면서도 우둔한 존재라 자신이 과거에 행했던 방식, 자신에게 익숙한 방식으로 계속 무언가를 해결하려고 한다. 뇌물을 바라는 수요가 있기에 공급이 있듯, 뇌물의 유혹은 언제 어디서나 도사리고 있다. 그렇기에 그 유혹에 빠지기도 쉽다.

악습은 인간이 만들기도 하지만 인간이기에 끊어 낼 수도 있다. 금전으로 산 기회는 다른 누군가의 기회를 빼앗는 일이다. 하루

하루 열심히 사는 이들의 노력을 무시하는 행위이다. 무엇보다 자신을 악의 구렁텅이로 빠져들게 한다는 사실을 기억하자.

'꾹돈'의 남한말

'꾹돈'은 대가를 바라고 남에게 꾹 찔러주는 돈, 곧 뇌물이다. 그러나 엄밀히 말하면 '꾹돈'과 '뇌물'은 조금 다르다. '뇌물'은 현물도 가능하지만 '꾹돈'은 현금이어야만 한다. '꾹돈'은 주로 '찔러주다'와 함께 쓰며 '찔러먹이다'나 '먹이다', '주다'와도 함께 쓰인다. '꾹돈'은 《조선말대사전》에 버젓이 문화어로 실려 있지만, 남한에서는 '급행료'의 평안도 사투리로 생각할 뿐이다.

조기운이 다시 나서서 사정하고 원도가 뒤로 가만히 **꾹돈을** 찔러
주어서야 청년들이 풀려났다.
_최국철,《간도전설》

알고 보니 백부가 경찰기관의 "유력자"에게 **꾹돈을** 찔러먹이고 **빼**
낸 것이었다.
_차승철,《양춘을 불러》

성격은 조금 다르지만 북한과 조선족 언어사회에 '꾹돈'이 있다면 남한에는 '급행료'가 있다. '급행료'는 본래 '급행열차에 부가하는 일반 요금 외의 부가 요금'을 나타내는 말이다. 하지만 '일을 빨리

○ ∧ □

처리해 달라는 뜻에서 비공식적으로 담당자에게 건네주는 돈'이라는 뜻으로도 많이 쓰인다. 이른바 '김영란법' 이후로 '급행료'라는 말이 자취를 감추고 있으나 여전히 우리 사회에서 유효한 말이다.

> 정말 치사한 뇌물이구나 싶어 싱겁기도 했으나 소위 **급행료란** 것의 효과도 무시 못한 터라 별수 없다고 생각했다.　_이문구,《장한몽》

> 여권을 만들기 위해서는 공무원에게 의례적으로 **급행료** 조의 돈을 줘야 했던 나라, 몇 년 전까지 변변한 수출품 하나 없다가 여인들의 머리카락을 잘라 만든 가발을 팔았던 나라에서 온 나였다.
>
> _황병기,《오동 천년》

남한에서 '급행료'와 '급행요금'은 동의어인데, 북한의《조선말대사전》에는 그들의 표기법에 맞춰 '급행료금'으로 실려 있다. 그 풀이는 '급행렬차를 타는 손님들에게서 일반료금 밖에 더 받는 돈'으로만 풀이되어 있다. 북한에서 '급행료' 혹은 '급행료금'은 남한에서처럼 '뇌물'의 뜻으로는 쓰이지 않는다.

부정한 청탁은 곧 반칙이다. 반칙은 다른 사람의 기회를 빼앗는 일이자 사다리를 걷어차는 일이다. 때론 한 사람의 인생이 송두리째 무너지는 일이 될 수도 있다. 그 사람이 바로 나와 내 형제, 내 동료가 될지도 모른다. '꾹돈'이든 '급행료'든 통일 시대의 우리 사회에서는 사라진 말이 되길 희망해 본다.

마
랑

ᄉ ○ ㅁ

#갈바람 #마바람 #마파 #앞바람 #동새 #댕갈
#북새 #심마바람 #샛바람 #새복

오월의 남풍 **마랑처럼** 은근히 퍼지던 바람국화(최윤의 소설에서만
나오는 말) 바람이, 땅끝 사람이 방향이 일정하지 않은 광풍을 일컫
는 마파처럼 불어닥치게 된 것은 노래 "북극꽃"이 유행한 것과 비
슷한 즈음이었다.   _최윤, 《열세 가지 이름의 꽃향기》

　'마랑'은 은근히 불어오는 5월의 남풍이며, '마파'는 광풍처럼
불어닥치는 한여름의 남풍으로 전남 남해안 지역에서 쓰이는 말이
다. 부는 계절과 그 성질은 다르지만 둘 다 남쪽에서 불어오는 바람

이다. '마랑'과 '마파'에 나란히 나오는 '마'는 남쪽을 뜻하는 순우리말이다.

섬, 해안가에 살아 있는 바람 이름들

'마랑'이 불어오는 즈음에 필자는 방언 조사차 전라북도 군산 앞바다에서 약 50킬로미터 정도 떨어진 고군산군도에 다녀온 적이 있다. 아주 작은 섬들을 빼면 무녀도, 선유도, 신시도, 장자도 등 4개의 섬으로 이루어져 있다. 그중 선유도가 가장 큰 섬이다. 이때 처음 들은 말이 '맞바람'이었는데, 한자어 동서남북에만 익숙했던 필자에겐 설레는 말이었다.

일주일간의 조사를 마치고 돌아오는 날, 애꿎게도 풍랑주의보가 내려져 발이 묶였다. 그런데 배 한 척이 군산으로 나간다고 했다. 바닷가에서 산 적 없는 필자는 아무런 생각 없이 그 배에 올라탔는데, 군산으로 돌아오는 도중 기름이 떨어져 배가 멈춰 섰다. 멈춰 선 배는 마치 추풍낙엽을 연상시켰다. 높이가 2미터 이상은 족히 되어 보이는 파도를 타고 배는 오르락내리락했다.

이제 죽는가 보다 하는 생각이 드는 순간, 필자가 탄 배보다 훨씬 큰 어선이 표류하는 우리 배 쪽으로 다가왔다. 양쪽 배의 선장들이 이야기를 주고받더니 큰 어선에서 우리 배 쪽으로 굵은 밧줄을 던졌다. 곧 필자가 탔던 배는 큰 어선에 이끌려 군산으로 돌아왔다.

그때 필자는 뱃사람들의 기질을 보았다. 파랑이 그렇게 높게 이는 와중에도 인양 조건이 배에 쓰는 기름 한 드럼통을 주는 것이었기 때문이다.

뱃사람들에게 바람은 안전에 더없이 중요한 조건이다. 특히 돛배를 타고 다니던 시절에는 더욱 그러했다. 그래서 섬이나 해안가에는 우리가 알고 있는 것보다 훨씬 더 많은 종류의 바람 이름들이 살아 있다.

바람과 관련된 다양한 방언들

바람은 계절에 따라 시간에 따라 다르게 분다. 예로부터 우리나라는 농경사회여서인지 바람의 변화를 아주 중요하게 생각했다. 여러 절기 중에서 추분에 부는 바람을 보고 이듬해 농사를 예측하는 풍속도 있었다. 지역마다 바람을 표현하는 방언도 꽤 다양하게 나타난다.

갈바람(강원, 평북, 황해)
마랑(전남), 마바람(평북, 함북), 마바름(제주), 마파(전남), 마파름(제주), 막바람(황해), 막파람(평안), 맙바람(전남), 맞바람(전라), 심마바람(경남)
바닷바름(함북)

○ ∧ □

맙풍(경남), 맞풍(경남)

앞바람(전남, 함북), 앞새(강원, 경북)

얼찐바람(경북)

추마(충남)

안마(전북), 안마파람(전북)

    강원, 평북, 황해 지역에서 쓰이는 '갈바람'은 '갈'과 '바람'이 결합된 말이다. '갈'은 원래 서쪽에서 부는 하늬바람을 말한다. 그런데 어떻게 '갈바람'이 마파람을 의미하게 되었는지는 의문이다. 강원도 뱃사람들은 갈바람이 불면 고기가 잘 잡히지 않는다고 생각한다.

    전라, 경남, 제주, 평북, 함북 지역에서 쓰이는 '마랑, 마바람, 마바름, 마파, 마파름, 막바람, 막파람, 맙바람, 맞바람, 심마바람'은 모두 '마'가 결합된 '마파람'의 다른 이름들이다. '마'는 남쪽을 이르는 말로 '마파람'의 '마'와 같은 말이다. 한자어 '동서남북'에 익숙한 우리에게 '마'는 왠지 낯선 느낌이다. 전남 지역에서 쓰이는 '마랑'은 '마'와 '랑'이 결합된 말인데, '랑'이 무엇인지는 알 수 없다.

    그런데 왠지 '마랑'은 살랑살랑 부는 바람처럼 느껴진다. '바람'과 결합된 '막, 맙'은 모두 '맞-'이 소리의 변화를 겪은 말이다. '심마바람'은 '심마'와 '바람'이 결합된 말이며 '심마'는 정남쪽을 가리킨다. '심마바람'은 정남쪽에서 불어오는 바람을 말한다. 충남 지역에서 쓰이는 '추마'와 같은 말이다.

여름에 **갈바람이** 불른 물괴기가 안 잡힌다와.

동서남북을 뜻하는 순우리말은 '새, 하늬, 마, 높'이다. '새'는 동쪽을 뜻하는데 이는 '새벽'의 방언인 '새복'에서 분명하게 알 수 있다. '새복'은 '새'와 '밝-'의 옛말 '붉-'이 결합해 만들어진 '새붉'이 '새붉>새복>새복'과 같이 변화한 것이다. 즉, '새벽'은 '동쪽이 밝아 온다'는 뜻바탕을 가진 순우리말이다. 따라서 '샛바람'은 동쪽에서 불어오는 바람이다.

'하늬'는 서쪽을 나타내는 순우리말로 '하늘의'가 줄어서 된 말이다. '하늘'이 서쪽이 된 까닭은 무엇일까? 서양에서 기독교가 들어오기 전 우리 민족의 사상을 지배했던 종교는 불교이다. 불교에서 극락세계를 '서방정토西方淨土'라고 하며, 서방정토는 '서쪽으로 십만 억의 국토를 지나면 있는 아미타불의 세계'이다. 그러니 우리 민족에게 서쪽은 곧 '하늘'인 셈이다. '하늬바람' 또한 서쪽에서 불어오는 바람이다.

'마'는 남쪽을 뜻하는 순우리말로 '마파람'은 남쪽에서 불어오는 바람이다. '마'의 말뿌리는 '마주하는'이라는 뜻을 더하고, 다른 단어를 만들어 내는 '맞-'에서 찾아볼 수 있다. 전통적으로 우리 주거 생활에서 가장 이상적인 집의 방향은 '남향'이다. 우리 민족의 의식 속에서 남쪽은 마주 바라보는 쪽인 셈이다.

'높'은 '마'와 반대쪽이다. 북쪽은 춥기도 하지만 '마'에 견주어 높은 곳이기도 하다. 따라서 '높'은 '높다'에서 온 말이며, 자연스레

○ ∧ □

'높'이 북쪽을 의미하게 된 것이다. '높바람'은 '매섭게 부는 바람'이 기도 하지만 '북쪽에서 불어오는 바람'을 뜻하기도 한다.

> 두 사람이 내지르는 숨소리에 말코지에 걸린 옷자락이 흔들거렸고 명색뿐인 외짝바라지가 **샛바람** 들이켤 때처럼 덜거덕거렸다.
>
> _김주영,《객주》

> 그것들은 시체가 널린 보리밭을 까맣게 뒤덮고 파먹다가 심심하면 겨울 하늘로 떼 지어 날아오르며 세찬 날갯짓으로 **하늬바람** 타기 를 잘했다.
>
> _현기영,《순이 삼촌》

> 그릇을 집어 들고, **마파람에** 게눈 감추듯이 후닥닥 해치웠다.
>
> _강희진,《유령》

'샛바람'은 동풍, '하늬바람'은 서풍, '마파람'은 남풍, '높바람'은 북풍, '높새바람'은 북동풍, '높하늬바람'은 북서풍, '마파늬바람'은 남 서풍, '샛마바람'은 동남풍이 된다.

함북 지역에서만 쓰이는 '바닷바름'은 '바다'와 '바름'이 결합된 말이다. 함경북도에서 남풍은 바다 쪽에서 불어오는 바람인 듯하 다. 어쩌면 함경도 사람들에게 남쪽은 지형상으로 바닷가 쪽일지 도 모른다. 좀 엉뚱한 추측이라는 생각도 들지만, 완전히 빗나간 것 이 아니길 바랄 뿐이다. '맙풍, 맞풍'은 모두 '바람' 대신 한자어 '풍風

이 결합된 '남풍'의 다른 이름들로 '맙풍'은 '맞풍'이 변한 말이다. 강원, 경북, 전남, 함북 지역에서 쓰이는 '앞바람, 앞새'의 '앞'이 남쪽을 의미하게 된 것은 남향을 중시하는 우리의 주거 문화에서 비롯된 것으로 보인다. 남향집에서 앞쪽은 남쪽이다. 경북 지역에서 쓰이는 '얼찐바람'은 '얼찐'과 '바람'이 합쳐진 말이다. '얼찐'은 '얼찌-'와 '-ㄴ'이 결합된 것으로 보이는데, '얼찌-'가 무엇을 뜻하는지 전혀 알 수가 없다.

충남 지역에서 쓰이는 '추마'는 정남쪽에서 불어오는 남풍이다. 이때 '추秋'는 '시기時期'를 뜻하는 말이다. '안마, 안마파람, 안마새'는 모두 고군산군도에서 쓰이는 말들이다. '안마'는 '마'와 '샛마'의 사이 쪽을 말한다. 결국 '안마'는 '남남동' 쪽이다. 따라서 '안마, 안마파람'은 '남남동풍'이고 '안샛바람'은 '동동남풍'이다.

여어는 칠얼에 **맞풍** 불모 태풍 오끼라고 단도리로 안 하나.

독항선과 모선의 간격이 좁혀지기 시작한 것은 11일 이후, 독항선이 **앞바람을** 받기 시작하면서부터였다.　_김원기,《죽음의 항해 72시간》

날 좋다마, **얼찐바람도** 살살 불고.

정남에서 부는 바람은 **추마여**.

○ ∧ □

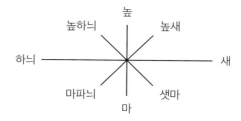

간바람(남동풍, 남서풍처럼 사이에서 부는 바람)은 **안마** 그러거든. 안마
는 마파람에 가찹지.

남쪽에서 동쪽으로 살짝 틀어서 오는 바람이 **안마지**.

이전 시대에 한자어가 들어오기 이전, 혹은 한자어를 몰랐던
언중들 사이에서 '동, 서, 남, 북'은 '새, 하늬, 마, 높'과 같은 순우리
말로 쓰였을 것이다. 그러나 어느 사이 한자어가 세력을 확장하면
서 방위를 나타내는 순우리말은 설 자리가 사라지게 되었고, 해안
가나 섬 지역을 중심으로 살아남게 되었다. 그것마저도 온전하게
살아남은 것은 아니다. '샛바람, 마파람, 하늬바람, 높바람'처럼 '바
람'에 기대어 살아가고 있을 뿐 '새, 마, 하늬, 높'은 이제 더 이상 홀
로 서지 못한다.

　　말이 사라지면 그 말에 담긴 정서와 문화도 함께 사라지기 마
련이다. 우리의 기억 속에서 점점 사라져 가는 '마랑, 마파, 안마, 안
마파람……' 이런 말들이 함께 살아갈 수 있기를 간절히 소망해 본다.

톰
발
리

∧ ○ □

#개우 #재우 #고부재 #거씨 #날래 #빠리 #어떵 #빵지 #찐드륵

황해도 아저씨: 얘야, 룡강에 가게 되면 **톰발리** 상점에 들려서 잉
크 두 병만 사 오너라. 그곳 잉크가 그리 좋다는데
한번 써 보자.

큰조카: 예, 알았어요.

작은조카: (솜신 파는 상점에서 무슨 잉크를 판담?)

(얼마 후)

큰조카: 아저씨, 룡강군에 리가 많지만 **톰발리라는** 리는

	없대요. 그래서 읍 공업품 상점에서 잉크를 사 왔습니다.
황해도 아저씨:	아니?! 그게 무슨 소리냐? **톰발리라니**…….
큰조카:	룡강에 가게 되면 **톰발리** 상점에 들렸다 오라고 하지 않았나요.
작은조카:	형두 참, 통바리 파는 상점이라구 하지 않았어요? 겨울에 일하면서 신는 솜신 말이야.
황해도 아저씨:	아! 내가 말을 잘못했군. **톰발리라는** 건 황해도 사투리로 '빨리'라는 말이다. 내 잘못했다.
큰조카:	아저씨두 참, 그런 걸 난 오늘 하마트면 차를 놓칠 번했어요.
작은조카:	아저씨! 이제부터 꼭 문화어로 말하겠다는 걸 약속하자요.
황해도 아저씨:	오냐, 오냐.

위의 글은 북한의 사회과학원에서 펴낸 《문화어 학습(1)》에 실린 글이다. 소학교(남한의 초등학교와 같으며, 5년제임) 저학년 학생들에게 사투리를 쓰지 말고 '문화어'를 써야 한다고 가르치기 위해 실은 내용이다. 남한의 띄어쓰기만 적용해 수정하고 원문 그대로 실었다.

한국의 '빨리빨리' 문화

'톰발리'는 황해도 지역에서 쓰이는 말로 '빨리'와 같은 말이다. '통발리'라고도 하는데 '톰발리'와 '통발리'의 뜻바탕은 짐작하기 어렵지만, '발리'가 '빨리'와 연관된 게 아닌지 어설픈 생각을 해 본 적이 있다.

우연히 개인 블로그에서 한국인의 '빨리빨리 문화' 베스트 4를 읽어 본 적이 있다. 그중 정말 공감했던 문화가 '엘리베이터 닫힘 버튼 누르기'였다. 필자가 근무하는 곳은 18층 건물의 12층이다. 어느 날 아침 출근길에 누군가 엘리베이터를 타려고 급히 오는 모습을 보고 열림 버튼을 꾹 눌렀다. 그러자 닫히던 문이 열리면서 한 명이 아닌 다섯 명이 엘리베이터 안으로 들어왔다. 그리고 믿지 못할 광경이 눈앞에서 펼쳐졌다. 짝수 층만 운행하는 엘리베이터의 2층, 4층, 6층, 8층, 10층 버튼에 나란히 불이 들어오는 것이 아닌가. 그날 그 선택으로 평소보다 출근을 늦게 했고, 퇴근도 더 늦게 할 수밖에 없었다. 물론 그 일이 있었다고 달려오는 사람을 못 본 체하지는 않지만, 엘리베이터에 타거나 내릴 사람이 없어 보일 때는 이따금 닫힘 버튼을 누른다.

한국인의 '빨리빨리' 문화는 한때 '한강의 기적'을 일궈 낸 원동력으로 주목받았다. 그러나 그 이면에는 성수대교 붕괴 사고, 삼풍백화점 붕괴 사고 같은 돌이킬 수 없는 뼈아픈 상처를 우리 사회에 남기기도 했다.

○ ∧ □

'빨리'의 방언들

우리는 하루에 '빨리'라는 말을 얼마나 많이 쓸까. 택시를 탈 때도 "빨리 가 주세요", 음식을 주문할 때도 "빨리 주세요"라고 말한다. 아마도 '빨리'라는 말이 습관처럼 입에 붙었기 때문일 것이다. 그런데 신기하게 방언에도 한국의 '빨리' 문화가 담긴 말들이 많다.

개우(함경), 재우(함경)

거씨(자강, 평북), 걸쎄(평북), 걸씨(자강, 평안), 걸씨덩(평안), 궐씨(평안), 꿜씨(평안)

고부재(양강, 자강, 평안, 함경)

거뻐덕(중국)

날래(평안, 함경, 황해, 중국), 낼래(함경)

버떠러(경북)

빠리(중국), 빨랑(전북, 평북), 빨이리(제주), 뽈리(함경), 빨퍼떡(경남)

빵지(황해)

삐니(전남)

새기(경상), 쌔기(경상)

신질로(경남)

어(경남)

어떡(경상), 어떵(중국)

어푸덩(함경)

찐드륵(함남)

톰발리(황해), 통발리(황해)

배내끼(경북), 파내끼(경남), 패나끼(경남), 패내끼(경상)

함양(경남)

홀케(경북)

걸씨걸씨(중국), 날래날래(평안, 함경, 황해, 중국), 빠빨리(강원),
빨랑빨랑(전라, 중국, 평안), 빵지빵지(강원)

'개우'와 '재우'는 모두 함경도 지역에서 쓰이는 말이다. '재우'
는 '아주 몹시'를 뜻하는 '되우'처럼 '동작이 재빠르다'의 뜻을 갖는
'재-'에 '-우'가 결합된 것이다. '개우'는 '재우'가 변한 말이다. 양강,
자강, 평안, 함경 지역에서 쓰이는 '고부재'는 '빨리'의 다른 말로 '고
부쟁이'가 줄어든 말이다. '고부쟁이'는 '고부(곱)'와 '-쟁이'가 결합
된 말로, '곱절'을 속되게 이르는 '곱쟁이'와 같은 말이다. 가령, '일
으 고부재로 했슴둥'은 그것이 '일의 양'을 의미하면 '곱절'이지만
'시간'을 의미하면 '빨리'가 되는 것이다.

'거씨, 걸쎄, 걸씨, 걸씨덩, 귈씨, 뀔씨'는 평안도와 조선족 언어
사회에서 쓰이는 말로, 모두 '벌써'가 변한 말이다. 이들은 모두 'ㅂ'
이 'ㄱ'으로 변한 것이며 소리의 변화와 함께 의미의 변화도 일어난
것으로 보인다. 'ㅂ'이 'ㄱ'으로 변하는 것은 한국어에서 흔히 볼 수
있는 일이다.

○ ∧ □

'벌써'는 '예상보다 빠르게' 또는 '이미 오래전에', '빨리'는 '걸리는 시간이 짧게' 또는 '어떤 기준이나 비교 대상보다 이르게'의 뜻을 갖는 말이다. 이처럼 뜻의 변화가 일어날 수 있었던 것은 '벌써'와 '빨리'의 뜻바탕이 부분적으로 같기 때문이다.

'거뻐덕'은 조선족 언어사회에서 쓰이는 말이다. '거뻐덕'은 조선족 언어사회에서 쓰이는 '검뻑거리다'와 '거뻐덕거리다'에서 온 것으로 보인다. '검뻑거리다'는 '큰 눈이 자꾸 감겼다 뜨였다 하다. 또는 그렇게 되게 하다'라는 뜻도 가지고 있다. '거뻐덕'은 '눈을 한 번 뜨고 감는 시간만큼이나 빨리'를 뜻하는 말이다.

손으 **재우** 놀리다.

메사니(무엇이) 급해 그러는데 하여튼 **걸씨** 퇴근하시우. 종점에서 기다리겠소.   _《빈말은 없다》

늦었어. **어푸덩** 해치우자우.

늘거이 **거뻐덕** 죽지도 않고 절무이 애를 먹여 미안하오.

어떵 먹어 치워라.

'날래'는 평안과 조선족 언어사회에서 쓰이는 말로, '사람이나 동물의 움직임이 나는 듯이 빠르다'의 뜻을 갖는 '날래다'의 말뿌리 '날래'가 부사로 쓰인 것이다. '버떠러'는 조선족 언어사회에서만 쓰이는 말인데 그 말바탕이 무엇인지 분명하지 않다. 다만 경남, 충북, 함남 지역에서 '빨리'의 뜻으로 쓰이는 '버뜩'과 관련이 있는 것으로 보인다.

'빠리, 빨랑, 빨이리, 뽈리, 빨퍼떡'은 강원, 경남, 전북, 제주, 함경과 조선족 언어사회에서 쓰이는 말이다. '빠리'는 '빨리'의 'ㄹ'이 탈락한 형태이며, '빨랑'은 '빨리'에 '-앙'이 결합된 말이다. '빨이리'는 제주 지역에서 쓰이는 말로 '리'가 왜 '이리'로 늘어졌는지 알 수 없다. '빵지'는 황해도 지역에서 쓰는 말인데 그 말뿌리를 알 수가 없다. '삐니'는 전남, 함평 지역에서 '빨리'의 뜻으로 쓰이는 말인데, '빵지'와 마찬가지로 그 말뿌리를 알 수가 없다.

'새기, 쌔기'는 경상도 지역에서 쓰이는 말로, '걸음이 재빠르다'의 뜻을 갖는 '싸다'의 '싸-'와 '싸다'의 경상도 말 '사-'에 '-게'가 결합된 '싸게'와 '사게'가 변한 말이다(싸게>싸기>쌔기, 사게>사기>새기). 경남 지역에서 쓰이는 '신질로'는 '신질'과 '-로'가 결합된 말이다. '신질'은 동작이나 움직임 따위가 빠르고 날쌔다는 뜻을 갖는 말 '신질하다'의 '신질'이다.

경남 지역에서 쓰이는 '어'는 놀라거나 당황하거나 초조하거나 다급할 때 나오는 소리 '어'에 말뿌리를 두고 있는 것으로 보이나 확신하기는 어렵다. '어떡'과 '어떵'은 모두 '지나치는 결에'의 뜻을 갖는 '어뜩'에 말뿌리를 두고 있다. '어푸덩'은 '얼른'의 뜻을 갖

○ ∧ □

는 방언 '얼풋'과 '-엉'이 결합된 말이다. '배내끼, 파내끼, 패나끼, 패내기, 패내끼'는 모두 경상도 지역에서 쓰이는 말이다. 이 방언들은 '빠르다'의 경상도 말 '팬하다'와 '-게'가 결합된 '팬하게'가 변한 말들이다. '함양'과 '홀케'도 모두 경상도 지역에서만 쓰이는 말로 역시 그 말 뿌리를 어디에 두고 있는지 알 수가 없다.

날래 가디 않고 머하는 기오?

버떠러 묵아래이.

배내끼 오라꼬 그키 그랬는데 밍기적거리는 거 보이 시간 맞출동 몰다.

빨랑 갔다 오나라.

빨퍼떡 댕겨올 꺼이까네 과메기 쪼매 봐 주이소.

우리 오빠는 얼마나 고집이 센지, 이쪽 길이 더 가깝다고 혀도 기어이 먼 길로 삥 돌아가더만 우리한테 안 질라고 얼매나 **시카리** 걸었는지 먼차 도착해 버렸당개.

멀 기케 오래 놀고 있네? **어떵** 집에 와서 숙제 하라우.

'걸씨걸씨, 날래날래, 빨랑빨랑, 빵지빵지, 어떵어떵'은 모두 '걸씨, 날래, 빨랑, 빵지, 어떵'이 중첩된 말로 '빨리빨리'를 뜻하는 말들이다. 그중 '걸씨걸씨, 날래날래'는 북한과 조선족 언어사회에서만 쓰이는 말이다. 강원 지역에서 쓰이는 '빠빨리'는 '빨리빨리'가 줄어든 말이다.

어떵어떵 옷 입어라우. 차 시간이 다 됐다우.

아아, 되게 귀찮게 구누만. 좋소, 졸려 득갔시다(죽겠습니다). **날래날래** 물어보시라요.
_홍성원,《남과 북》

영련이는 입을 옥물고 어둠이 깔린 길을 **빨랑빨랑** 걸었습니다.
_《영련이》

우리는 '빨리빨리'에 대한 아픈 기억을 가지고 있다. 필자는 18년 전에 처음 서울에 올라왔다. 지하철도 제대로 탈 줄 몰랐던 필자가 제일 이해할 수 없었던 것은 에스컬레이터에서 한결같이 걷는 사람들이었다. 그때 필자는 생각했다. 걸으려면 계단으로 가면 되는데 굳이 왜 에스컬레이터에서 걸을까.

○ ∧ □

여들하다

ㅅ ㅇ ㅁ

#똘똘하다 #똘람똘람허다 #똘랑똘랑허다

고향엣 사람안데 **여들하들** 못하니께 장창(줄곧) 사름들안티(사람들
한테) 속기만 하드마.

'여들하다'는 황해와 평남 지역에서 쓰이는 말로 '여들'과 '하
다'가 결합된 말이다. '여들'의 말뿌리는 '여물다'의 다른 말 '여들다'
에서 온 것으로 보인다. '여들다'는 간단히 말하면 '똘똘하다'의 뜻
이고, '여물다'의 여러 뜻 중에서 '일 처리나 언행이 옹골차고 여무
지다'의 뜻을 갖는 말이다.

눈이 온 후 샛별가리에서

　어렸을 적 필자는 '여들하다'와 거리가 멀었다. 필자의 어렸을 적 별명 중의 하나는 '쌀 한 가마니'였다. 뒷집에 사는 친구와 초등학교에 입학하기 전에 큰 사고를 쳐서 생긴 별명이다. 예전에는 지금처럼 콤바인으로 논에서 직접 벼를 거두어들이지 않았다. 벼를 베어 논바닥에 깔아 놓고 어느 정도 마르면 단을 지어 묶었다. 그리고 단을 지어 묶은 볏단들은 강변에 샛별가리(볏단을 십자형으로 더미를 지어 쌓은 볏가리)로 지어 놓았다. 샛별가리를 지어 놓은 벼는 겨울에 온 동네 아주머니들이 마당에 한데 모여서 그네를 펼쳐 놓고 훑어 냈다.

　사고를 치기 전날 밤에는 눈이 소복이 내렸다. 논두렁 잔디에도 샛별가리에도 눈이 소복소복 쌓여 있었다. 우리는 불장난을 하려고 몰래 성냥을 갖고 논두렁으로 갔다. 그런데 눈이 소복이 쌓인 잔디 위에 아무리 불을 붙이려 애를 써 봐도 불은 붙지 않았다. 그러던 중 샛별가리가 눈에 들어왔다.

　우리는 일말의 망설임도 없이 성냥을 그어 볏단에 불을 붙였다. 처음엔 불이 잘 붙지 않았는데, 불이 붙기 시작하자 걷잡을 수 없이 타올랐다. 눈을 뿌려 보고, 돌을 던져 보고, 어떻게든 불을 꺼 보려 했지만 7살 난 아이들에겐 어림도 없는 일이었다. 결국 우리는 각자의 집으로 줄행랑을 쳤다. 그리고 얼마 후 양쪽 집에서 샛별가리의 주인에게 쌀 한 가마니씩을 물어 주었다.

○ ㅅ ㅁ

'똘똘하다'의 방언들

부모는 자식이 똘똘한 아이이길 바라고 똘똘한 아이와 친구가 되기도 바란다. 어려운 고비를 만났을 때 현명하게 헤쳐 나가려면 똘똘해야 한다고 생각하기 때문이다. 어렸을 적 비록 여들하진 못했지만 지금부터 '여들하다'의 실타래를 풀어 보려고 한다.

> 똘똘허다(전라), 똘람똘람허다(전남), 똘랑똘랑허다(전북)
> 여돌하다(평안), 여들하다(평남, 황해), 여드럽다(평남)

'똘똘허다, 똘람똘람허다, 똘랑똘랑허다'는 모두 '똘똘, 똘람똘람, 똘랑똘랑'과 '하다'의 다른 말인 '허다'가 결합된 말이다. '똘똘, 똘람똘람, 똘랑똘랑'은 모두 홀로 설 수 없는 말로 '허다'와만 결합되어 쓰인다.

> 우리 집 담살이(머슴살이) 헌 놈은 참 **똘람똘람해서** 느그 집 상머심 허고도 안 바꾼다.

> 그 집 아는 **똘랑똘랑헌** 거이 크머넌 한자리헐 것이구만.

'허다'는 '하다'의 옛말 'ᄒᆞ다'가 '허다'로 변한 것인데 강원, 전라, 평북, 함북, 중국 등 다양한 지역에서 널리 쓰이는 말이다. 제주 지역에서는 여전히 '흐다'가 쓰이고 있다.

이건 나가 **공불홀** 책 마씀(이것은 내가 공부할 책입니다).

다음부턴 공불 잘 흐크라 하엿수다(다음부터는 공부를 잘 하겠다고 하였습니다).

'여돌하다, 여들하다'는 평안도와 황해도 지역에서 쓰이는 말로, '여돌, 여들'이 '하다'와 결합된 말이다. '여드럽다'는 평남 지역에서 쓰이는 말이다. 이 말은 '여들하다'와 마찬가지로 '여들'이 형용사를 만드는 옛말 '-업-'과 결합한 말이다. 즉 '여들+-업-+-다'가 '여드럽다'로 된 것이다.

'여돌하다, 여들하다'는 비록 표준어나 문화어는 아니지만, 정말 정겹게 느껴지는 말이다. 필자는 누가 불을 질렀냐고 어머니가 묻는 말에 눈물을 뚝뚝 흘리며 '내가 그랬다'고 솔직하게 말했다. 비록 여들하지는 못했지만 그때의 그 모습이 하나도 부끄럽지 않다. 여들한 것과 삶을 잘 사는 것은 어쩌면 또 다른 문제일지도 모른다.

○ ∧ □

샤쓰개

ㅅ ㅇ ㅁ

#미추개이 #미춘과이 #샬쓰개 #샛병쟁이

저런 **샤쓰개**하고는 말도 말아라.

이 **샤쓰개** 같은 년아 백주대낮에 날강도질하자고 드는……."

'샤쓰개'는 '미치광이'를 뜻한다. 이 말은 '샤쓰-'와 '사람' 또는
'간단한 도구'의 뜻을 더하고 명사를 만드는 '-개'가 결합된 것이다.

지금이라면 평범했을지 모르는 그들

'미친놈'이 익숙한 필자에게 '미치광이'는 참 낯선 말이다. 어렸을 때는 물론 지금도 잘 쓰지 않는 말이다. 체득해서 얻은 말이 아니라 책에서 배운 말이라 입에 잘 안 붙은 것 같다. 필자의 고향 마을에도 그런 사람이 자주 나타났는데, 며칠씩 주변을 배회하다가 어디론가 사라지곤 했다. 그런 사람이 나타나면 철없던 그 시절 동네 아이들은 떼로 모여서 '미친놈이래 미친놈이래' 하면서 돌을 던지고 침을 뱉곤 했다. 지금 생각하면 참으로 부끄러운 일이다.

아마도 그 시절에 '미친놈'이나 '미치광이'라고 불렸던 사람들은 마음의 병을 치료하지 못해 악화됐던 게 아닐까 싶다. 지금은 정신의학에 관한 정보도 많이 알려졌고, 편견도 사라지고 있어 병원에서 치료받는 게 당연하게 여겨지지만 그때는 그렇지 않았다. 주위에서 도움을 줄 수 있는 방법을 찾기도 어려웠고, 스스로 치유를 하기는 더욱 어려웠다.

그런 차가운 현실 속에서 그들은 어쩔 수 없이, 어쩌면 당연한 수순처럼 '미치광이'가 되어 버린 걸지도 모른다. 마음을 보듬어 주는 치료를 받거나 정신 이상 증세를 치료하는 약이라도 먹었더라면, 그들도 평범한 사회의 한 구성원으로 삶을 살았을 수도 있다. 모든 병증은 치료나 치유가 없으면 더욱 심해지기 마련이다.

○ ∧ □

'미치광이'의 방언들은 우리 사회의 한 단면을 보여 주는 것 같다. 그 수만큼이나 우리 사회가 갖는 그들에 대한 편견이 짙지는 않은지 한 번쯤 생각해 볼 일이다.

광(제주), 광연다리(제주), 광인다리(제주), 광절다리(제주), 광질다리(제주)

두리웨(제주), 두리훼(제주)

미추개이(중국), 미추과이(중국), 미추광이(평안, 중국), 미충강이(전라, 중국), 미취개이(전라, 중국), 미치개(함경), 미치개이(강원, 경상, 전라), 미치갱이(강원, 경상, 전라), 미치과이(강원), 미치괘이(황해), 미치괭이(제주, 평북, 함경, 황해, 중국), 미치굉이(경북)

미춘과이(경상, 중국), 미친괭이(경남, 중국), 미친갱이(경상, 중국), 미친광이(경남, 중국), 미칭개이(경상, 중국), 미칭갱이(경상, 중국), 미칭굉이(경북)

미춘댕이(전북), 미친댕이(전북)

미친뱅이(전북)

새쓰개(함경, 중국), 샤쓰개(함북, 중국), 싸쓰개(함북, 중국), 싸씨개(함북, 중국), 쌔쓰개(함북, 중국), 쌔씨개(함북, 중국), 쌰쓰개(함북, 중국)

샬쓰개(함북), 쌀쓰개(함북), 쌸쓰개(함북)

샛병쟁이(함북)

싸구재(함북, 중국), 싸구재이(함북), 싸구쟁(함북), 싸구쟁이(함
북), 싸귀쟁이(함북), 샤구재(함북), 샤구재이(함북), 샤구쟁이(함
북), 쌔구재(함북, 중국)

싸구데기(함북)

'광'은 제주 지역에서 쓰이는 말이며 한자어 '狂'인지는 알 수
가 없다. 제주말의 '광'이 한자어라면 '미치광이'의 '광'도 한자어여
야 한다. 그런데 국어사전에서 찾아보면 '미치광이'는 순우리말로
나온다. '광인다리, 광연다리' 또한 제주 지역에서 쓰이는 말로 '광
인, 광연'과 '-다리'가 결합된 것이다. '광인狂人'은 '미친 사람'을 뜻하
고, '-다리'는 '그러한 속성을 가진 사람이나 물건'의 뜻을 더하는 말
로 '늙다리, 구닥다리' 등의 '-다리'와 같다. '광연다리'는 '광인다리'
가 변한 말이다. '광질다리, 광절다리'는 '광질, 광절'과 '-다리'가 결
합된 제주말이다. 한자어 '광질狂疾'은 '미친병'을 뜻하며 '광절다리'
는 '광질다리'가 변한 것이다.

조캐안티 가며는 문 **광만** 미쳔 오니 이거 이상ᄒ다(조카한테 가면 모
두 미치광이만 되어 오니 이것 이상하다).

아시가 한나 있었는디 **광질다리여**(동생이 하나 있었는데 미치광이야).

○ ∧ ▢

‘미추개이, 미춘갱이, 미추과이, 미추광이, 미취개이’는 모두 ‘미치다’의 다른 말인 ‘미추다’의 ‘미추-’와 ‘-광이’가 결합된 말이다. ‘-광이’는 좋지 않은 행위를 나타내는 말에 붙어 ‘그러한 속성을 심하게 가진 사람’의 뜻을 더한다. ‘미취개이’는 ‘미추개이’가 변한 말인데, 국어에서 이런 소리의 변화는 가끔 목격된다. ‘춤을 추다’를 ‘춤을 취다’와 같이 발음하는 것과 같다. ‘미추과이’는 ‘미추광이’의 ‘ㅇ’이 단순히 탈락한 형태이다. 이러한 소리의 변화는 특히 경상도 지역에서 많이 일어난다. 가령, ‘곡괭이’가 ‘곡개이’로, ‘시장’이 ‘시자’로 ‘ㅇ’이 탈락되어 발음된다.

‘미치개, 미치개이, 미치갱이, 미치과이, 미치괘이, 미치괭이, 미치굉이’는 모두 ‘미치다’의 ‘미치-’와 ‘-광이’가 결합된 ‘미치광이’가 변한 말들이다. ‘미치갱이’는 ‘미추광이’가 ‘미추괭이’로 소리의 변화를 겪은 다음, 다시 ‘미추괭이’가 ‘미치갱이’로 변한 것이다. ‘괭이’가 ‘갱이’로 변한 것은 ‘전화’를 ‘저나’, ‘광주’를 ‘강주’로 발음하는 것과 같은 현상이다. ‘미치개이, 미치과이, 미치괘이’는 모두 ‘미추개이, 미추과이’와 마찬가지로 ‘ㅇ’이 탈락한 형태이다. ‘미치괘이’는 ‘미치광이’가 ‘미치괭이’로 소리의 변화를 겪은 후 다시 ‘ㅇ’이 탈락한 것이며, ‘미치개’는 ‘미치개이’가 줄어든 말이다. ‘미치굉이’는 ‘미치괭이’가 변한 말이다. ‘미친뱅이’는 ‘미치다’의 관형형 ‘미친’과 명사를 만들어 내는 말 ‘-뱅이’가 결합된 말이다. ‘-뱅이’는 ‘가난뱅이, 게으름뱅이, 안달뱅이’의 ‘뱅이’와 같은 말로 앞에 결합하는 말에 ‘그것을 특성으로 하는 사람이나 사물’의 뜻을 더하는 말이다.

데 넝감 **미추과이** 아니라오?

넌 왜 밥도 안 먹고 **미취개이처럼** 머리 건사도 안 하냐?

한창 설칠 직에 가마이 보머 **미칭개이시더.**

미치개이 하넌 소리 거거로(그것을) 믿나?

반쪽만 날 주더니 나중에사 껍데기도 안 벳기고 **미치괭이걸이** 혼자 묵더마는.

_박경리,《토지》

 '미춘과이, 미친괭이, 미친갱이, 미친광이, 미충강이, 미칭개이, 미칭갱이, 미칭굉이'는 '미추-'와 '미치-'에 명사를 수식하는 '-ㄴ'이 붙은 '미춘, 미친'이 결합된 말이다. '미충강이, 미칭개이, 미칭갱이, 미칭굉이'는 모두 편하게 발음하려고 'ㄴ'이 'ㅇ'으로 소리의 변화를 겪은 것이다. 입안의 앞에서 발음되는 'ㄴ'과 'ㅇ'을 연달아 발음하기보다 발음하는 위치가 같은 'ㅇ'과 'ㄱ'을 연달아 발음해야 혀의 움직이는 거리가 짧아져 발음하기가 편하다.
 전북 지역에서 쓰이는 '미춘댕이'와 '미친댕이'는 '-댕이'가 결합된 말이다. '-댕이'는 '속되거나 홀하게'의 뜻을 더하는 말로 '손목댕이'나 '꼬랑댕이'의 '-댕이'와 같다.

○ ∧ □

저라(저렇게) **미친갱이같이** 미치미치하는(말과 행동이 정상적인 상태를 벗어나 있는 듯한) 놈 얘기는 절대 듣지 마웨이(마세요).

저른 저 **미친댕이** 좀 보소.

사램이 **미친뱅이모냥** 납뛰는가 모르겠네.

'새쓰개, 샤쓰개, 싸쓰개, 싸씨개, 쌔쓰개, 쌔씨개, 샤쓰개'는 모두 두만강 유역에서 쓰이는 말이다. '정신없이 행동하고 아무 말이나 막 하는 짓'을 뜻하는 '새, 샤, 싸, 쓰, 샤' 등은 모두 홀로 쓰이지 못하고 늘 '쓰다'와 함께 쓰인다. '쓰다'와 함께 쓰인 '새르('-르'는 목적격 조사 '-를'임) 쓰다', '샤르 쓰다' 등은 '정신없이 행동하고 아무 말이나 막 하다'라는 의미이다. 그런데 이들이 '-개'와 결합되어 '새쓰개, 샤쓰개'처럼 쓰이면서 '미치광이'를 뜻하는 말로 자리매김하게 되었다.

저런 **싸쓰개하고는** 말도 말아라.

네 어때 **쌔쓰개텨려**(새쓰개처럼) 장난이 심하냐.

또 길거리에서 아이들이 웬 미친 사람을 쫓아다니며 **새쓰개, 새쓰개** 하는 소리도 들었다.
_정석해 외, 《털어놓고 하는 말》

'샬쓰개'는 '샤르 쓰다'가 줄어든 '샬쓰-'에 '-개'가 결합되고 '-ㄹ'이 탈락하지 않은 형태이다. '-ㄹ'이 탈락하지 않은 '샬쓰개'는 '미치광이'를 말하는 것은 아니다. '정신병자가 아닌데 정신병자처럼 정신없이 행동하는 사람'을 뜻한다.

더기(저기) **샬쓰개** 오고 있습둥.

'샛병쟁이'는 함북 지역에서 쓰인다. '샛병'은 '새'와 '병'이 결합된 말로 '미친병'을 이르는 말이다. 여기에 다시 '그것이 나타내는 특성이나 그것과 관련된 기술을 가진 사람'의 뜻을 더하는 '-쟁이'가 결합된 것이 '샛병쟁이'다.

샛병쟁이라서느(샛병쟁이가) 어디 있습둥?

이 제집아야, 귀신이 씨웠냐 **샛병에** 걸렛냐. 육십으 바라보는 내가 딸 하나를 두고 일구이언으 하란 말이냐.

_손소희(함경북도 경성 출신의 소설가),《남풍》

'싸구재, 싸구재이, 싸구쟁, 싸구쟁이, 싸귀쟁이, 샤구재, 샤구재이, 샤구쟁이, 쌔구재'는 모두 두만강 유역에서 쓰이는 말이다. '샤꾸, 싸구, 싸귀, 샤구, 쌔구'는 '새, 샤, 싸, 쓰, 샤' 등과 같은 말인데, '요사스러운 귀신'이라는 뜻을 가진 한자어 '사귀邪鬼'에서 유래

○ ∧ □

한 것으로 보인다. '미치광이'의 다른 말 '싸귀형'은 모두 '-쟁이'와 '-쟁이'가 변한 '재, 재이, 쟁'이 결합된 것들이다. '싸구재이'는 '싸구쟁이'가, '싸구쟁'은 '싸구쟁이'가, '싸구재'는 '싸구재이'가, '쌰구재'는 '쌰구재이'가 줄어든 말이다. '싸구데기'는 '싸구'와 '-데기'가 결합된 말로 '-데기'는 '-쟁이'와 같은 뜻이다. 또한 행위를 반복한다는 뜻을 더하는 '-질'이 결합되어 '미치광이 짓'을 뜻하는 '싸구재질, 싸구쟁이질'과 같은 말들을 만들어 내기도 했다.

살다살다 별일 다 본다이. 우리 동네에 **싸구재이가** 다 생기다니 쯧 쯧쯧…….
_장춘식,《아, 옛날이여》

싸구쟁이처럼 달려들다.

정신이 없이 아무 말이나 하구 그런 거 **싸구재질이라** 하디.

싸구쟁이질하덩이 바른 사람이 돼 죽었궁.
_안수길,《북간도》

'미치광이'와 관련된 다른 말들은 크게 '샤쓰형, 두리형, 싸구형' 등으로 나누어 볼 수 있다. 한반도 곳곳에서 참으로 많은 말들이 만들어졌다. 편견의 시선보다는 이들과 함께할 수 있는 따뜻한 사회적 분위기가 한가득 퍼져 나갔으면 좋겠다.

불술기

∧ ○ □

#가중둥이 #경저이 #노돌이 #뺑지돌#도삽
#부끼 #철랑이 #바랏물 #불쌜르 #싸그랑비

저예, 왜놈들이 도망치면서 마사 놓고(부셔 놓고) 간 자동차를 우리 동무들이 여기저기서 부속품을 하나하나 주어다 맞춘 건데 오죽하겠습니까. 말이 자동차지 다 낡은 이 빠진 목탄 **불술기지요.**

북한 소설의 한 대목에 나타나는 '불술기'는 '불'과 '술기'가 결합된 말이다. '불'은 누구나 알고 있는 '어떤 물질이 산소와 만나 빛과 열을 내며 타는 현상'이다. '술기' 또는 '술구'는 주로 평안북도와 함경도, 그리고 중국의 조선족 동포의 언어사회에서 쓰이는 말로

○ ∧ □

'수레'를 뜻하는 말이다. '말수레'가 '말이 끄는 수레'이듯이 '불수레'는 '불이 끄는 수레'라는 뜻이다. 즉, 불술기는 함경도 지역에서 '기차'를 이르는 순우리말이다. 불술기는 '부술기, 부슬기, 북술기'라고도 하는데, '부술기'는 'ㅅ' 앞에서 'ㄹ'이 탈락한 형태이며 '부슬기'는 'ㅜ'가 'ㅡ'로 소리의 변화를 겪은 말이다. '북술기'는 'ㄹ'이 'ㄱ'으로 바뀐 말인데 그 이유는 알 수 없다.

처음을 선물해 준 기차

무언가를 처음으로 접하는 순간은 기억에 오래 남는다. 필자에게도 잊을 수 없는 첫 순간들이 있는데 기차를 처음 탄 날은 유독 기억에 남는다. 그날의 모든 순간에 '처음'이라는 단어가 스며들었기 때문이다.

필자는 초등학교 5학년 때 충청남도에 있는 장항제련소로 견학을 갔다. 그때 처음으로 기차를 탔다. 필자의 고향은 전주에서 40여 킬로미터 떨어진 아주 외진 시골 마을이었다. 버스는 하루에 아침, 점심, 저녁 딱 세 번 운행했다. 필자는 이른 아침에 그 버스를 타고 전주역에 도착했다. 그곳에 도착하자 담임 선생님은 우리에게 콜라를 한 병씩 나눠 주었다. 처음으로 맛본 콜라는 목을 아리게 만들었을 뿐 맛있다는 생각은 들지 않았다.

기차역의 풍경은 모든 것이 신기했다. 그렇게 수많은 사람들이 모여 있는 곳도, 택시도, 자가용도 모두 기차역에서 처음 봤다. 휘둥그런 눈으로 하나라도 놓칠세라 그곳의 모든 모습을 눈에 담았다. 한 번에 많은 사람이 이동하게 해 주는 기차는 보면 볼수록 경이로웠다. 기차에서 본 풍경도 마찬가지였다. 빠르게 지나가는 차창 밖의 풍경은 눈을 뗄 수 없게 만들었다.

그렇게 기차를 타고 군산역에 도착해서 다시 버스를 타고 군산항에 도착했다. 장항으로 가는 배를 타기 위해서였다. 바다를 본 경험도, 배를 타 본 경험도 이때가 처음이었다. 그날의 모든 순간이 처음 겪어 본 것투성이어서 그런지 시간이 한참 흐른 지금도 그날의 순간들이 또렷이 기억난다.

함경도의 방언들

낯선 콜라 맛, 설레는 기차와 바다처럼 한반도의 최북단 함경도에는 우리에게는 낯설지만 설레는 우리말들이 가득하다.

'가증, 개증'은 함경도의 고유한 우리말로 '게으름'을 뜻한다. 그런데 그 말바탕은 알 수 없다. '개증'은 '가증'이 소리의 변화를 겪은 말로, 마치 '담배'가 '댐배'로 소리의 변화를 경험한 것과 같은 현상이다.

가증 피우지 맘둥, 이 간나야.

○ ∧ □

개증으 피우다가느 동무느 큰일 나오.

'가즈하다, 가증하다, 개증하다, 즈하다, 겅저하다, 겅정하다, 게지지하다'는 모두 '게으르다'를 뜻하는 말이다. '가즈하다, 가증하다, 개증하다'는 '가증'과 '하다'가 결합된 말로 '가즈하다'는 '가증'의 'ㅇ'이 탈락한 말이다. '개증하다'는 '가증하다'가 소리의 변화를 겪은 것이며, '즈하다'는 '게으르다'를 뜻하는 북한말 '증하다'의 'ㅇ'이 탈락한 형태이다. '겅저하다, 겅정하다'의 '겅정'은 '가증'과의 관련성을 생각해 볼 수도 있으나 무리가 있어 보인다. '게지지하다'의 '게지지' 역시 그 말바탕을 알 수 없다.

가즈한 사름이 밥우 하기 슳에서 밥으 사 먹습구마.

가증해서 그게 아무것두 할 갈대나우(게을러서 그놈은 아무것도 할 것 같지 않소).

'가증두이, 가증둥이, 겅저이, 겅정이, 노도재이, 노도쟁이, 노돌이, 뺑지돌'은 모두 '게으름뱅이'를 나타내는 말이다. '가증두이, 가증둥이'는 '가증'과 '그러한 성질이 있거나 그와 긴밀한 관련이 있는 사람'의 뜻을 더하는 말 '-둥이'가 결합된 말로, '가증두이'는 '-둥이'의 'ㅇ'이 탈락한 형태이다. '겅저이, 겅정이'는 '겅정하다'의 '겅정'과 '사람'의 뜻을 더하는 '-이'가 연결된 말인데, '겅저이'는

'겅정이'의 두번째 음절 'ㅇ'이 탈락한 형태이다. '노도재이, 노돌이'
는 '놀-'과 어떠한 일에 능하다는 뜻을 더하는 말 '-돌이', '그것이 나
타내는 특성이나 그것과 관련된 기술을 가진 사람'의 뜻을 더하는
'-쟁이'가 결합된 말이다. '노돌이'는 주로 남자를 지칭하는 말이지
만, '노도재이'는 성별에 상관없이 쓰인다. '노도재이'는 '노도쟁이'
의 'ㅇ'이 탈락한 형태로 보인다. '노도쟁이'는 '놀-'에 '-돌이'와 '-쟁
이'가 붙어 줄어든 말이다. '뺑지돌'은 '뺀질거리다'의 '뺀질'이 변한
말 '뺑지'와 '-돌(<-돌이)'이 결합된 말로 보인다.

나불게기두 슗에하는 사름, 그저 앉아 있는 사름이 **가증둥이디**.

'강구다, 게우다, 행골하다'는 모두 '가누다'를 뜻하는 말이다.
'강구다'와 '게우다'는 형태상 '가누다'와 관련이 있어 보이나, '행골
하다'는 그 말바탕을 어디에 두고 있는지 전혀 알 수 없다. '강구다'
는 '가누다'라는 뜻 말고 '귀를 기울이다'라는 뜻으로도 쓰인다. '게
우다'는 '못 이기다'라는 뜻으로 쓰이기도 한다.

쉐 귀르 **강구거든** 멩심해 솔펴라(소가 귀를 기울이거든 명심해서 살펴라).

잠우 **게워서** 하펨만 하오(잠을 못 이겨서 하품만 하오).

'늘게째리다'는 히뚝 번더딘 개디. 타낙 나가서 사지르 뻗어부리고

○ ∧ □

사지르 **행골하디** 못할 정돌르서('늘게쌔리다'는 히뜩 넘어간 것이지. 탁 나가서 사지를 뻗어버리고 사지를 가누지 못할 정도로).

'골똑'은 '가득'을 뜻하는 말이며, '골똑차다, 골똑하다'는 '가득하다'를 뜻하는 말이다. '골똑차다'는 함경도에서만 쓰이는 말은 아니며, 중국 흑룡강성의 조선족 동포의 언어사회에서도 쓰인다.

차암에는 한 번으 담 줄 적에느 쉐구세 **꼴똑차게** 준 거 이 쉐 다 먹었단 말입구마.

이 집이 식귀 **골똑했던** 게 다 달아나고 나니 이리부언 게 스산하다.

'자뜩'은 '잔뜩'을 뜻하는 말로, '잔뜩'의 'ㄴ'이 탈락한 형태이다. '자뜩하다, 장뜩하다'는 '한도에 이를 때까지 가득 차다'를 뜻하는 말이다. 전라도 말 '잔뜩하다'와 닮아 있다.

오소리 그리(굴을) 보므 젙에 똥이 **자뜩** 제 있지.

조이, 콩, 감자 이거느 여기 **장뜩해여**.

'다울치, 당울치, 당쉬밥'은 모두 '누룽지'를 뜻하는 말이다. '다울치'와 '당우치'는 '당솟'의 '당'과 '훑-', 그리고 명사를 만드는 말

'-이'가 결합된 '당훑이'를 소리 나는 대로 적은 것이다. 이때 '당솟'은 '가마솥'을 뜻한다. '당쉬밥'은 '가마솥'을 뜻하는 '당쉬'와 '밥'이 결합된 말이다. 즉, '다울치, 당울치, 당쉬밥'은 '가마솥에서 훑어 낸 것' 또는 '가마솥의 밥'이라는 뜻바탕에서 '누룽지'가 된 것이다.

다울치 긁어라.

밥우 다 퍼도 **당울치르** 먹으란 소리 없어.

다울치 퍼딘 거 그거 숭뉴이 시원하구 맛있습구마.

'도삽, 도새비, 부끼, 부시, 철랑이'는 모두 '거짓말'을 뜻하는 말인데, 그 말바탕은 알 수 없다. '도새비'는 '도삽'과 명사를 만드는 말 '-이'가 결합된 '도삽이'가 변한 말이다. '도삽쓰개, 도삽재, 부끼재, 부끼틀이, 부시쟁이, 부시재'는 모두 '거짓말쟁이'를 뜻하는 말이다. '도삽쓰개'는 '도삽'과 '쓰-' 그리고 '어떤 짓을 자주 하는 사람'의 뜻을 더하는 '-개'가 결합된 말이다. 따라서 '도삽쓰다'는 '거짓말하다'를 뜻한다.

'도삽재, 부끼재, 부시재'는 '거짓말'을 뜻하는 말 '도삽, 부끼, 부시'와 '사람'을 뜻하는 '-자(者)'가 결합된 '도삽자, 부끼자, 부시자'가 소리의 변화를 겪은 말들이다. '부시쟁이'는 '부시'와 '-쟁이'가 결합된 말이다. 엄밀히 말하면 '도삽재, 부끼재, 부시재'와 '부시쟁이'는 의미가 좀 다르다. '도삽재, 부끼재, 부시재'는 '거짓말을 하는 사람'이지만 '부시쟁이'는 '거짓말을 아주 능숙하게 잘하는 사람'이다. '부끼틀이'는 '부끼'와 '틀-'이 결합한 '부끼틀-'과 '사람'을 뜻하는 '-이'가 결합된 말로 보인다. 따라서 '부끼틀다'는 '거짓말하다'라는 뜻이다. '철랑이'는 '철랑'과 '-이'가 결합된 말로 보이는데, '철랑'의 말바탕은 알 수 없다.

네 그 말이 **도삽이** 애이냐?

네 **부끼가** 많다.

도삽쟤느 간 데마다 도삽써 말하구, 이 사름 뎌 사름 열레넹기자구 하구.

졂운 사름덜언 **철랑이** 같은 말으 이해르 못 하압구마.

'목맨둥이'는 '목'과 '매다', '그러한 성질이 있거나 그와 긴밀한 관련이 있는 사람'의 뜻을 더하는 말 '-둥이'가 결합된 말로 '가다랑어'를 뜻한다. 왜 가다랑어를 가리키게 되었는지는 알 수 없다. 다만, 가다랑어를 말리는 과정을 형상화한 것은 아닌지 추측해 볼 뿐이다. 명태나 고등어 같은 생선을 말릴 때에는 대개 아가미에 무언가를 꿰어 널어 말린다. 아마도 가다랑어를 말릴 때에도 그 방법으로 말리지 않았을까 싶다.

장에 **목맨둥이** 낫습꾸마.

'갈갑다, 바랍다, 배랍다, 배렵다'는 모두 '가렵다'를 뜻하는 말이다. '갈갑다'의 말바탕은 '가렵다'로 보이나, 그 변화의 과정은 설명하기 어렵다. 이와 비슷한 형태인 '갈겁다'가 충청도 말에서 나타난다. '바랍다, 배랍다, 배렵다'는 '가렵다'의 옛말 'ㅂ랍다, ㅂ렵다'가 소리의 변화를 겪은 말이다. '바랍다'는 'ㅂ랍다'의 'ㆍ'가 'ㅏ'로 변화한 결과이며, '배랍다'는 '바랍다'의 'ㅏ'가 'ㅐ'로 바뀐 것이다. 마치 '담배'가 '댐배'로 변화한 것과 같은 현상이다. '배렵다' 역시 '배랍다'가 'ㅂ랍다>바랍다>배랍다'와 같은 소리의 변화를 겪었듯이, 'ㅂ렵다'가 'ㅂ렵다>바렵다>배렵다'로 변화한 것이다.

그다음에 **바랍아서** 자꾸 올리 긁엇습디.

벳 가스레 붙우무 **배렵디**(벼 까끄라기 붙으면 가렵다).

땀때 돋우무 **갈갑습구마**.

'바랏물, 바룻물, 바릇물'은 모두 '바라, 바루, 바르'와 '물'이 결합된 말로 '바닷물'을 뜻한다. '바라, 바루, 바르'는 '바다'를 뜻하는

○ ∧ ▢

옛말 '바루(《두시언해》 초간본)'가 소리의 변화를 겪은 말들이다. '바라'는 '바루'의 'ㆍ'가 2음절에서 'ㅡ'로 바뀌지 않고 'ㅏ'로 바뀐 결과이며, '바르'는 'ㆍ'가 2음절에서 'ㅡ'로 바뀐 결과이다. '바루'는 '바루>바르>바루'와 같은 소리의 변화를 경험했다.

바랏물은 아이 뿕슴둥?

바룻물이 멀기치지(바닷물이 파도치지).

바룻물이서 잡은 물고기리르 먹구 살앗슴다.

'불쌜르, 불쌔르, 불쎄르, 불쎌르'는 '갑자기'를 뜻하는 말이다. 모두 '불시(不時)'와 '-에', 그리고 '-르(<-로)'가 차례로 결합된 '불시에르'가 소리의 변화를 겪은 형태들이다.

데 새애기는 **불쌜르** 뿌그럽아 한다.

불쌔르 달겨든다.

온단 말도 없구 어째 **불쎄르** 왔소?

거 **불쎄르** 물어보무 아니 알기다.

베우잿터이 **불쎌르** 나타났다(보이지 않더니 갑자기 나타났다).

'새새거리, 새새로기, 새샐로기, 새새바리, 새시바리'는 '쓸데없는 말을 지껄이기 좋아하는 수다스러운 사람'을 뜻하는 말이다. 이때 '새새, 새시'는 '실없이 자꾸 가볍게 지껄이는 모양'을 나타내는 흉내말이다. '새새거리, 새새로기, 새샐로기'는 모두 '사람'의 뜻을 더하는 말 '-이'가 결합된 말이며, '새새바리, 새시바리'는 '어떤 상황에 처해 있는 사람'이라는 뜻을 더하는 '-바리'가 결합된 말이다.

져 노인은 **새샐로기있습구마.**

새시바리느 마이 시끄럽습둥.

'싸그랑비, 싸락비, 싸랑비, 안개오줌, 오솔비, 우새, 즈낭비, 즌새, 즌새비, 지냉비, 진새'는 모두 '가랑비'를 뜻하는 말이다. '싸그랑비, 싸락비, 싸랑비'의 '싸그랑, 싸락, 싸랑'은 모두 '싸라기'와 관련된 말로 보인다. 이는 '싸라기눈'의 풀이에서 그 가능성을 찾아볼 수 있다. '싸라기눈'은 '빗방울이 갑자기 찬 바람을 만나 얼어서 떨어지는 쌀알 같은 눈'이다. '안개오줌'은 '안개가 싸는 오줌 같은 비'라는 뜻이다. 안개의 오줌이 굵을 리 없다. 이 말에는 함경도 사람들의 정서가 고스란히 담겨 있다. '오솔비'는 '사방이 무서울 만큼 고요하고 쓸쓸하다'의 뜻을 갖는 '오솔하다'의 '오솔'이 결합된 말로

○ ∧ □

보인다.

　'즈낭비, 즌새, 즌새비, 지냉비, 진새'는 모두 말바탕이 같다. '잘-'의 옛말은 '줄-'이다. 'ㆍ'는 일반적으로 1음절에서는 'ㅏ'로 변하지만, 'ㅡ'로 변하여 '즐다'가 될 수도 있다. 이는 '잘다'의 제주도 말인 '질다'에서 쉽게 알 수 있다. 제주도 말 '줄다'는 '줄다>즐다>질다'와 같은 소리의 변화를 경험했다. 따라서 함경도 말에서 '즈낭비'는 '즐-'과 '-ㄴ'이 결합된 '즌'에 명사를 만드는 말 '-앙'이 연결된 '즈낭'과 '비'가 결합된 말이다.

　'즌새'는 '즌'과 '새'가 결합된 말로, 이때 '새'의 말바탕은 정확히 알 수가 없다. '즌새비'는 '즌새'와 '비'가 결합된 말이며, '지냉비'는 '즈낭비'가 소리의 변화를 겪은 말이다. 'ㅈ' 아래에서 'ㅡ'가 'ㅣ'로 변하는 현상은 국어에서 흔히 있는 일이다. '몸을 놀려 움직이는 동작'을 뜻하는 말인 '짓'의 옛말은 '즛'이다. '즛'이 'ㅈ' 아래에서 '짓'으로 변한 것이다.

　또한 '즈낭비'의 '낭'이 '냉'으로 변한 현상도 국어에서 흔히 일어나는 소리의 변화이다. 'ㅣ' 모음 앞에서 'ㅏ'가 'ㅐ'로 변한 것이다. '남비'가 '냄비'로, '아기'가 '애기'로 소리의 변화를 경험한 것과 같은 현상이다. '진새'는 '즈낭비'의 '즈'가 '지'로 소리의 변화를 겪은 것과 같다.

　이슬비, 보슬비 내리는 것을 **싸그랑비** 내린다 하디.

즌새가 솔솔 온다.

곡셕에느 자늑이 오느 **즌새가** 좋단 말입구마.

　'아슴하다, 아슴차잏다, 아슴찮다, 아슴채닣다, 아슴채잏다, 아슴챘다, 아슴태닣다, 아슴태잏다, 아슴탰다'는 모두 '고맙다'를 뜻하는 함경도 사람들의 말이다. 이들은 모두 고맙다는 뜻의 '아슴하다'에 그 말바탕을 두고 있다. '고맙다'의 함경도 말은 모두 '아슴하지(아슴하디)'와 '않다'가 결합된 말로 보인다. 말뜻 그대로라면 '아슴차잏다, 아슴찮다' 등은 모두 '고맙지 않다'라는 뜻이어야 하는데 왜 '고맙다'를 뜻하게 되었는지는 알 수 없다.

　《두만강 유역의 조선어 방언 사전》을 보면 '고맙다'의 함경도 말들은 누가 선물이나 물건을 가지고 와서 고맙기도 하고 받기가 좀 민망스러울 때, 또는 누가 옆에서 도와줘 고맙기도 하면서 미안한 마음이 들 때 하는 말이라고 한다. 또한 '아심탰다'는 '감사하다'는 뜻이 강하고 '아심태닣다'는 호의에 대해서 미안하고 마음이 불편하다는 뜻이 강하다고 설명되어 있다.

아슴채잏게 이런 걸 다 싸 가지구 옴둥?

에오, **아슴채잏구마.** 아유 무스 이 가져왔습둥.

○ ∧ □

그게 대학 가니 반갑다구 서르 부제르 하고 아들으느 내 자손이라 일 없는데 며눌덜이 그렇기 승인하니 내 **아심탢다구** 말으 했단 말이오.

아이고 이것 무싀레 가져왔슴둥? **아심태닣구마.**

함경도는 우리가 갈 수 없는 땅이다. 지금 우리가 할 수 있는 일은 그 지역 사람들이 쓰는 말을 조금이나마 살펴보고, 그 말에 담긴 그들의 훈훈한 정서를 느끼는 것뿐이다. 함경도 말들이 앞으로도 그들의 향기를 품은 채 살아 숨 쉬기를 소망한다.

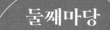

둘째마당

간직해야 할
소중한 유산

머
사
니

∧ ○ □

#거시기 #데거시니 #머시기 #저거시기

"야, 거 무슨 **머사니가** 그렇게 많아요?" 누군가가 갑갑증을 못 참아 핀잔을 주었다.

_리평,《샘물은 파도를 부른다》

원래 언변이 없는 데다 마음이 조급하고 말할 틈마저 찾지 못해 그는 **머사니와** 거시기만 엇갈아 번지며 곰방대를 내젓는다.

_지오,《불꽃은 반짝인다》

데 냥반이 무슨 소리를 하는 거이가. **머사니,** 딱 두부 한 모에 딱 소

주 한 잔만을 들갔다 그 말이외까? _김국태,《청맹과니》

'머사니'는 자강, 평안, 중국의 조선족 언어사회에서 쓰는 말로 '거시기'와 같은 뜻이다. '머사니'는 '무엇하다'의 준말 '뭣하-'와 '이러하기도 하고 저러하기도 하다'의 뜻을 갖는 '-니'가 결합된 '뭣하니'가 소리의 변화를 겪은 말이다. '멋하니'의 'ㅎ'이 탈락한 '멋아니'를 소리 나는 대로 적으면 '머사니'가 된다. '머사니'는 '이름이 얼른 떠오르지 않거나, 딱 집어 말하기 곤란한 대상이나 현상'을 이르거나, '하려는 말이 얼른 떠오르지 않고 말하기가 거북할 때 내는 군말'로 《조선말대사전》(증보판)에는 문화어로 실려 있다.

영화〈황산벌〉의 '거시기'

어렸을 적 동네 아주머니들이 주고받던 대화에는 알 수 없는 말이 많았다. "거시기네 집이서 거시기한당깨 이따가 거시기하러 가세." 이 말은 매우 다양하게 해석될 수 있다. 은희네 집에서 잔치를 여니까 음식을 준비하러 가자는 의미일 수도 있고, 동욱이네 집에서 도배를 하니 도와주러 가자는 뜻일 수도 있다. 지금 와서 생각해 보면 이 말을 못 알아들은 것은 당연한 일이었다. 어린 꼬마가 대화 속의 맥락을 아주머니들과 공유할 수는 없었으니 말이다.

그런데 어느 순간 필자도 그 말을 자연스럽게 따라 하기 시작

○ ∧ □

했다. 이 습관은 중학교를 다닐 때까지는 아무런 문제가 되지 않았다. 또래 친구들 모두 언어적인 환경이 같았기 때문이다. 그런데 고등학교에 들어가면서 '거시기'는 친구들의 웃음거리가 되고 말았다. 아무런 생각 없이 "거시기 오늘 수학 과제가 뭐였어?"라고 물으면 킥킥대고 웃는 녀석이 있는가 하면, 대놓고 '거시기'가 무엇이냐고 묻는 녀석도 있었다. '거시기'가 분명 전라도 말인데도 필자 나이 또래의 도시 아이들은 '거시기'를 쓰지 않았다. 누가 뭐라고 하든 '거시기'는 필자에겐 고향 말이었다.

영화 〈황산벌〉에서 계백 장군은 이렇게 말한다.

> "글고…… 나가 출정 전에 갑옷에 대해 **거시기헌** 거…… 기억들 하고 있것제? 까먹지덜 말고 병사들에게, 다시 한번 **거시기** 잘 허라고 단단히들 일러."

'거시기'라는 말이 무성한 영화를 보고 나니 필자 머릿속에도 고향 말이 가득 찼다. '어매 한 나라의 장군이 씨는 말 치곤 좀 거시기헌디, 어찌 것능가, 시방은 전라도 사람인디. 그런디 서울 와 갖고 '거시기' 쓰넌 사람덜얼 한 번두 보덜 못했어. 오히려 '거시기'를 쓰다가 망신만 당했지.' 서울 생활 18년 만에 이젠 '거시기'를 쓰지 않는다. 지금 하는 일을 모두 마치고 고향에 돌아가면 '거시기'를 아무런 거리낌 없이 다시 쓸 수 있을까?

'거시기'와 같은 뜻의 방언들

'거시기'는 남한의 《표준국어대사전》에는 버젓이 표준어로, 북한의 《조선말대사전》에는 문화어로 실려 있다. 그런데 한 번도 필자는 '거시기'가 표준어라고 생각해 본 적이 없다. '거시기'의 방언은 지역에 따라 아주 다양하게 나타난다.

거서기(전라), 거세기(제주), 거시끼(강원), 거시키(강원, 평남), 거이키(경기), 그시기(전북, 충남)

거석(전북)

거서가니(평안), 거시가니(평안), 거시니(평북, 중국)

데거시기(평북), 데거시니(평북), 저거시기(경기, 중국), 저시기(충북)

머사니(자강, 평안, 중국), 메사니(평안), 무사니(중국)

머서기(경남), 머시기(경북, 전라, 평안)

머서가니(평안), 머시가니(평안), 메가시니(평안), 메사가니(평안), 메세가니(평안)

데머사니(평북), 데무사니(중국), 데머시가니(평북), 데메세가니(평북)

거석하다(전라), 거시기허다(전라), 거식허다(전라)

머시기허다(경북, 전라, 평안), 머사니하다(중국), 머사니허다(자강, 평안), 메사니하다(평안)

○ ∧ □

'거서기, 거세기, 거시끼, 거시키, 거이키, 그시기'는 모두 '거시기'가 변한 말이다. '거서기'는 주로 전라도에서 쓰인다. 제주 지역에서 쓰는 '거세기'는 '거서기'가 소리의 변화를 겪은 말인데, 마치 '구렁이'가 '구렝이'로 변한 것과 같은 현상이다. '거시끼'는 강원 지역에서 쓰이는 말로 '거시기'의 '기'가 된소리로 변한 것이다. '거시키'는 강원도와 평남 지역에서 쓰이는 말로 '거시기'의 '기'가 거센소리로 변했다. 그런데 왜 이 말들이 이러한 소리의 변화를 겪었는지는 알 수 없다. 마치 '혼자'를 '혼차', '병풍'을 '펭풍, 펭풍'으로 발음하는 것과 같다.

이러한 변화는 아주 오래전인 16세기 후반부터 나타나기 시작했다. 잘 알려진 바와 같이 '꽃'의 옛말은 '곶', '코'의 옛말은 '고', '칼'의 옛말은 '갏'이었다. 이러한 말들의 'ㄱ'이 'ㄲ'이나 'ㅋ'으로 바뀌어 지금의 '꽃, 코, 칼'이 된 것이다. 이러한 변화의 흔적은 지금도 고스란히 남아 있다.

'감기'의 순우리말인 '고뿔'은 '고'와 '블'이 결합된 '곳블'이 소리의 변화를 겪은 말로 '곳블'의 '블'은 '불火'이다. 원래 '고뿔'은 '코에 있는 불'이라는 뜻바탕을 가진 말이다. 제주 지역에서 쓰이는 '꽃'의 또 다른 이름은 '고장'인데, '고장'은 '곶'과 명사를 만드는 말 '-앙'이 결합된 말이다. '거이키'는 경기 지역에서 쓰며 '거시키'의 'ㅅ'이 탈락한 형태이다.

아, 이 힘쎈 하르방은 **거세기**, 건 요디 산 밑에 거욱대우영이라고 흔디 배임재 말 아인가(아, 힘센 할아버지는 거시기, 그것은 여기 밑에 거욱 대우영이라고 하는 곳에 배임자 말 아닌가).

그딴 그는 우떠 말으 할 수두 읎구. 고만에 **거시끼가** 툭 퇴나올까바 서 음매나 애가 마르든지.

'그시기'는 주로 전북의 전주 이북 지역과 충남 지역에서 쓰는 말로 '거시기'의 '거'가 '그'로 바뀐 것이다. 'ㅓ'가 'ㅡ'로 바뀌는 소리 의 변화는 '거지'를 '그지', '언니'를 '은니'로 발음하는 것처럼 흔히 찾아볼 수 있다.

'거석'은 '거서기'가 줄어든 말이다. '거서가니, 거시가니, 거시 니'는 주로 평안도나 황북, 그리고 조선족 언어사회에서 쓰는 말이 다. 이 말들은 모두 '거석하-'와 부사의 노릇을 할 수 있도록 만들어 주는 '-니'가 결합된 '거석하니'가 변한 말이다. '거서가니'는 '거석하 니'의 'ㅎ'이 탈락한 형태로, 소리 나는 대로 적은 '거서가니'가 굳어 진 것이다. '거시가니'는 '거서가니'가 변한 말이며 '거시니'는 '거시 가니'가 줄어든 말이다.

거석, 거 뭣이냐. 거석 잠 갖구와 바라.

거석, 그 집 컨아들 이름이 뭐이껴?

○ ∧ □

'데거시기'와 '데거시니'는 모두 평북 지역에서 쓰는 말로 '데'와 '거시기, 거시니'가 결합된 말이다. '데'는 '저'와 같은 말인데 '말하는 이와 듣는 이로부터 멀리 있는 대상'을 가리킨다. '데'는 '저'의 옛말 '뎌'가 소리의 변화를 겪은 후 만들어진 말이다. '뎌>데>데'와 같은 변화 과정을 거쳤다. 주로 경기와 조선족 언어사회에서 사용되는 '저거시기'는 '저'와 '거시기'가 결합된 말이다. '데거시기'와 '저거시기'는 비록 형태는 다르지만 그 말바탕은 같다. '저시기'는 '저거시기'가 줄어든 말로 주로 충북 지역에서 쓰인다. '데'와 '저'가 결합된 말들은 '거시기'나 '머사니' 등과 꼭 같은 말은 아니다. 뒤에 결합된 말을 강조하는 역할을 한다.

데거시기 그 동미래 어디서 왔수까?

저시기 냉중에 커 가지고서는 여물면 저게 누가 베 갑니까?

저거시기 거 있잖아? 산천어 별장…….　_림원춘,《우산은 비에 운다》

'머사니, 메사니, 무사니'는 모두 '뭣하니'가 변한 말로 남한에서는 잘 쓰이지 않는다. 간혹 남한의 문학 작품에서도 '머사니'가 쓰이는데, 대부분 작중 인물이 북한 사람임을 드러내기 위한 문학적 장치로 쓰인다.

그러게 사람은 뭐나 더 커야 해. 입두 코두 귀두 그리구 저 **머사니**…….

_윤민종,《진숙이의 편지》

소대장 동지, 저 **메사니**…… 거 그림자는 커도 무게가 없고 모래알은 작아도 무게가 있다구 저 수철이 몸집은 작아도 속에 령감이 들어앉았수다.

_김익수,《전우들에 대한 추억》

'머서기, 머시기'는 주로 전라도와 경상도 지역에서 쓰이는 말이지만, 평안도 지역에서 조사된 바도 있다. '머서가니, 머시가니, 메사가니, 메세가니'는 모두 평안도에서 쓰이는 말이다. 이 말들은 '머석하–'와 '–니'가 결합된 '머석하니'가 소리의 변화를 겪은 것이다. '머석하니'의 'ㅎ'이 탈락한 '머석아니'를 소리 나는 대로 적으면 '머서가니'가 된다. '데머사니, 데무사니, 데머시가니, 데메세가니'는 '데거시기'와 마찬가지로 '데'와 '머사니, 무사니, 머시가니, 메세가니'가 결합되어 강조의 뜻을 갖는다.

몰르겄어. 서 **머시기라고** 허등마 어쩌등마. 말 듣자닝게 그놈이 백남일이가 망쳐논 애기럴 좋아했다등마…….

_조정래,《아리랑》

'거시기'와 '머사니'의 또 다른 말들 중에 '–기'형은 주로 남한에서, '–니'형은 주로 북한이나 조선족 동포의 언어사회에서 쓰인다. '머사니'와 '머시기', 그리고 그와 관련된 다른 말들은 '하다, 허다'와 결합되어 동사나 형용사를 만들어 내기도 한다.

둘이서는 그렇게 막 애 낳고 **거석헌** 소리도 하고 그려?

_공선옥,《언덕 너머 눈구름》

공연한 맞장구를 치다가 **머석해진** 적도 적지 않았다.

_김동인,《김연실전》

너무 칭찬하니깐 **메사니하구만요.**   _리성근,《철이와 옥이》

'거시기'와 '머사니'라는 말에는 참으로 묘한 매력이 있다. 말하고 있는 사람들이 서로 어떤 상황을 공유하고 있으면, 다른 사람들에게 들키지 않고 무슨 정보든 주고받을 수 있다. '거시기'와 '머시기'가 갖는 상상력의 끝은 어디일까 참으로 궁금하다.

쪼
로
로
기

∧ ○ □

#쪼르래기 #자꾸 #자크 #작쿠

런미는 잠바의 **쪼로로기를** 쪼로록 벗기고 남철의 팔을 살며시 끄
당겼다.

_리광수, 《새로운 길》

그 짬에 석이형은 뱀을 붙잡아 책가방에 넣고 **쪼로로기를** 닫은 다
음 시치미를 따며 교실을 나왔다.

_최홍일, 《동년이 없는 아이》

'쪼로로기'와 '쪼르래기'는 표준어 '지퍼'와 문화어 '쟈크'의 다
른 말로, 조선족 동포의 언어사회에서만 쓰이는 순우리말이다. '쪼

○ ∧ □

로로기’는 지퍼를 올리고 내리는 소리를 나타내는 말인 ‘쪼로록’과 명사를 만드는 ‘-이’가 결합된 말이다. ‘쪼르래기’는 ‘쪼로로기’와 그 형태는 비슷해 보이지만 그 말바탕이 서로 다르다. ‘쪼르래기’는 작은 물체들이 한 줄로 매우 고르게 잇달아 있는 모양을 나타내는 말인 ‘쪼르르’와 명사를 만드는 ‘-아기’가 결합된 말이다(쪼르라기>쪼르래기).

나이롱 잠바와 지퍼의 추억

어렸을 적 앞니가 두 개 빠진 아이를 보면 ‘이빨 빠진 도장군’이라고 놀렸다. ‘도장군’이 무슨 뜻인지도 모른 채 그저 열심히 놀리기만 했다. 경상도 지역에서는 ‘이빨 빠진 개호주’라고 한다는데 ‘개호주’는 호랑이 새끼를 이르는 말이다. 호랑이 이빨이 빠진다니, 이빨은 사람만 빠지는 것이 아니었다. 그리고 지퍼도 이빨이 빠진다…….

필자의 어린 시절, 지퍼가 달려 있는 나일론 점퍼(당시에는 ‘나이롱 잠바’라고 불렀다)는 아이들에겐 선망의 대상이었다. 몇 날 며칠 어머니를 조르고 졸라서 겨우 나일론 점퍼 하나를 얻어 입을 수 있었다. 이 나일론 점퍼 때문에 두 번이나 엉엉 울었던 기억이 아직도 생생하다.

하루는 아궁이에 고구마를 구워 먹으려고 고구마를 묻을 작은

구덩이를 만들고 있었다. 그때 갑자기 불티 하나가 날아오르더니 하필 나일론 점퍼에 사뿐히 내려앉았다. 곧바로 불티를 열심히 털어 보았지만 이미 그 불티는 필자의 마음에 큰 상처를 안기고 있었다. 아끼고 아끼던 나일론 점퍼의 팔뚝에 새끼손톱만 한 구멍이 휑하니 뚫린 것이다. 필자는 그 뚫린 구멍을 보며 엉엉 울었다. 점퍼에 구멍이 뚫려 속상하기도 했지만, 엄마에게 혼이 날까 봐 두렵기도 했다. 이렇게 나일론 점퍼는 필자에게 첫 상처를 안겨 주었다.

두 번째 상처는 지퍼 손잡이를 올리면서 생겼다. 지퍼에 옷섶이 끼여 잘 올라가지 않는 지퍼를 힘있게 끌어 올리다가 지퍼 양옆에 촘촘히 박혀 있는 지퍼의 이빨 세 개가 우수수 빠진 것이다. 지퍼 이빨이 빠지면 지퍼를 잠근다 해도 점퍼의 앞섶이 벌어지기 일쑤였다. 그때도 필자는 너무 속이 상해서 엉엉 울고 말았다.

'지퍼'의 방언들

표준어 '지퍼'는 영어의 'zipper'를 그대로 들여온 말이다. 문화어의 '쟈크'는 영어 'chuck'의 일본식 발음 '차크[チャック]'를 들여오는 과정에서 만들어진 말이다. 다시 말해 문화어 '쟈크'는 일본어 'チャック'의 첫 번째 발음 'ㅊ'이 '지퍼'의 'ㅈ'의 영향을 받아 'ㅈ'으로 바뀐 것으로 보인다. '쟈크'의 또 다른 말 '자꾸, 자크, 자쿠, 작쿠' 등은 지역에 따라서 다양하게 나타난다. 중국의 조선족 언어사회

○ ∧ □

❯ 표준어 '지퍼'는 영어의 'zipper'를 그대로 들여온 말이다.

에서도 '쪼로로기, 쪼르래기'와 함께 '자꾸, 자크, 작쿠' 등도 함께 쓰인다.

> 야, 이 잡것아. **작쿠** 안 잠궈! _박범신,《물의 나라》

> 올이 굵게 짜진 깜장 모자를 썼고, 역시 국방색 잠바 **자꾸를** 턱 밑까지 바싹 올려 입고, 깜장색 통이 좁은 바지를 입었다.
> _이호철,《1965년, 어느 이발소에서》

> 은희는 려행용 가방의 **자크를** 열더니 옷가지들을 꺼내 벽장 안에 차곡차곡 쌓아 놓았다.
> _조선화,《최우등 졸업생》

북한의 소설 작품 속에서도 '쪼르래기'를 찾아볼 수 있는데, 오롯이 '지퍼'의 의미로 쓰이지는 않은 것 같다. 북한에서 '쪼르래기'는 '쟈크' 그 자체를 의미한다기보다 지퍼를 올리고 내릴 수 있는 작은 손잡이가 달린 조그만 장치이다.

진아는 학습장들을 가방에 넣자 쟈크의 **쪼르래기를 쭉** 당겨 솜씨 있게 채웠다.

_백의남,《넓은 교실》

한국어를 사용하는 언어사회에서 유일하게 외래어 대신 고유어를 사용하는 곳은 중국 조선족 동포의 언어사회뿐이다. 순우리말인 '쪼로로기'와 '쪼르래기'를 남북한의 언어사회에서도 외래어인 '지퍼'나 '쟈크' 대신 사용하면 어떨까!

○ ∧ □

싸
박
싸
박

ㅅ ㅇ ㅁ

#장감장감 #싸목싸목 #아짤숙아짤숙 #자쭉자쭉 #어그청어그청
#거멍거멍 #꾼덕꾼덕

오늘은 눈이 이쁘게 온게 눈 구경이나 험서 **싸박싸박** 걸어가세.

'싸박싸박'은 주로 전북 지역에서 쓰는 말인데, '눈 쌓인 길을 사박사박 천천히 걷는 모양'을 나타내는 말이다. 이와 비슷한 말에 빗길을 걷는 모양을 나타내는 '장감장감'이 있다. '장감장감'은 '비가 내리는 길을 까치발을 디디며 징검징검 천천히 걷는 모양'을 나타내는 말이다. '싸박싸박'과 닮은 전라도 말은 '싸목싸목'이다. 원래 '싸목싸목'도 '싸박싸박'과 마찬가지로 '천천히 걷는 모양'을 나타냈으나, 현재는 '동작이나 태도가 급하지 아니하고 느리게'의 뜻을 갖는 말 '천천히'로 뜻이 바뀌었다. 천천히 걷는 행위가 걷기를 넘어 다른 동작으로까지 넓혀진 것이다. '싸박싸박'도 '싸목싸목'처럼 '행위의 대상'을 넓혀 가는 중이다.

새하얀 운동장을 싸박싸박

어렸을 적 살던 고향 집은 초등학교와 담 하나를 사이에 두고 있었다. 겨울이면 마당에 눈 쌓이는 소리를 들으며 잠이 들었다. 다음날 아침에는 일어나자마자 학교 운동장을 향했다. 쌓인 눈은 운동장 가득 순백의 향연을 펼치고 있었다. 다른 아이들이 밟기 전에 먼저 밟을 생각으로 싸박싸박 걸었다. 까드득, 뽀드득 소리가 조용한 운동장에 가득 울려 퍼진다.

그렇게 얼마 동안 여기저기 흔적을 남기며 걸어 다니다가 발이 시려 올 때쯤이면 집으로 돌아왔다. 이 운동장엔 조금 있으면 동네 형들이 모여 축구를 할 것이다. 헛발 차기는 일쑤고, 넘어지고, 미끄러지고 볼 만한 구경거리로 가득 차게 될 것이다. 집으로 돌아오자마자 들리는 아버지의 한마디, "마당에 눈 좀 치워라잉." 운동장의 환상은 사라지고 이젠 죽어라 눈을 치워야 한다.

고향 집 마당은 꽤 넓어 마당 한구석에는 두엄자리가 있었다. 토방 앞에서 두엄자리까지는 20여 미터, 처음에는 싸리비로 쓱쓱

○ ∧ □

쓸어 내면 작은 눈보라를 일으키며 눈이 제법 잘 쓸린다. 그러나 쓸어 내는 눈이 쌓이고 쌓이면 싸리비만으로 쓸기가 점점 어려워진다. 그러면 넉가래를 집어 들어야 한다. 넉가래로 쌓인 눈을 힘껏 밀어서 두엄자리까지 옮긴다. 그렇게 열심히 눈을 치우다 보면 어머니의 목소리가 들린다. "그만허고 밥 먹어라." 천상의 목소리다. 이때처럼 어머니의 목소리가 반가운 적이 없었다.

눈이 내리면 정말 좋은데, 눈을 치우기는 정말 싫었다. 군대 생활에서 눈은 거의 악몽에 가깝다. 눈이 오면 어김없이 집합 타종이 울리고 그 넓은 연병장의 눈을 모두 치워야 했다.

요즘은 겨울이 돼도 눈이 잘 내리지 않는다. 서울로 삶터를 옮긴 뒤부터 겨울에 눈이 내리는 것을 거의 보지 못했다. 설령 내린다 하더라도 정말 야박하게 조금 내린다. 눈뿐이랴! 비도 잘 내리지 않는다. 지구 온난화가 한몫한다는 환경론자들의 이야기도 허투루만 들을 일은 아닌가 보다.

걷는 모양을 나타내는 방언들

각자 걷는 모습이 제각각이듯, 걷는 모양을 나타내는 말도 지역마다 아주 다양하게 나타난다.

아짤숙아짤숙(강원), 자쭉자쭉(강원), 어그청어그청(강원)

철렁철렁(경북)

거멍거멍(전남), 꾼덕꾼덕(전남), 끼둑끼둑(전남), 뗀장뗀장(전남), 된장된장(전남), 탈랑탈랑(전남)

싸드락싸드락(전북), 싸박싸박(전북), 싸브락싸브락(전북), 장감장감(전북), 허염피염(전북)

ᄀᆞ들ᄀᆞ들(제주), 능활낭활(제주), 빌학빌학(제주), 설랑설랑(제주), 아상아상(제주), 아중아중(제주), 으상으상(제주), 으슬으슬(제주), 으쌍으쌍(제주), 자울락자울락(제주), 자울자울(제주)

지축지축(평남)

휘틀비틀(평북)

발범발범(중국), 지떡지떡(중국)

'아짤숙아짤숙, 자쭉자쭉, 어그청어그청'은 모두 강원도 지역에서 쓰는 말이다. '아짤숙아짤숙'은 '한쪽 다리가 짧거나 불편해서 걸을 때 다리를 이리저리 절며 걷는 모양'을 나타내는 말로 주로 강원 영동 지역에서 쓴다. '자쭉자쭉'은 '키가 작은 사람이 이리저리 움직이며 찬찬히 걷는 모양'을 나타내는 말로 주로 강원 영서 지역에서 쓰는 말이다. '어그청어그청'은 '팔다리를 부자연스럽게 움직이며 느릿느릿 천천히 걷는 모양'을 나타내는 말로 강원 영동 지역에서 쓰는 말이다.

절루발이가 **아짤숙아짤숙** 걸어온다와.

○ ∧ □

우리 아가 신달구(넓적다리) 우에 머이 생겐지(생겼는지) 바루 걷지 못하구 **어그청어그청** 걷는다와.

'철렁철렁'은 경북 지역에서 쓰는 말이다. 이 말은 마치 물결이 좌우로 흔들리는 것처럼 '몸을 좌우로 흔들흔들하며 천천히 걷는 모양'을 나타낸다.

'거멍거멍, 꾼덕꾼덕, 끼둑끼둑, 뗀장뗀장, 뙨장뙨장, 탈랑탈랑'은 모두 전남 지역에서 쓰는 말이다. '거멍거멍'은 '성큼성큼 걷는 모양'을, '꾼덕꾼덕, 끼둑끼둑'은 '매우 무거운 발걸음으로 힘없이 걷는 모양'을, '뗀장뗀장, 뙨장뙨장'은 '아기가 뒤뚱거리며 걷는 모양'을, '탈랑탈랑'은 '아주 한가롭게 걷는 모양'을 나타낸다.

'싸드락싸드락, 싸브락싸브락, 허염피염'은 주로 전북 지역에서 쓰는 말이다. 모두 '천천히 걷는 모양'을 나타내는데, 요즘은 '싸목싸목'과 마찬가지로 '천천히'의 뜻으로 쓰이기 시작했다. '허염피염'은 '하릴없이 슬슬 걷는 모양'을 나타내는 말이다.

그놈이 **꾼덕꾼덕** 거그를 가네그랴.

그라고 함께는 옹구(옹기)짐을 지고 **끼둑끼둑** 나가네.

뗀장뗀장 잘 걷지도 못험서 머덜라고 즉 엄니를 조로케 따라 댕기까?

허염피염 스이 인자 걸어오는디 볼 만햐.

누가 뒤에서 쫓아오요? 급한 걸음 허다가 무단히 개골창이나 논바닥에 거꾸로 백히지 말고, **싸드락싸드락** 이얘기도 해 감서 갑시다아.

_최명희,《혼불》

    걷는 모양을 나타내는 제주 지역의 말은 참 많다. 'ㄱ들ㄱ들, 능활낭활, 빌학빌학, 설랑설랑, 아상아상, 아중아중, 으상으상, 으슬으슬, 으쌍으쌍, 자울락자울락, 자울자울' 모두 걷는 모양을 나타낸다. 'ㄱ들ㄱ들'은 '힘들이지 않고 천천히 여유 있게 걷는 모양'을, '능활낭활'은 '몸을 좌우로 흔들흔들하며 천천히 걷는 모양'을 나타낸다. '빌학빌학'은 '물기를 많이 머금고 있는 진흙길을 아무렇게나 밟으면서 걷는 모양'을, '설랑설랑'은 '팔을 앞뒤로 가볍게 저으면서 걷는 모양'을 나타내는 말이다.

    '아상아상'은 '힘없이 슬멋슬멋 걷는 모양'을 나타낸다. '아중아중'과 '으상으상'은 '아주 맥없이 느릿느릿 걷는 모양'을, '으슬으슬'은 '자신 없이 천천히 걷는 모양'을 나타낸다. '으쌍으쌍'은 '등에 짐을 지고 힘에 겨워 천천히 걷는 모양'이나 '팔다리를 부자연스럽게 움직이며 매우 천천히 걷는 모양'을 나타낸다. '자울락자울락'은 '다리를 아주 많이 절뚝거리며 걷는 모양'을 나타낸다. '자울자울'은 '다리를 약간 절름거리며 걷는 모양'을 나타내는 말인데 '자울락자울락'의 작은말이다.

○ ∧ □

이젠 기냥 ㄱ들ㄱ들 뭐 조캐신디 가 보도 아니하고, 기냥 돌아오라서(이제는 그대로 천천히 걸어서 뭐, 조카한테 가 보지도 않고 그대로 돌아왔어).

아중아중 늬 집의 오건 늬 가속만 네기도 말라(느릿느릿 네 집에 오거든 네 가속만큼 여기도 말라).

밧 불림이 늬네 구실이여 **설랑설랑** 불라 보라(발 밟기가 너희 구실이니 설렁설렁 밟아 보라).

'휘틀비틀, 지축지축'은 모두 평안도에서 쓰는 말이다. '휘틀비틀'은 평북 지역에서 쓰는 말인데 '힘이 없거나 어지러워서 몸을 바로 가누지 못하고 이리저리 쓰러질 듯이 계속해서 걷는 모양'을 나타낸다. '지축지축'은 평남 지역에서 쓰는데 '아이가 천천히 걷는 모양'을 나타내며 '아장아장'에 가까운 말이다.

'발범발범, 지떡지떡'은 모두 중국 조선족 동포 언어사회에서 쓰는 말이다. '발범발범'은 '작은 걸음으로 종종거리며 걸어가는 모양'을, '지떡지떡'은 '힘없이 다리를 끌면서 억지로 걷는 모양'을 나타낸다.

그는 **휘틀비틀** 쓰러지려는 순이를 꽉 두 팔에 휘어 감고 방에 들어와 자리 위에 그 계집의 몸을 눕히었다.

_허준, 《탁류》

마침내 큰 용단을 내린 음전이는 **발범발범** 걸음발을 옮겼다.

_김화석, 《민들레꽃》

학교를 내리는 층계에 서서 담배 한 대를 붙여 문 다음 운동장을 가
로질러 **지떡지떡** 대문께로 향했다.　　　　　_량영철, 《내가 훔친 저녁》

　걷는 모양을 나타내는 말들은 우리네 걸음걸이를 참으로 세세
하고 다양하게 표현해 내고 있다. 지금까지 남북에서 간행된 《국어
대사전》들에는 이처럼 걷는 모양을 나타내는 말들이 150여 개 정
도 실려 있다고 한다. 걷는 모양을 나타내는 더 많은 말들이 어딘가
에서 쓰이고 있을지도 모른다. 다만 우리가 모르고 있을 뿐…….

○ ∧ □

강낭수수

ㅅ ㅇ ㅁ

#강낭이 #가내수끼 #깡내이 #강얘 #갱수 #당쉬

……공산당은 밀과 보리는 물론이고 조, **강낭수수** 심지어는 논두렁에 심어 놓은 콩까지, 즉 모든 잡곡도 빼놓지 않고 수확량의 25퍼센트를 납입하라는 것이었다.

_이병주,《지리산》

'강낭수수'는 경북 지역에서 쓰는 말로 '옥수수'를 뜻한다. '옥수수'는 식물의 이름이기도 하지만 그것의 열매를 뜻하기도 한다. 북한에서는 식물의 이름과 열매를 모두 '강냉이'라고 부르지만, 남한에서는 옥수수 열매만 '강냉이'라고 부른다. 북한에서 간행된

《조선말대사전》을 보면 '옥수수는 강냉이의 잘못'이라고 풀이되어 있다. 북한에서 '옥수수'는 문화어가 아니다. 우리식으로 말하면 표준어가 아닌 셈이다.

뻥이요!

"뻥이요!" 튀밥 장수 아저씨의 우렁찬 목소리가 고샅에 울려 퍼지면 이 집 저 집 할 것 없이 쌀이며 보리, 강냉이, 빼빼 마른 떡국떡 등을 바리바리 싸 들고 모여들었다. 아이들은 아저씨의 "뻥이요!" 소리와 함께 튀밥 기계에서 피어오르는 수증기 사이를 신나게 뛰어다녔다. 아이들은 꼭 튀밥 튀는 장면이 재미있어서 그곳에 모여든 것은 아니었다. 먹을 것이 귀했던 그 시절에 튀밥은 최고의 간식이었다. 가끔 아저씨는 튀밥의 주인이 누구든 아이들에게 튀밥을 한 주먹씩 쥐여 주기도 했다. 한 자루 가득히 튀밥을 받아 들고 집에 오면 어머니는 박바가지(박을 타서 만든 바가지)에 한가득 튀밥을 담아 주셨다.

옥수수는 튀겨 먹기만 하지는 않는다. 가마솥에 삶아 먹기도 한다. 삶은 옥수수는 한 알 한 알 빼 먹는 재미가 그만이다. 한 알 한 알 빼 먹으면서 옥수수자루에 글자를 새기기도 한다. 그보다 더 맛있게 먹으려면 풋옥수수의 아래쪽에 젓가락을 끼워 알불에 구워 먹었다. 그 맛은 언제나 최고였다.

○ ∧ ☐

이젠 시골에도 아궁이에 불을 때는 집은 없다. 고구마, 알밤, 풋옥수수를 잉걸불에 구워 먹을 수 없게 된 것이다. 옛날 추억을 소환하려면 마당 한쪽에 일부러 장작불을 피워 알불을 만들어야 한다.

지금도 가끔 시골장 한구석에는 튀밥 장수들이 이따금 판을 펴기도 한다. 하지만 아이들의 모습은 온데간데없고 순서를 기다리는 보따리 몇 개만 덩그러니 놓여 있을 뿐이다. 예전의 정겹던 풍경들은 우리들의 기억 속에서조차 조금씩 잊혀 가고 있다.

'옥수수'의 방언들

오래전부터 인류의 사랑을 받아 온 옥수수는 그 역사만큼이나 조리법도 다양하다. 전, 떡, 빵, 아이스크림, 수프, 피자 등 꽤 다양한 요리를 즐길 수 있다. 옥수수는 방언도 많이 나타나는데 그 형태가 서로 비슷하다.

강남이(황해), 강나이(경남, 함북, 황해), 강낭구(경북), 강낭이(강원, 경북, 충북, 황해, 중국), 강냥이(평남, 함남), 깡낭이(전남)

강낭(경북, 평북, 함남, 중국)

가내이(경남, 강원), 강내이(강원, 경기, 경상, 전라, 충청, 평안, 함경, 황해), 강니이(강원), 강닝이(강원), 강젱이(강원), 까내이(경남), 깡내이(경남, 전라, 평안, 중국), 깡냉이(경남, 전라, 중국)

강내(양강, 함경), 강내(강원, 함경), 강애(함남), 갱내(함북)

가내수끼(함북, 중국), 가냥수끼(함북), 강나새끼(경남), 강나수께 (경상), 강남쑤시(경남), 강낭새끼(경남), 강낭수께(경상), 강낭수 꾸(경북), 강낭수끼(경북, 함북), 강낭수수(경북), 강낭시끼(경남), 강낭시키(경남, 함북), 강냥수끼(함북), 강내수끼(함북), 강냉새끼 (경남)

강낭대죽(제주), 강낭대축(제주), 강냉대죽(제주)

개수끼(함경), 갱수(함남), 갱수끼(황해)

답쉬(황해), 당쉬(양강, 함북, 황해, 중국)

　'강냉이'는 '강남'과 명사를 만드는 말 '-이'가 결합된 '강남이' 가 변한 말이다. 명나라 때 양쯔강 이남 지역인 강남에서 재배되던 위수수玉蜀黍가 우리나라에 전해졌다고 한다. 그래서 '옥수수'를 강 남에서 들여온 것이라는 뜻으로 '강남이'라고 부르던 것이 '강남이 >강낭이>강냉이'와 같이 소리가 변화한 것이다. 이와 비슷하게 변 화한 말이 '강낭콩'이다. '강낭콩'도 원래 '강남江南' 지역에서 들여온 콩이라 하여 '강남콩'이라 했는데, '강남'이 '강낭'으로 굳어지면서 '강낭콩'이 표준어가 되었다.

　'강남이'는 황해 지역에서 쓰이는 말로 '강남'이 그대로 유지 된 형태이다. '강나이, 강낭구, 강냥이, 깡낭이'는 모두 '강낭이'에서 소리가 변화한 말들이다. '강나이'는 '강낭이'의 'ㅇ'이 탈락한 형태 이다. '강낭구'는 '강낭'에 '구'가 결합된 것으로 보이는데 이때 '구'

○ ∧ □

🔵 '강냉이'는 '강남'과 명사를 만드는 말 '-이'가 결합된 '강남이'가 변한 말이다.

가 무엇인지는 전혀 알 수가 없다. '강냥이'는 '냥'의 'ㅏ'가 이중모음 'ㅑ'로 바뀐 것이며, '깡낭이'는 '강낭이'의 '강'이 된소리 '깡'으로 바뀐 것이다. 경북, 평북, 함남, 중국 지역에서 쓰이는 '강낭'은 '강낭이'가 줄어든 말이다.

  '가내이, 강내이, 강니이, 강닝이, 까내이, 깡내이, 깡냉이'는 모두 '강냉이'가 변한 말이다. '가내이'는 '강냉이'의 'ㅇ'이 모두 탈락한 형태이며 '강내이'는 두 번째 음절의 'ㅇ'만 탈락한 형태이다. '강니이, 강닝이'는 '강냉이'가 '강냉이>강넹이>강닝이>강니이'와 같이 소리가 변화한 것이다. 강원 지역에서 쓰이는 '강젱이'는 '강냉이'의 다른 말인 '강정'과 명사를 만드는 말 '-이'가 결합된 '강정이'가 '강젱이'로 바뀐 것이다. '어미'가 '에미'로 바뀌는 것과 같은 소리의 변화이다.

'강내'는 '강냉이'가 줄어든 말이며 '강내'는 '강내'의 'ㅐ'가 이중 모음 'ㅒ'로 바뀐 형태이다. '강얘'는 '강내'의 'ㄴ'이 탈락한 것이다. '갱내'는 '강내'의 'ㅏ'가 'ㅐ'로 바뀐 것으로 '담배'를 '댐배'라고 하는 것과 같은 소리의 변화이다.

강낭구를 사다가 좀 삶아 무야 되겠다.

음식두 옛날이느 거적(거저) **강얘** 국시가 췌고지.

둔덜배기(언덕배기)에 **강젱이밭하고** 배차밭이 있으오.

'가내수끼, 가냥수끼, 강나새끼, 강나수께, 강남쑤시, 강낭새 끼, 강낭수께, 강낭수꾸, 강낭수끼, 강낭수수, 강냥수끼, 강내수끼, 강냉새끼'는 모두 '강남'이 소리의 변화를 겪은 형태인 '가내, 가냥, 강나, 강낭, 강내, 강냉, 강냥'과 '수수'의 다른 말인 '새끼, 수께, 수 꾸, 수끼, 시끼, 시키, 쑤시'가 결합된 말들이다. '새끼, 수께, 시끼'는 홀로 쓰지 못하고 '강나, 강낭'과 결합해서만 쓰는 말이다. '수꾸'는 강원, 경상, 함북 지역에서 쓰는 말이며, '수끼'는 강원, 경북, 함북 지역에서 쓰는 말이다. '쑤시'는 경상, 전라, 충남, 함북 지역에서 쓰 인다. '강낭대죽, 강낭대축, 강냉대죽'은 제주 지역에서만 쓰는 말이 다. '대죽, 대축'은 '수수' 혹은 '사탕수수'를 뜻한다.

○ ∧ □

초여름에 삶아 먹던 그 **가내수끼** 맛을 잊을 수 없소.

하마 **강낭수께가** 장에 나왔대요.

강낭대죽 밧 구석에 멫 개 싱경 놔둬서야키여(옥수수를 밭 구석에 몇 개 심어서 놔두어야겠다).

'개수끼, 갱수, 갱수끼'는 함경도와 황해도에서 쓴다. '개수끼'는 '수끼'와 '질이 떨어지는'의 뜻을 더하는 '개-'가 결합된 말이다. 함경도와 황해도 사람들이 옥수수가 수수보다 못하다고 여겨 만들어진 말로 보인다. '갱수끼'는 '개수끼'에 'ㅇ'이 첨가된 말이며 '갱수'는 '갱수끼'가 줄어든 말이다.

'답쉬'와 '당쉬'는 양강, 함북, 황해, 중국 지역에서 쓰이는 말이다. '당쉬'는 '중국에서 만들거나 중국에서 들여온'의 뜻을 더하는 말 '당唐-'과 강원, 양강, 자강, 평안, 함경 지역에서 쓰이는 '수수'의 다른 말 '쉬'가 결합된 말이다. '답쉬'는 '당쉬'가 변한 말로 보인다.

"쉬"와 "당쉬"라고 써놓은 글자는 틀림없이 "수수"와 "강냉이"라는 말이겠는데 농촌 사람들은 정말 사투리를 많이 쓰는데……

_김길련,《우도감》

쌀이나 옥수수 등을 부풀려 만든 과자인 뻥튀기와 튀밥, 이 중

'뻥튀기'는 북한에서는 쓰지 않는 말이며 '튀밥'은 남북에서 함께 쓰지만 그 뜻은 좀 다르다. 남한에서 '튀밥'은 쌀로 튀긴 것과 옥수수로 튀긴 것을 두루 가리키지만, 북한에서 '튀밥'은 쌀로 튀긴 것만 가리킨다. 북한에서 남한의 '튀밥'과 같은 의미로 쓰이는 말은 '튀기'이다. '튀기'는 동사 '튀-'와 명사를 만드는 말 '-기'가 결합된 말이다. 이와 같이 '튀밥, 튀기'는 그 뜻바탕은 같지만 어느 지역에서 쓰느냐에 따라 의미가 달라진다.

　북한의 장마당에서도 튀밥 튀기는 풍경이 점차 사라지고 있는 듯하다. 북한에서는 옥수수 튀밥을 '강냉이과자, 강낭과자, 옥수수과자, 펑펑이'라고 부른다. '펑펑이'는 튀밥을 튀기는 소리 '펑펑'과 명사를 만드는 말 '-이'가 결합된 말이다. 북한에서 '펑펑이'는 '양수기', '깔때기', '옥수수 튀기'를 뜻한다.

　오늘같이 즐거운 명절날에 **펑펑이간식을** 마련한 할아버지의 마음을 너는 알아야 한다.　_한경식,《생활이 비긴 흥미 있는 세부탐구》

　'강냉이'라는 말이 지금도 많이 쓰이고 있으니 옥수수의 방언은 그리 낯설지는 않을지도 모르겠다. 말의 힘은 사람들이 계속 사용하는 데서 온다. 이 옥수수의 방언들처럼 다른 방언들도 꾸준히 사용해 오래도록 우리 곁에 함께하길 바란다.

○ ∧ □

마
씸

ㅅ ㅇ ㅁ

#-양 #-라 #-라우

고모부님, 대대장이 말한 차 고장은 핑계가 **아니까마씸**?

_현기영,《순이 삼촌》

사진마씸? 빡빡 찢엉 데껴버렸수다(사진요? 빡빡 찢어서 던져 버렸습니다)!

_최현식,《오늘의 의자》

제주 지역에서만 쓰이는 '-마씸'은 듣는 사람에게 높임의 뜻을 나타내는 '-요'와 같은 말이다. '-마씸'은 제주도에 간다 해도 외부인들은 쉽게 들을 수 없다. 아주 절친한 사이가 아니면 잘 쓰지 않는 말이기 때문이다.

'-마씸'은 '말씀'의 'ㄹ'이 탈락한 '마씀'이 '-마씸'으로 변한 것이라는 설과 일본어 'ます'에서 왔다는 설이 있다. 일본어 '마스'에서 왔다는 주장을 뒷받침하는 제주말로는 '마시'와 '마씨'를 들 수 있다. '마시'와 '마씨'도 '-요'에 해당하는 제주말이다.

느영 나영 사랑허게마씸

2022년 9월, 제주에서는 특별한 공연이 열렸다. 제주와 광주가 협업한 전통문화예술 공연인 '오매! 국악마씸'이다. 비록 공연을 보지는 못했지만 공연 이름을 듣고 무척이나 반가웠다. '어머나, 아이고'를 뜻하는 전라도 감탄사와 제주 방언 '마씸'이 합쳐진 이름의 공연이라니. 지역의 특색을 살리려고 공연 이름에 지역어를 사용했다는 것이 반가워 공연 기사를 몇 번이고 읽었다.

제주 방언은 우리나라 사람들도 이해하기 어려운 방언에 속한다. 종종 예능 프로그램에서는 제주 지역민의 방언을 문제로 내기도 한다. 그런데 알고 보면 제주 방언에는 어감이 좋아 기억에 오래 남는 것이 많다. 몇 년 전에 드라마가 방영되며 주목을 받았던 '맨도롱 또똣'이 대표적이다.

개인적으로 기억에 남는 제주 방언은 새별오름에 있던 문구이

○ ∧ □

다. 그곳에는 하얀 글자로 '느영 나영 사랑허게마씸'이라고 적힌 표지판이 있었다. '너하고 나하고 사랑합시다'라는 뜻이다. '사랑합니다'의 제주 방언은 '소랑햄수다'라고 알고 있었는데 '마씸'이 적혀 있어서 기억에 남았다. 새별오름에서 만난 그 문구를 몇 번 읽다 보니 입에 착 감겨 그날 몇 번이고 속으로 되뇌었던 기억이 난다.

'-요'의 방언들

우리나라는 예를 중시하는 나라이다. 그래서 높임법이 매우 발달했고 존칭도 다양하다. 이는 방언에도 적용되어 듣는 사람에게 높임의 뜻을 보이는 방언이 다양하게 나타난다.

-라(전남), -라우(전라, 황해), -라우요(평북), -랍니까(전남), -람니야(전남), -람닌자(전남), -람닌짜(전남), -마씀(제주), -마씸(제주), -야(경남), -양(제주), -애(경남), -용(경남, 함북), -이다(경남, 전남)

'-라'는 전남, '-라우'는 전라도와 황해도 지역에서 쓰이는 말이다. '-라'는 '-라우'가 줄어든 말로 보인다. '-라우'는 전라북도의 전주 이북 지역에서는 쓰지 않는다. 평북 지역에서 쓰는 '-라우요'는 '-라우'와 '-요'가 결합된 말이다. '-랍니까, -람니야, -람닌자, -람닌짜'는 모두 전라남도 남해안 도서 지역인 진도나 완도 등에서 쓰는 말이다. '-야'와 '-애'는 경남 지역에서, '-용'은 경남과 함북 지역에서 쓰는 말이다. '-이다'는 경남과 전남 지역에서 쓰는 말이다.

어타(어떻게) 곡석을 찧게 되는지 한 번 **가보와.**

우리가 봐난 사름 **아니라양**(우리가 보았던 사람 아니에요)?

아, 만든 것은 베 떠다가 만들제. 깐치동저구리(까치저고리) 다 애기들 다 해 **입헸지라.**

우리 집 할매야 요새 정신이 좀 **오락가락하지라우.**

우리 함마니가 진도서 **왔어람닌자.**

그것 잠 집어 **주이다.**

'-마씀'의 또 다른 제주말은 '-양'이다. 이 말은 제주로 여행을 갔을 때 종종 들어 봤을 것이다.

자 윈 혼저 **감저양**(저 아이는 혼자 가네요).

○ ∧ □

서울에 **감수다양**(서울에 가요).

그 지역의 말을 알고 그곳을 방문하면, 그곳의 문화와 사람들도 훨씬 깊이 알게 된다. 제주 방언이 생소하다 보니 가끔 외국어 대하듯 하는데, 제주 방언도 우리 겨레가 쓰는 우리말이라는 것을 기억하자.

습둥

∧ ○ □

#두마는 #라미 #수다 #습지비 #이우와

옆집 아저씨: 내라서느 피냐에루 넜다 내쟀지비(내가 평양에 갔다 왔
습니다).

윗집 아저씨: 피냐느 무시레 넜다 **내쟀습둥**(평양은 왜 갔다 왔습니까)?

'-습둥'은 '-습니까?'를 뜻하는 함경도 말이다. 위의 문장에서
'-래'는 주격 조사로 평양에서 쓰는 말이며, '-지비'는 '-습니다'의
함경도 말이다.

○ ∧ □

어설프게 흉내 냈던 북한말

몇 년 전, 명절을 앞두고 한 영화를 봤다. 북한의 형사와 남한의 형사가 공조를 하는 내용의 영화였다. 북한 사람으로 출연한 배우들은 북한말을 꽤 자연스럽게 연기했다. 물론 대한민국 국민인 필자가 보기에 자연스러웠던 걸지도 모른다. 하지만 북한 사람을 맡은 배우들은 어색한 억양으로 어설프게 연기를 하지 않았고 북한말을 적절히 살려 연기했다.

어렸을 적 필자도 이따금 북한말을 흉내 내곤 했다. 북한말을 흉내 낼 때면 무턱대고 '-지비'나 '-습둥'을 말끝에 붙였다. 북한말이 무엇인지도 모르면서 주워들은 풍월로 북한말을 흉내 냈다. 참으로 어설픈 흉내 내기였다. 앞에서 소개한 문장을 "내래 평양에 갔다 왔지비", "평양은 왜 갔다 왔습둥?"이라고 말한 것이다. 앞에 나온 북한말과 비교해 보면 너무 어색하기 짝이 없다.

지금은 우리말의 여러 지역 방언을 연구하면서 북한말도 많이 알게 되었다. 그래서 드라마나 영화에서 북한의 방언을 접할 때면 여러 감정을 느낀다. 어설프게 북한말을 흉내 내서 아쉬움을 느낄 때도 있고, 비교적 정확하게 표현해 감탄할 때도 있다. 탈북민들이 이야기를 나누는 프로그램을 볼 때면 공부하는 기분이 들기도 한다. 직접 취재하지 않고도 북한말을 들을 수 있는 소중한 시간이라 그런 듯하다.

함경도 방언을 제대로 살려서 쓰면 우리가 아는 북한말과는 말맛이 전혀 다르다. 특히 말맛이 잘 느껴지는 함경도 방언은 조사이다. 함경도 방언에는 다른 지역에서는 쓰지 않는 조사들이 많다.

'-두마느, -두마는'은 '-더구먼'을 뜻하는 말인데, '두마느'는 '두마는'의 'ㄴ'이 탈락한 형태이다.

밥으 마이두 **먹었두마느**.

지금으 널덩대(선반이) **많두마는**.

널이 없다 나니 이래 한나에 둘으 **받티두마는**. 새닥달터르 **받티두마는**(널이 없고 보니 이렇게 하나에 둘을 받치더구먼. 사다리처럼 받치더구먼).

'-라미, -무'는 각각 '-라면, -면'을 뜻한다. '-라미'는 '-라면>라멘>-라메>-라미'와 같은 변화를, '-무'는 '-면>-먼>-믄>-문>-무'와 같은 변화를 겪은 듯하다.

기래 칩아 놓오이 한디 나가 **걷자무** 질이 미끄럽지.

○ ∧ □

기하 **스느비무** 나르 형님이라 하구(손아래 시누이면 나를 형님이라고 하고).

비오라미 아니 가겟다.

'수다, –슴네다, –슴메다, –슴메, –습구마, –습궈니, –습능구마, –습니, –습지비'는 모두 '–습니다'를 뜻하는 말이다. '–슴네다, –슴메다, –슴메'는 '습'이 비음 앞에서 '슴'으로 바뀐 형태가 굳어진 말들이다.

개아마리가(개암이) 마이 **있습메다.**

즉금 내 밥우 **먹습메다.**

내 어디메 좀 **갔다오겠습구마.**

니 남진이느(남편은) 아직브터 으디르 가구 **있습구마?**

미영실이 잇댆구! 샛하얀 게 미영실이 **있습궈니**(무명실이 있고말고! 새하얀 무명실이 있습니다).

그 사름으 도삽이 **많습니**(그 사람은 거짓말이 많습니다).

그런 말으 하는 사름이 **많습지비**.

'–메서, –멘서리, –민서리'는 모두 '–면서'를 뜻하는 말이다. '–메서'는 '–면서>–멘서>–메서'와 같은 변화를, '–멘서리, –민서리'는 '–면서리>–멘서리>–민서리'와 같은 변화를 겪은 것으로 보인다.

실슈르 해서 뚝 떨에데두 겁이 아이 나던 게 지금운 처암부터 떨어딜께 바 부둘부둘 **떨멘서리** 다리르 겟네오.

저느 **놀멘서리** 일으 시긴다.

놀민서리 일으 아니 하압데.

'–슴네, –슴둥, –슴마, –습두'는 '–습니까?'를 뜻하는 말이다. '–디비, –지비'는 '–어요'를 뜻하는 말이다. '–디비'는 '–지비'의 이전 형태이다.

뎜심으 잘 **묵었슴둥**?

아매, 내 둥오무 데디 아매 둥오라구 **닙습두**(할머니, 나 좋으면 되지 할머니 좋으라고 옷을 입어요)?

○ ∧ □

떼까닥 졈슴우 먹구 **오옵디비**.

우리 아들으 피냐에 불술기르 타고 **갔지비**(우리 아들은 평양에 기차를 타고 갔어요).

'-우와, -이우와'는 '-이다'와 같은 말이며, '-아부라, -암사라'는 '-조차'를 뜻하는 말이다. '-처르, -터르, -텨럼, -텨르'는 '-처럼'과 같은 말이며, '-켜너, -커너느, -커성'은 '-커녕'과 같은 말이다. 또한 함경도 말에서 '-으, -르'는 '-을, -를'을 '-으, 느'는 '-은, -는'과 같다.

그거느 **책이우와**.

네아부라 나르 애르 맽기냐?

남려럼 잘 입히지두 못하구 잘 멕이지 못하구 공부두 제대르 못 시겠는데.

그 **사름텨르** 일으 잘 하는 사름두 없습고마.

사름커너느 바개미(개미) 한 마리두 못 봤습구마.

학교에서 선생님은 학상 아덜으 **공부르** 배와 준다.

함경도의 조사들을 이렇게 모아 보니 모두 익숙한 말이다. 다양한 매체에서 북한말을 종종 접한 덕분이기도 하겠지만 어쩌면 같은 민족이기에 익숙한 것은 아닐까. 낯설고 어렵다는 편견을 버리고 북한의 방언을 듣는다면 더욱 쉽고 익숙하게 느껴질 것이다. 비록 지금은 나뉘어 있지만 북한말 또한 우리 겨레붙이의 말이며 우리가 지켜야 할 소중한 언어 유산이다.

○ ∧ □

가슬

ㅅ ㅇ ㅁ

#가설 #가알 #가읅 #갈날 #가실기

인제는 경후두 저만침 장성했구 **가슬** 안으로 성례를 가춘다니, 불시로 예전 생각이 다시 났든 게지.

_이기영,《신개지》

'가슬'은 '가을'을 나타내는 말이다. '가슬'은 '자르다'의 옛말 'ᄀᆞᇫ-'과 명사를 만드는 말 '-을'이 결합된 'ᄀᆞᅀᆞᆶ(《석보상절》)'이 변한 말이다. 반치음 'ㅿ'은 순경음 'ㅸ'과 아래아 'ㆍ'와 더불어 소실된 문자 중의 하나이다. 'ㅿ, ㅸ, ㆍ' 중 가장 먼저 없어진 말은 'ㅿ'이다. 그런데 'ㅿ'은 소실되는 과정에서 서로 다른 흔적을 남기게 된다. 'ㅿ'은 지역에서 따라서 'ㅅ'으로 바뀌기도 하고 탈락하기도 한다. 'ㄱᅀ읋'의 'ㅿ'이 탈락해 'ㄱ읋'이 되고, 'ㄱ읋'이 다시 'ㄱ을>ㄱ을>가을'로 변한 것이다. 그런데 'ㅿ'이 탈락하지 않으면 'ㄱ솔'은 'ㄱ솔>ㄱ술>ㄱ슬>가슬'이 된다.

가을의 시작을 알리던 잠자리

어렸을 적 가을이 시작될 무렵에는 잠자리도 참 많았다. 날아다니는 잠자리를 물끄러미 바라보고 있으면 어지러울 정도였다. 그 잠자리를 잡겠다고 노래도 흥얼거렸다.

잠자리 꽁꽁
앉을 자리 앉아라
멀리멀리 가면
똥물 먹고 죽는다.

노래를 부르면서 까치발을 디디며 잠자리 뒤쪽으로 살금살금 다가가 보지만, 잠자리는 어느새 눈치챘는지 포로롱 날아가 버린다. 잠자리는 사람과 달리 3만여 개의 홑눈으로 360도를 동시에 볼 수 있다는 사실을 그때는 몰랐다. 그저 어느새 눈치채고 날아가는 잠자리가 얄미웠을 뿐이다. 그렇게 잠자리가 마당의 빨랫줄에 모

○ ∧ □

여 하늘을 어지럽게 빙빙 돌기 시작하면 정말 가을이 시작된다. '가을걷이'를 해야 할 시기가 온 것이다. 어린 필자에게도 예외는 아니었다.

콤바인이 없었던 시절에는 낫으로 벼를 일일이 베어 논바닥에 깔아 놓았다. 이때 벼가 잘 마르도록 뒤집어 줘야 한다. 아버지를 따라 논에 나가면 고사리 같은 손으로 베어 놓은 벼를 열심히 뒤집었다. 어느 정도 벼가 마르면 필자는 아버지가 볏단을 지을 수 있도록 여기저기 한 줌 한 줌 놓여 있는 벼들을 한곳으로 모았다. 그러면 아버지는 매끼를 틀어 단단히 볏단을 묶으셨다.

어디 그뿐이겠는가? 밤을 떨러 가시면 나무로 집게를 만들어 떨어진 밤송이를 한곳에 모아야 했는데, 그러다가 밤송이로 등짝을 얻어맞기 일쑤였다. 대추를 떨면 하나하나 주워 담아야 했고, 감나무에 올라가 감을 따면 밑에서 감이 가득 들어 있는 망태를 받아 비워 내고 다시 올려보내야 했다. 그렇게 잠자리와 함께 신나게 시작한 가을은 풍성함을 주었고, 한 해를 천천히 마무리해 나가도록 문을 열어 주었다.

'가을'의 방언들

'가을'은 '베다'와 '자르다'의 의미를 갖는 옛말 'ᄀᆞᆺ-'에 그 말바탕을 두고 만들어진 말이다. 곧 '가을'은 추수의 계절이 되는 셈이다. 그래서 국어사전에는 '가을'이 두 가지 뜻으로 실려 있다. 하나는 '한 해의 네 철 가운데 셋째 철'이라는 '계절'의 의미이고, 다른 하나는 '가을에 익은 곡식을 거두어들임'이라는 '추수'의 의미이다. 얼핏 보면 서로 다른 뜻처럼 보이지만, 이 두 뜻이 가지고 있는 말바탕은 같다. 가을의 방언들에서도 이를 확인할 수 있다.

ᄀᆞ슬(제주), ᄀᆞ실(제주), ᄀᆞ을(제주), ᄀᆞ울(제주)

가설(중국), 가슬(강원, 경상, 양강, 전라, 평북, 함경), 가실(강원, 경상, 전라, 충청)

가실기(강원), 가싥(경남, 전남, 충북)

가알(경상, 평북, 중국), 가얼(경상, 전북, 중국), 가올(강원, 경기, 경남, 황해), 가울(강원, 경기, 제주, 평남, 황해)

가읅(경북), 가움(강원, 경기, 충북)

갈날(충북), 갈리(충남)

'ᄀᆞ슬, ᄀᆞ실, ᄀᆞ을, ᄀᆞ울'은 모두 제주도 지역에서 쓰는 말이다. 잘 알려진 바와 같이 제주도 방언에는 아직도 1음절에서 'ㆍ'가 소실되지 않고 남아 있다. 제주도를 제외한 다른 지역에서는 1음절의 'ㆍ'는 'ㅏ'로 바뀌는 것이 일반적이다. 'ᄀᆞ실'은 'ᄀᆞ슬'의 'ㅡ'가 'ㅣ'로 소리의 변화를 겪은 말이다. 이러한 변화는 국어에서 흔히 볼 수 있다. 가령, '아침'은 '아ᄎᆞᆷ>아츰>아침'과 같이 소리가 변화한 것이며 '찢다'는 'ᄣᅳᆺ다(《석보상절》)'가 'ᄩᅳᆺ다>쯪다>찢다'와 같이 변한

● 어렸을 적 가을이 시작될 무렵에는 잠자리도 참 많았다.

말이다. 'ㅅ, ㅈ, ㅊ' 아래에서 'ㅡ'는 'ㅣ'로 변하는 경향이 있다.

　'가설, 가실'은 '가슬'의 'ㅡ'가 각각 'ㅓ'나 'ㅣ'로 바뀐 것이다. '가슬'이 '가실'로 변한 것은 'ㄱ슬>ㄱ실'과 같은 소리의 변화이다. '가설'은 '가슬'의 'ㅡ'가 'ㅓ'로 바뀐 것이다. '가싥, 가실기'의 '가싥'은 'ㄱ슳'의 받침 'ㄹㅎ'이 'ㄹㄱ'으로 바뀐 형태이며, '가실기'는 '가싥'에 다시 '-이'가 결합된 말이다.

　'가알'은 'ㄱ슳'의 두 번째 아래아가 'ㅡ'로 바뀌지 않고 'ㅏ'로 바뀐 형태이다. '가얼, 가올, 가울'은 모두 '가을'에서 소리가 변화한 형태들이다. '가앍, 가욹'은 '가싥'과 마친가지로 'ㄱ슳'의 'ㄹㅎ'이 'ㄹㄱ'으로 바뀐 형태이다. 마지막으로 충청도 지역에서 쓰는 '갈날, 갈리'는 그 변화를 추정해 내기가 어렵다.

　가앍으로는 타작하느라 어데 다니질 못해.

갈리에 보리를 심구고 눈이 많이 와야 혀.

뭔 **가욹이** 이리 더워가지고서야 원.

벌써 **가슬이** 닥쳤다고 더우가 한풀 꺾였어라우.

올 **가실에** 큰딸년 시집 보내야 할 낀데.

가을이 되면 유난히 가을을 타는 사람들이 있다. 마치 가을이 외롭고 쓸쓸한 계절의 상징이라도 되는 것처럼. 그러나 '가을'의 어원에서 보듯 가을은 오곡이 무르익는 추수의 계절로 풍성함으로 가득한 계절이다. 한 해의 가장 풍성한 계절인 가을을 떠올리며 마음도 더욱 풍성해지길 기대한다.

○ ∧ □

벵
기

ㅅ ㅇ ㅁ

#비양기 #비향게 #비향구 #비앵기

거럼. 그 우리두 **벵기** 올 적에 남자들은 군대 다 나가구 논가리 배
우라 해서 나두 밭두 갈구 논두 갈구.

'벵기'는 '비엥기'가 줄어든 말로 '비엥기'는 '비행기'가 소리의
변화를 거친 말이다. '비행기'의 'ㅎ'이 탈락하면 '비앵기>비엥기'가
되고 '비엥기'가 줄어 '벵기'가 된다. 3음절이 2음절로 줄어드는 현
상은 흔히 볼 수 있다. 가령 '주둥이'의 경상도 방언 '주디'는 '주둥이
>주뒹이>주뎅이>주데이>주디'와 같은 소리의 변화를 겪은 말이다.

두메산골 소년이 처음 본 기차, 전기, 비행기

어렸을 적 비행기가 하늘을 나는 모습을 처음 봤을 때 무척 신기했다. 비행기 똥구멍에서는 끊임없이 가늘고 긴 구름이 나왔다. 필자는 그 '비행운'을 '비행기똥'이라고 불렀다. 충남 지역에서는 '비행운'을 '나탈구름'이라고 부른다.

초등학생 때 늘 궁금한 것이 두 가지 있었다. 하나는 '기차는 운전대도 없다고 하는데 굽은 길을 어떻게 갈까?' 하는 것이었고, 다른 하나는 '비행기는 왜 땅에 처박히지 않을까?' 하는 것이었다. 기찻길의 굽은 길은 바깥쪽이 조금 높고, 안쪽이 조금 낮다는 것을 이해하는 데 꽤 많은 시간이 걸렸다. 바깥쪽 바퀴는 하중을 안쪽의 바퀴보다 덜 받기 때문에 더 빨리 돌고, 반면에 안쪽의 바퀴는 바깥쪽의 바퀴보다 더 많은 하중을 받기 때문에 바깥쪽 바퀴보다 빨리 돌지 못한다. 그래서 기차는 굽은 길을 운전대도 없이 잘도 달렸던 것이다.

초등학교 담임 선생님한테 "기차는 운전대두 없는디 구부라진 길을 어떻게 가유?"라고 물었다가 "너는 그것도 몰라? 기차는 기찻길을 따라가면 돼" 하고 무안만 당했다. 그때 담임 선생님이 자세히 대답만 해 주셨더라도 필자의 고민은 그때 끝나고 말 일이었다.

필자의 고향은 전라북도 대둔산 자락에 자리 잡은 전기도 들어오지 않는 두메산골이었다. 전깃불을 처음 사용한 것은 초등학

○ ∧ □

교 6학년 때의 일이었다. 촛불이나 호롱불을 켜고 숙제를 해야 했던 그 시절, 전깃불이 들어오니 천국이 따로 없었다. 지금도 전기가 처음 들어오던 날 밤, 밖은 깜깜한데 방은 대낮처럼 밝아 너무나 신기했던 기억이 선명하다.

전기가 들어오면서 동네에 또 하나의 변화가 생겼다. TV였다. 공교롭게도 작은집에서 TV를 가장 빨리 들여놓았다. 그래서 밤이면 엄마 손을 잡고 작은집에 TV를 보러 가곤 했다. 비행기가 땅으로 처박히지 않는 이유를 그때 알았다. 비행기는 필자가 생각했던 것과는 달리 머리 쪽을 올리고 꽁무니 쪽을 내리고 착륙했다. 어린 시절 호기심 나라로 필자를 데려가 주던 것들이 이제는 너무나 익숙한 일상이 되어 버렸다.

'비행기'의 방언들

어쩌면 비행기는 사람들의 마음을 실어 나르는 교통 수단일지도 모르겠다. 여행을 떠나는 사람의 설레는 마음, 출장을 가는 사람의 열정, 멀리 떨어져 있는 소중한 사람에게 보내는 택배에 담긴 따뜻한 마음까지. 저마다의 이야기를 지닌 많은 사람의 마음을 실어 나르는 비행기의 방언들 또한 왠지 모르게 어린 시절의 동심을 느끼게 한다.

비엥기(경북, 전북, 평남, 중국)

벵기(전북)

비양기(강원, 경기, 경상, 전라, 충청, 함북, 중국), 비영게(제주), 비영기(제주), 비엥기(제주)

비향게(강원 영동, 전남), 비향구(경기), 비향기(경기, 전라), 비형기(전남)

써리비행기(경북)

철개이비행기(경북)

'비엥기'는 경북, 전북, 평남, 중국에서 쓰는 말이다. '벵기'는 필자의 고향인 전북에서 쓰는 말이다. 지금 생각하면 좀 우습지만 시골 마을에 이름이 '병기'인 아저씨가 계셨는데, 어른들은 그분을 '병기'라고 하지 않고 '벵기'라고 불렀다. 아이들은 그 아저씨의 아들이 지나갈 때마다 "벵기 털털, 할아버지 털털" 하며 놀렸던 기억이 난다. 참으로 짓궂은 짓이었지만 가끔 필자를 피식 웃게 만드는 기억의 단편이다.

'비양기, 비영게, 비영기, 비엥기'는 '비향기' 혹은 '비형기'의 'ㅎ'이 탈락한 '비양기, 비영기'에서 소리가 변화한 것이다. '비양기'는 '비향기'의 'ㅎ'이 탈락한 형태로 강원, 경기, 경상, 전라, 충청, 함북, 중국이 대표적이다. '비영게, 비영기, 비엥기'는 제주도 지역에서만 쓰이는 말로 '비영기'는 '비형기'의 'ㅎ'이 탈락한 형태이다. '비엥기'는 '비영기'가 변한 말인데 '이야기'를 '이얘기'로 발음하는 것

○ ∧ □

● 비행기는 여러 마음을 차곡차곡 실어 나르는 교통 수단이다.

과 같은 변화이다. '비영게'의 이전 형태는 '비영긔'로 추정된다.

그러나 아쉽게도 현재 어떤 방언 자료집에도 '비영긔'는 실려 있지 않다. '기'가 '긔'로 표기되는 경우는 옛말 자료에서도 나타난다. 한자어 '기록'은 옛 문헌 자료인 《유합》이나 《한청문감》에는 '긔록, 긔록ᄒᆞ다'와 같이 표기되어 있다. 따라서 제주도에서 쓰이는 '비영게'는 '비영긔'에서 소리가 변화한 것으로 보인다.

'비향게, 비향구, 비향기, 비형기'는 모두 'ㅎ'이 탈락하지 않은 '비행기'의 또 다른 말들이다. '비향게'의 이전 형태는 '비양게'와 마찬가지로 '비향긔'였던 것으로 추정된다. '비향긔'에서 소리가 변화한 형태가 '비향게'이다. '비행'을 '비향'이라고 발음하는 것은 '行'의 중국식 발음을 본뜬 것이다. '行'의 중국식 발음은 [xing] 혹은 [hang] 이다(성조는 표기하지 않음). 그래서 '비행'을 '비향'으로 발음하게 된 것으로 보인다.

어릴 때는 전투 **비향게가** 공중에 많이 떠 댕기면 괜히 마음이 불안
해지더구나.

'써리비행기'는 '쌍발기'를 뜻하며 '철개이비행기'는 '잠자리비
행기'를 뜻하는 말인데 모두 경북 지역에서 쓰는 말이다. '비행기'의
또 다른 말들은 'ㅎ'이 탈락한 형태와 'ㅎ'이 탈락하지 않은 형태로
구분할 수 있으며 이들은 모두 한자어에 그 바탕을 두고 있다.

비행기의 아버지로 불리는 라이트 형제의 오빌은 비행을 할
때보다 비행을 하지 않을 때 더 전율을 느꼈다고 한다. 비행 전날
침대에 누워서 다음날 비행이 얼마나 짜릿할지 상상하기만 해도
기뻤기 때문이다. 비행기 방언들을 소개한 필자의 마음도 오빌의
마음과 같다. 이 방언들은 훗날 또 어떤 방언들로 기록되고 남겨질
까! 그 상상만으로도 미소가 지어지고 기대된다.

○ ∧ □

포
리

ㅅ ㅇ ㅁ

#파래이 #ㅍ리 #깡아리 #퍼리 #포래이

장날도 아닌디다가 빨갱이 등쌀에 밥장서넌 어느 집이나 다 요러크름 **포리만** 날리는 신세다요.

_조정래, 《태백산맥》

……어판장에는 **포리만** 지 세월 만났구, 원료 수급이 부진혀고 자금 운영난이 극심혀서 팔금도 수산공장들꺼정 죄다 폐문해 뿐졌으니 장선포 선창에는 잉여 노동력이 행방정처를 모르구…….

_천승세, 《신궁》

'포리'는 '파리'의 다른 말이다. '파리'의 옛말은 '푸리(《두시언해(초간본)》)'인데, '푸리'에서 소리가 변화한 형태가 '포리'이다. 이미 사라진 'ㆍ'는 일반적으로 말의 첫머리에서는 'ㅏ'로, 말의 첫머리가 아닌 곳에서는 'ㅡ'로 바뀐다. 그래서 '푸리'가 '파리'로 변하여 표준어가 된 것이다.

성가셨던 파리

파리는 정말 귀찮은 존재이다. 어린 시절 어머니는 파리를 잡겠다고 늘 파리채를 들고 계셨다. 쌀에 뿌리면 푸른빛을 띠는 파리약도 놓고, 파리가 붙어 죽는 끈끈이도 매달아 두셨다. 그 끈끈이에 붙어 죽은 새까만 파리들의 형체를 생각하면 인상이 저절로 찌푸려진다.

요즘은 파리도 예전처럼 많지 않다. 모기와 파리를 줄이려고 어디든 소독을 하고 웅덩이는 없애 버렸다. 모기와 파리가 살아갈 터전을 사람들은 하나둘씩 빼앗았다. 그렇다고 파리가 많아졌으면 좋겠다는 말은 결코 아니다.

파리가 앞다리를 비비는 행동은 마치 사람이 손을 닦는 것과 같다고 한다. 파리가 앞다리의 청결을 유지하는 이유는 매우 놀랍다. 사람은 입으로 맛을 느끼지만, 파리는 앞다리로 맛을 느낀다고 한다. 그래서 앞다리의 청결 상태를 유지하지 못하면 맛을 제대로

○ ∧ □

느낄 수 없어 틈만 나면 앞다리를 비벼서 닦는 것이라고 한다.

어린 시절, 파리는 틈만 나면 먹던 밥에 앉아 눈살을 찌푸리게 했고 때로는 국물에 빠져 입맛이 떨어지게도 했다. 파리가 국물에 빠지면 필자는 그 국을 먹지 않았다. 하지만 어머니는 아무렇지도 않은 듯 숟가락으로 파리를 건져 내고 드셨다. 그저 불결하고 귀찮게만 여겼던 파리도 이제는 아련한 추억으로 떠오르는 걸 보면, 일상의 위대함을 다시 한 번 느낀다.

'파리'의 방언들

파리의 겉모습은 웬만해서는 호감을 느끼기 어렵지만 의외로 방언들은 귀여운 말맛이 느껴진다. 파리의 방언들은 대체로 지방마다 모음의 차이가 조금 있을 뿐 거의 비슷하다.

깡아리(경남)

파래이(강원, 경상), 파랭이(강원, 경상), 퍼랭이(경남, 전라, 충남), 퍼리(경남, 전라, 충청)

푸리(제주)

포래이(경상), 포랭이(경상), 포리(경상, 전라, 함북), 폴(함북)

'깡아리'는 경남 지역에서 쓰는 말인데 도무지 그 말바탕을 알

❯ 파리가 앞다리를 비비는 행동은 마치 사람이 손을 닦는 것과 같다고 한다.

수가 없다. '파래이, 파랭이'는 모두 강원과 경상 지역에서 쓰는 말
이다. '파리'에 명사를 만드는 말 '-앙'과 '-이'가 결합된 '파랑이'가
'파랭이'로 변한 것이다. '파랑이'는 아직 조사된 바가 없다. '파래이'
는 '파랭이'의 'ㅇ'이 탈락한 형태이다.

　'퍼랭이'는 '파랭이'와 마찬가지로 '퍼리'에 '-앙'과 '-이'가 결합
된 '퍼랑이'가 '퍼랭이'로 변화한 말이다. '파랑이'와 마찬가지로 '퍼
랑이'도 지금까지 조사된 적이 없다. '퍼리'는 '·리'의 '·'가 'ㅓ'로
소리가 변화한 것이다. '·'가 'ㅓ'로 바뀌는 것은 아주 드물게 나타
나는 현상이다. 표준어 중에서 '·'가 'ㅓ'로 바뀐 예는 '턱'을 들 수
있다. '턱'의 옛말은 '특'이다. 제주 지역에서 쓰이는 '·리'는 옛말의
형태를 그대로 유지하고 있는 '파리'의 또 다른 말이다. '포랭이'는
'포리'에 '-앙'과 '-이'가 결합된 말이며, '포래이'는 '포랭이'의 'ㅇ'이

ㅇ ㅅ ㅁ

탈락한 것이다. 함북 지역에서 쓰는 '폴'은 '포리'가 줄어든 말이다.

저 아아 자는데 **깡아리** 붙었네, 후두까주라.

어데서 들어왔는지 **파랭이가** 자꼬 돌아친다니.

낮잠 맛나게 자고 있는디 **포래이** 새끼가 차꾸 얼굴이 와서 붙는 거여 성가시게.

어렛을 적이 할매랑 한방을 썼는디 겨울이는 "바람 들어온게 문 닫어라!" 글고, 여름이는 "**포랭이**, 모구 들어온다" 문 닫으라 건단 말여.

'ㆍ'가 변한 방언들

이처럼 'ㆍ'는 지역에 따라서 'ㅏ' 또는 'ㅗ, ㅓ'로 바뀌기도 했다. 대표적인 예가 '바람'이다. '바람'의 옛말은 'ᄇᆞᄅᆞᆷ'인데 'ᄇᆞᄅᆞᆷ'은 '바름'으로 바뀌는 것이 일반적인 소리의 변화이다. '바름'은 경북, 함경, 황해, 중국 지역에서 쓰이는 '바람'의 다른 말이다. 'ㆍ'가 없어지지 않고 살아 있는 지역은 제주도뿐이다. 제주 지역에서는 여전히 'ᄇᆞᄅᆞᆷ'으로 살아 있다.

　　그런데 '보름'은 표준어에서는 'ㆍ'가 모두 'ㅏ'로 바뀌는 바람에 '바람'이 되었다. 경상도와 전라도, 함경도 지역에서는 'ㆍ'가 'ㅁ, ㅂ, ㅍ, ㅃ' 아래에서 'ㅗ'로 바뀐다. '푸리'가 '포리'로 변한 것은 그 때문이다.

> 보름(<ᄇᆞ람<ᄇᆞ름. '바람', 《용비어천가》), 포리(<ᄑᆞ리. '파리', 《두시언해(초간본)》), 폴(<ᄑᆞᆲ<ᄇᆞᆶ. '팔', 《훈민정음해례》), 폴뚝(<ᄑᆞᆯ독<ᄇᆞᆯ독, '팔뚝', 《내훈》), 폿(<ᄑᆞᆺ.《구급방언해》)
>
> 모르다(<ᄆᆞ르다<ᄆᆞᄅᆞ다. '물기가 다 날아가서 없어지다', 《석보상절》), 보르다(<ᄇᆞᄅᆞ다. '풀칠한 종이나 헝겊 따위를 다른 물건의 표면에 고루 붙이다', 《석보상절》), 볿다(<ᄇᆞᆲ다. 《석보상절》), 뽈다(<ᄲᆞᆯ다. '입을 대고 입 속으로 당겨 들어오게 하다', 《월인천강지곡》)
>
> 보름(함경), 포리(경상, 전라, 함경), 폴(경상, 전라, 함경), 폴뚝(경상, 전라, 함경), 폿(경남, 전라, 함북)
>
> 모르다(경남, 전라), 보르다(경남, 전라, 함북), 볿다(경남, 전라, 함경, 러시아, 중국), 뽈다(경남, 전라, 함북)

　　'보름'은 함경 지역에서 쓰이는 말인데 'ᄇᆞ름'의 'ㅂ' 아래에서 'ㆍ'가 'ㅗ'로, 그리고 두 번째 위치의 'ㆍ'가 'ㅡ'로 바뀐 형태이다. 경상, 전라, 함경 지역에서 쓰이는 '폴'은 '폴'의 'ㆍ'가 'ㅍ' 아래에서 'ㅗ'로 소리의 변화를 거친 것이며, '폴뚝' 역시 '폴'과 같은 변화를 경험한 것이다. 경남, 전라, 함북 지역에서 쓰이는 '폿' 또한 'ㅍ' 아래에서 'ㆍ'가 'ㅗ'로 바뀐 것이다.

경남, 전라 지역에서 쓰이는 '모르다'는 '무르다'의 'ㆍ'가 'ㅁ' 아래에서 'ㅗ'로 바뀐 것이며, '보르다'는 '부르다'의 'ㆍ'가 'ㅂ' 아래에서 'ㅗ'로 다른 위치에서는 'ㅡ'로 바뀐 형태이다. 경남, 전라, 함경, 러시아, 중국 지역에서 쓰이는 '볿다'는 '넓다'의 'ㆍ'가 'ㅂ' 아래에서 'ㅗ'로 소리의 변화를 겪은 것이다. 경남, 전라, 함북 지역에서 쓰이는 '뽈다'는 '뺄다'의 'ㆍ'가 'ㅃ' 아래에서 'ㅗ'로 소리가 변화한 것이다.

오놀으 **보름이** 시게 불디 않습둥?

아가 젓을 심있게 **뽀는구만**.

섬 안에서야 날아 봐야 섬 안이고 숨어야 장중이제, 바로 내 **폴뚝** 안에서제 을매나 더 뛴답디까.
                                              _채희윤, 《높새바람 불다》

'ㆍ'는 우리나라의 이곳저곳에서 다양한 형태로 소리가 변화하면서 지역 간의 차이를 만들어 냈다. 언어가 시간이 지남에 따라 소리의 변화를 겪는 것은 당연한 일이다. 우리 삶도 마찬가지다. 나이가 들면 생각도 마음도 달라지기 마련이다. 언어가 그 변화에 순응해서 지금껏 살아왔던 것처럼, 필자도 세상의 변화에 순응하면서 남은 삶을 살아 볼 생각이다.

무두태

ㅅ ㅇ ㅁ

#망태 #간태 #깡태 #멩태 #코다리

황태를 만들 때 머리가 없어진 것은 **무두태라고** 해.

'무두태'는 경기 지역에서 쓰이는 말로 '머리 없이 몸통만 말린 명태'를 뜻한다. '무두태'는 한자어 '無頭太'에서 유래한 말로 뜻 그대로 '머리가 없는 명태'이다. 명태는 우리 민족에게 참으로 익숙한 먹거리이다. 우리네 집 밥상에도 잔칫집에도 초상집에도 빠지지 않는 음식 재료이다. 명태탕, 명태찜, 생태찌개, 명태식해를 만들 수 있고 얼리면 동태탕, 동태찜, 동태찌개를 만들 수 있다.

ㅇ ㅅ ㅁ

어머니와 명태 김치

김장철에 어머니는 버무린 김치를 김장독에 채워 넣을 때마다 명태를 한 토막씩 차곡차곡 얹었다. 그리고 그 명태가 곰삭을 때쯤 명태를 한 토막씩 꺼내서 손으로 쭉쭉 찢어 드셨다. 필자의 밥숟가락에도 명태를 올려 주셨는데 항상 질겁하며 뿌리쳤다. 그러면 어머니는 필자를 바라보며 피식 웃으셨다.

명태 김치는 땅에 묻으면 약 60일, 상온에서는 약 40일을 익혀야 살이 삭아 맛나다. 어머니는 그 시간을 기다리며 필자도 맛있게 먹는 모습을 상상했을지 모른다. 그런데 밥 위에 명태를 올려 주면 질겁하니 서운하면서도 그런 필자의 모습이 귀여워 웃으신 건 아닐까. 지금은 필자에게 애써 명태 김치를 먹이려는 그 시절 어머니의 모습도 질겁하며 명태 김치를 한사코 먹지 않으려고 했던 어린 시절 필자의 모습도 그리울 따름이다.

김치도 방언과 비슷한 점이 있다. 명태 김치처럼 지역의 특성을 살린 김치가 있다는 것이다. 황해도에서는 고수로 김치를 담그고, 경상도에서는 꽁치 젓갈로 김치를 담그기도 한다. 음식과 방언에 각 지역의 문화와 정서가 담긴 이유는 일상 속에서 자연스레 자취를 남기려 했기 때문 아닐까. 명태 김치에 들어가는 재료 값이 워낙 비싸 식당에서는 보기 어려운 귀한 김치를 그 시절에는 왜 그리 먹기 싫어했는지 모르겠다.

'명태'의 방언들

망태(함남), 조태(함남)

간태(강원)

깡태(경기), 무두태(경기), 코다리(강원, 경북, 전라), 통태(경기)

멩태(경상, 전라, 제주, 평안, 함경), 며태(함북), 밍태(경상, 전라, 중국)

막물태(함남)

더덕(경기), 선태(동해안)

은어받이(함남)

애기태(함남), 애태(함남)

함남 지역에서 쓰이는 '망태'와 '조태'는 명태를 잡는 방식을 나타내는 말이다. '망태'는 '그물로 잡은 명태'를, '조태'는 '낚시로 잡은 명태'를 가리킨다. '망태'와 '조태'가 명태를 잡는 방식을 이르는 말이라면, '간태'는 명태가 잡히는 장소를 가리키는 말이다. '간태'는 '강원도 동해와 간성 사이의 연안 바다에서 잡히는 명태'를 말한다.

'깡태, 무두태, 코다리'는 모두 명태를 말린 상태를 이르는 말이다. '깡태'는 경기 지역에서 쓰이는 말로 '바짝 말라서 너무 딱딱해진 명태'를 뜻한다. '낙태' 역시 경기 지역에서 쓰이는 말로 '말리는 과정에서 땅에 떨어진 명태'를 가리킨다. '코다리'는 강원과 경북, 전라 지역에서 쓰이는 말인데 '반건조 명태'를 이른다.

○ ∧ □

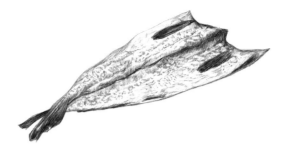

● '깡태, 무두태, 코다리'는 모두 명태를 말린 상태를 이르는 말이다.

입이 꿉꿉할(궁금할) 땐, 꾸덕꾸덕한 **코다리르** 칼루 삐제서 초고치장에 찍어 먹으문 그기 젤이야.

우리 남진이는(남편은) **조태르** 하라 갔수다.

'멩태, 며태, 밍태'는 모두 '명태'에서 소리가 변화한 말이다. '멩태'는 '명태'가 변한 말인데, 시골 어르신들이 '면사무소'를 '멘사무소'로 '면장'을 '멘장'이라고 발음하는 것과 같은 소리의 변화를 거쳤다. '멘장'은 역사적으로 '면장>멘장>멘장'과 같은 소리의 변화를 겪은 것이다. 함북 지역에서 쓰이는 '며태'는 '명태'의 'ㅇ'이 탈락한 형태이고 '밍태'는 멩태가 변한 말이다. '세상'을 '시상', '셋'을 '싯'과 같이 발음하는 것과 같은 변화이다.

멩태가 칼티보다 많이 싸다우.

밍태레 많으문 좀 갯다 달라우.

'막물태'는 '막물'과 '태'가 결합된 말인데 '막물'은 '과일, 푸성귀, 해산물 따위에서 그해의 맨 나중에 나는 것'을 뜻한다. 따라서 '막물태'는 '명태잡이 철에 가장 마지막에 잡힌 명태'를 뜻한다. '더덕'과 '선태'는 명태의 상태를 나타내는 말이다. '더덕'은 경기 지역에서 쓰이는 말로 황태를 더덕의 살에 비유한 것이다. '선태'는 주로 동해안 지역에서 쓰이는 말로 '갓 잡은 심심한 명태'를 뜻한다.

'은어받이'는 함경남도 어부들이 '도루묵 떼를 쫓는 명태'를 이르는 말이다. '애기태, 애태'는 모두 함남 지역에서 쓰이는 말이다. '애기태'는 '어린 명태'를 뜻하는 '아기태'의 방언이며 '애태'는 '애기태'의 준말이다.

'명태'의 다른 이름들은 그것이 만들어진 배경이나 상황에 따라서 아주 다양하게 나타난다. 우리 민족의 표현력이 얼마나 뛰어난지를 여실히 보여 주는 것 중의 하나가 '명태'의 방언형들이다.

조
코
배
기

ㅅ ㅇ ㅁ

#깊시기 #덮신 #딮세기 #마컬레 #볏딮신 #몍신 #털멩이

이런 데서 일할 때나 아무 때나 막 신는 짚신을 **조코배기라구** 그래.

막짚시기가 **조코배기야.**

'조코배기'는 경기 지역에서 쓰이는 말로 일반 짚신이 아니라 집에서 아무렇게나 막 신는 짚신이다. 그러나 그 말바탕이 어디서부터 시작되었는지는 짐작하기조차 어렵다.

겨울밤에 꼬았던 새끼

필자는 지금까지 짚신을 신어 본 적이 없다. 그러나 필자가 어렸을 때, 동네 초상집 상주들은 모두 짚신을 신었다. 짚신은 새끼줄을 가늘게 꼬아서 만든다. 어린 시절 필자는 아버지를 따라 새끼도 꼬아 봤고, 나래(이엉)도 엮어 보았다. 아버지가 나래를 계속 엮어 쌓으면 필자는 맨 끝에서 나래를 끌어당기고 둥글게 감았다. 그리고 다시 자리로 돌아와 나래를 엮기 시작했다. 새끼는 일정한 굵기로 꼬는 것이 관건이다. 나래를 엮고 난 윗부분도 일정한 길이로 남아 있어야 한다. 그렇게 엮은 나래는 필자가 살던 초가집의 지붕을 이는 데 쓰였다.

겨울밤이면 아버지는 윗방에서 밤새 새끼를 꼬곤 하셨다. 여름에 쓸 새끼를 미리미리 준비하시는 것이었다. 필자도 옆에 앉아서 따라해 보았지만 아버지를 따라가기는 역부족이었다. 필자가 꼰 새끼는 굵기가 일정하지도 않았고, 여기저기 짚 꼬투리가 삐죽삐죽 삐져나와 있었다. 그래도 아버지는 필자가 대견하신 듯 묵묵히 바라보곤 하셨다.

'짚신'의 방언들

짚은 일상에서 꼭 필요한 물건이었다. 아마 사극에서 짚신을 신은 평민의 모습이나 투박한 초가집이 쉽게 떠오를 것이다. 특히 짚신은 생필품이었다. 밭일을 할 때나 먼 길을 떠날 때면 짚신을 신어야 했기 때문이다. 짚신의 방언은 매우 다채롭게 나타난다.

깊시기(전북)

덦신(자강, 평안), 딮시니(중국), 딮신(평안, 함북), 모개신(함남), 지푸락신(전남), 찍신(제주)

딮세기(평안, 중국), 짚서기(강원, 충북), 짚세기(강원, 경기, 경북, 자강, 전라, 충청, 평안, 함남, 황해, 중국), 짚시기(경남), 짚석(전남)

마컬레(자강, 평안), 막투리(황해), 머커리(함북), 머쿠리(함북), 머투리(함북), 메커리(함북), 메컬레(함남), 메투리(함북), 며게리(함북), 며커리(함북, 중국), 며크리(함북), 미커리(함북)

벳딮신(평북), 벳짚신(강원, 함남)

멱신(중국), 메신(경상), 미신(경상), 멕시니(중국), 멱시니(중국)

사신(함북)

조코배기(경기)

초신(강원, 제주)

털멩이(전남), 톨멩이(전남)

'깊시기'는 전북 지역에서만 조사된 말이다. 이는 '길'이 '질', '기둥'이 '지둥'으로 소리 변화를 겪었던 것처럼 '짚시기'도 '깊시기'에서 소리가 변화했다는 인식에서 만들어진 말이다. 다시 말해서

'짚신'의 다른 말 '짚시기'의 원래 형태를 '깊시기'로 인식한 것이다.

깊시기 한 커리 삼을라문 시간이 많이 들제.

'덮신'은 '딮신'이 변한 말이고 '딮신'은 '딮'과 '신'이 결합된 말이다. '딮(《법화경언해》)'은 '짚'의 옛말이다. 평안도는 'ㅣ' 모음 앞에서 'ㄷ'이 'ㅈ'으로 변하지 않은 유일한 곳이다. 가령 '둏다>좋다^者', '디다>지다^落'와 같은 변화를 경험하지 않은 말이 평안도 말이다. 중국의 조선족 언어사회에서 쓰이는 '딮시니'는 '딮신'과 '-이'가 결합된 것이다. '모개신'은 함남 지역에서 쓰이는 말이며 '모개'는 '벼 이삭'을 뜻한다. '지푸락신'은 전남 지역에서 쓰이는 말로 '지푸락'과 '신'이 결합된 말이다. '지푸락'은 '지푸라기'의 다른 말로 전라도와 중국의 조선족 언어사회에서 쓰이는 말이다.

옛날엔 **지푸락으로** 지붕도 올리고, 소밥도 주고, 신도 만들고……
많이 했제.

우리는 인명을 해치지도 않거니와, 살림은 **지푸락** 하나도 손대지 않는다우.
_문순태,《타오르는 강》

제주 지역에서만 쓰이는 '찍신'은 '찍'과 '신'이 결합된 말이다. '찍'은 '짚'의 제주말이다. '마컬레, 막투리, 머커리, 머쿠리, 머투리,

메커리, 메컬레, 며게리, 며커리, 며크리, 미커리'는 주로 함경도 지역에서 쓰이는 말이다. 이들은 '짚신'이라는 뜻을 갖기도 하지만 '미투리'라는 뜻으로도 쓰인다. 이들은 모두 짚으로 날을 촘촘히 걸어서 만든 그릇의 하나인 '멱'과 그것이 변한 말들인 '막, 먹, 막, 몀, 멕, 믹'과 '-어리'가 결합된 말이 소리의 변화를 겪은 것이다.

'벳딮신'은 평북 지역에서, '벳짚신'은 강원도와 함남 지역에서 쓰이는 말이다. '딮세기, 짚서기, 짚세기, 짚시기, 짚석'은 아주 다양한 지역에서 쓰인다. '딮세기'는 평안도와 중국의 조선족 언어사회에서 쓰이는 말로, '딮석'과 '-이'가 결합된 것으로 보인다. 그런데 아직 '딮석'에 대해서는 조사된 바가 없다. '짚서기, 짚세기, 짚시기'는 모두 '짚석'과 '-이'가 결합된 '짚서기'가 소리의 변화를 겪은 말들이다. '짚서기'가 '짚세기'로 변화한 것은 '어미'를 '에미'라고 발음하는 것과 같다. '짚세기'가 '짚시기'로 변한 것은 흔히 '세상'을 '시상'으로 발음하는 것과 같은 소리의 변화이다.

　'멱신, 메신, 미신, 멕시니, 멱시니'는 경상도와 중국의 조선족 언어사회에서 쓰이는 말로 '멱신'은 '멱'과 '신'이 결합된 말이다. 경남 지역에서 쓰이는 '메신'은 '멱신>멕신>메신'과 같은 변화를 거친 말이다. '미신'은 '메신'이 변한 말이다. '멕시니'와 '멱시니'는 '멕신'과 '멱신'에 '-이'가 다시 결합된 것이다. '멱신'은 '짚이나 삼 등으로 멱서리처럼 결어서 만든 신'이기도 하다. 함북 지역에서 쓰이는 '사신'은 '사'와 '신'이 결합된 것이다. 이때 '사'는 볏과 식물을 통틀어 이르는 말인 '새'에서 온 말이다.

　'초신'은 한자어 '草'와 '신'이 결합된 말로 강원도와 제주도 지역에서 쓰인다. 전남 지역에서 쓰이는 '털멩이'와 '톨멩이'는 '털'과 '멩이'가 결합된 말이다. 이 두 방언은 '짚신'을 뜻하기도 하지만 '굵고 거칠게 삼은 짚신'을 뜻하는 '털메기'와 같은 말이기도 하다.

　　강청댁의 한쪽 발이 푹 빠지면서 나머지 한쪽 발이 허공에 뜨는 동시 밑빠진 **짚세기** 한 짝이 저만큼 나가떨어진다. 　_박경리,《토지》

　　기둥에는 피나무껍질과 벼짚을 섞어 삼은 **초신** 한 컬레가 걸려 있고 바줄들이는 나무틀이 웃방 앞에 놓여 있었다. 　_저자 미상,《초석》

　'짚신'의 방언들은 '짚'과 '멱', '새'가 결합된 형태로 나누어 볼 수 있다. '짚'이 결합된 형태는 '짚신'만을 뜻하지만, '멱'이 결합된 형태는 '짚신' 외에도 '미투리' 혹은 '멱신'의 뜻으로 쓰이기도 한다. '새'가 결합된 '사신<새신'은 '짚신'의 다른 말이기도 하지만 '새를 결어서 만든 신발'이라는 뜻도 가지고 있다.

우리나라의 짚 문화에는 우리 민족의 기쁨과 슬픔이 담겨 있다. 멍석, 덕석, 짚방석, 맷방석, 도래방석 같은 짚공예품들도 공산품으로 대체되지 말고, 오래도록 우리 곁에 함께하기를 바란다.

토끼치기

∧ ○ □

#자치기 #개고지 #꼬챙이치기 #꽁 #끄데이
#노리치 #도마래 #땅또치기 #똥따깨

겨울에 사내아들은 **토끼치기를** 하구 놀았지.

'토끼치기'는 주로 경기 지역에서 쓰이는 말로 '자치기'를 뜻한
다. '토끼'와 '치-' 그리고 '-기'가 결합된 말인데, 여기에서 '토끼'는
자치기 놀이를 할 때 쓰는 작은 막대를 뜻한다. '토끼'는 둥근 막대
기의 양 끝을 서로 반대 방향으로 비스듬하게 깎아 만든다. 긴 막대
기로 쳤을 때 튀어오르게 하기 위해서이다. 필자는 '토끼'를 '작은
자'라 불렀고, 이 '토끼'의 한 쪽을 때려서 튀어오르게 한 다음 쳐서

○ ∧ □

멀리 날려 보내는 긴 막대기를 '큰자'라고 불렀다. 경기도 지역에서 '토끼치기'의 '토끼'는 '큰자'로 '작은자'를 쳤을 때 튀어오르는 모습이 '토끼'와 닮아서 붙여진 이름인 것으로 보인다.

자치기 놀이

자치기 놀이를 하는 방법은 두 가지다. 물론 지역마다 더 다양할 수도 있지만 필자의 고향에서는 그랬다. 우선 자치기를 시작하기 전에 목표를 정한다. 500자 내기라고 하면 '작은자'가 날아간 거리가 '큰자'로 총 500자 이상을 먼저 내는 편이 이기는 것이다.

자치기 놀이의 한 방법은 '작은자'의 한 끝을 축으로 하여 원을 그린 다음, 원 바깥에서 허리를 곧추세우고 '작은자'를 허리 높이에서 원 안으로 떨어뜨리는 것이다. 어떤 녀석들은 얍삽하게 다리를 살짝 굽히고 떨어뜨려 보기도 하지만, 매번 걸려서 다시 떨어뜨리곤 했다. 원 안에 '작은자'가 온전히 들어가 있으면 '큰자'로 '작은자'를 세 번 때려서 '작은자'를 날려 보낼 수 있다.

'작은자'가 원의 금에 닿았을 때 몇 번을 칠 수 있는지는 경우에 따라 다르다. '작은자'의 반 이상이 원 안에 들어와 있으면 두 번, 반 이상이 원 밖으로 나가 있으면 단 한 번밖에 기회가 주어지지 않는다. 몇 번을 치든 '작은자'가 날아간 거리가 점수가 된다. 날아간 거리는 보통 '큰자'로 잰다. 이렇게 원을 그려 놓고 하는 일반적인 방법을 '자치기'라고 했다.

　또 다른 자치기 놀이 방법은 공격과 수비가 편을 갈라서 하는 것이다. 먼저 땅바닥에 가로선을 길게 긋고, 그 선의 가운데 지점에 세로로 15센티미터 정도의 홈을 판다. 물론 이 홈에는 '큰자'의 가는 한쪽 끝이 들어갈 수 있어야 한다. 그래서 이렇게 하는 방법의 자치기는 '구멍 자치기' 또는 '구멍치기'라고 불렀다. 전남 지역에서는 이 자치기를 '십자 자치기' 혹은 '십자치기'라고도 한다. '작은자'가 홈에 걸쳐 있는 모습이 마치 십자가와 같아서 붙여진 이름으로 보인다.

　이렇게 자치기 놀이가 준비되면 가위바위보로 편을 나눈다. 이긴 편이 먼저 공격하고 진 편이 수비를 한다. 공격 방법은 순서에 따라 4가지가 있다.

　첫 번째 방법은 '구멍 뜨기'이다. 그냥 '뜨기'라고도 한다. 파 놓은 홈에 '작은자'를 열십자가 되게 올려 놓은 다음, 그 밑으로 '큰자'를 넣어 퍼 던지면 된다. 가능한 한 멀리 날아가야 한다. 이때 수비하는 편에서 '작은자'가 땅에 떨어지기 전에 손으로 잡으면 상대방은 아웃이다. 그리고 땅에 떨어지면 공격 편은 '큰자'를 파인 홈과 나란히 놓아두면 된다. 그러면 수비 편에서 '작은자'가 떨어진 지점에서 '작은자'를 던져 '큰자'를 맞히면 공격 편에서 공격을 했던 사람은 아웃이 된다. 공격 편이 모두 아웃이 되면 공수가 바뀐다.

　두 번째 방법은 '한손잽이'이다. '한손잽이'는 '큰자'와 '작은자'를 한꺼번에 들고 있다가 그중 '작은자'만을 공중으로 던져 올린 다

〇 ∧ □

음, 땅바닥에 떨어지기 전에 '큰자'로 쳐서 멀리 날려 보내면 된다.

　　세 번째 방법은 '팔랑개비'이다. '팔랑개비'는 한 손으로 '작은자'의 끝을 잡아 수평으로 한다. 그러고 나서 '작은자'의 손으로 잡지 않은 끝을 아래에서 위로 때려서 공중에서 '작은자'를 팔랑개비처럼 돌게 한 다음, 땅바닥에 떨어지기 전에 '큰자'로 때리면 된다.

　　'구멍자치기'의 마지막 방법은 '톡톡이'다. '작은자'를 톡톡 치면서 앞으로 걸어 나가다가 마지막 세 번째에 '작은자'를 좀 높이 들어 올려서 땅에 떨어지기 전에 '작은자'를 멀리 쳐내면 된다. '구멍자치기'에서 가장 어려운 방법이다.

'자치기'의 방언들

　　인기 예능 프로그램이었던 〈무한도전〉에서 게임을 하려고 편을 나누는 장면이 생각난다. 출연자들은 구호에 맞추어 손바닥과 손등 중 같은 것을 낸 사람끼리 편을 나누었다. 그런데 그 구호가 동네마다 달랐다. 한 사람은 "뒤집어라 엎어라", 다른 사람은 "데덴찌", 서로 자신의 동네에서 말했던 구호를 외치기 시작했다. 골목놀이도 마찬가지로 지역마다 부르는 이름과 방법이 서로 다르다. 자치기의 방언도 매우 다양하다.

　　개고지(전남), 개다리(전남), 개잡기(전남)

꼬쟁이치기(전남)

꽁(전남), 꽁매(전남), 뀡(전남)

노리치(전남)

도마래(경남)

땅꼬치기(전남), 땡꼬치기(전남), 땡꽁치기(전남)

똥따깨(전남)

뜰꽁(전남)

마때치기(경북), 막대치기(경남)

막대기야고(전남)

메뚜기놀이(황해)

메떼기치기(함북), 뫼뙤기치기(함북), 미떼기치기(강원 영동), 미띠기치기(강원 영동)

메뚜기치기(중국), 메뛰기치기(강원), 미뚜기치기(강원)

오독때기(평북), 오독띠기(황해)

자거리(경북)

자내기(전남)

자뜨기(전남)

자티기(함북), 잣대치기(경상, 전라, 충남), 재치기(경남, 전남, 함북)

잣대살이(전북)

장치기(전남), 짱치기(전남)

코따깨비(황해), 코째기(전남), 코치기(경남), 코팍기(전남), 코팝배기(전남)

○ ∧ □

토까이치기(경남), 토깐치기(경남), 토끼치기(경기), 토깡이놀이
(경남)

호독띠기(황해)

'개고지, 개다리, 개잡기'는 모두 전남 지역에서 쓰이는 말로
'구멍자치기'를 뜻한다. '개잡기'는 '개'와 '잡기'가 결합된 말이다. 즉
'개'를 잡는 놀이인 것이다. 이때 '개'는 '작은자'를 뜻한다. '개자'는
'개잡기'가 변한 말이다. '개고지'와 '개다리'는 '개'에 '고지'와 '다리'
가 각각 결합된 말인데, '고지'와 '다리'가 정확히 무엇을 뜻하는지
는 알 수가 없다. 전남 지역에서 쓰이는 '꼬쟁이치기'는 '꼬쟁이'와
'치기'가 결합된 말이다. '꼬쟁이'는 전남과 충북 지역에서 '작은자'
를 부르는 말이다.

  첨에 우리는 **개다리라** 그랬어.

  쏙소리(회오리바람)가 불어싸서 **꼬쟁이치기도** 못허겄다.

'꽁, 꿩, 꽁매'는 모두 전남 지역에서 쓰이는 말이다. '꽁'은 원래
자치기의 '큰자'로 '작은자'를 때리는 모양을 나타내는 말이었다가
점차 '자치기'라는 뜻으로 변한 것으로 보인다. '꿩'은 '꽁'이 변한 말
이며 '꽁매'는 '꽁'과 '매'가 결합된 말이다. 이때 '매'는 '막대기, 몽둥
이, 회초리 같은 것'을 의미하는 '매'와 같은 말이다.

'자티기'는 함북 지역에서 쓰이는 방언형으로 '자'와 동사 '티다'가 결합된 말이다. '티다'는 '치다'의 이전 형태로 용비어천가에서 그 쓰임을 찾아볼 수 있다. '자거리'는 경북 지역에서 쓰이는 다른 말로 '자'와 '거리'가 결합된 말이다. '자(자치기의 작은자)'를 쳐내서 거리를 재는 놀이라는 뜻이다. 전남 지역에서 쓰이는 '노치리', 경남 지역에서 쓰이는 '도마래' 역시 그 말바탕을 알 수가 없다.

'땅꼬치기, 땡꼬치기, 땡꽁치기'는 '작은자'를 뜻하는 '땅꼬, 땡꼬, 땡꽁'과 '치기'가 결합된 말이다. '똥따깨'는 전남 지역에서 쓰이는 '자치기'의 다른 말이며 '마때치기, 막대치기'는 경상도 지역에서 쓰이는 말이다. '뜰꽁'은 전남 지역에서 쓰이는 말로 모두 '구멍자치기'를 뜻한다. '뜨-'의 관형형 '뜰'에 '꽁'과 '장'이 각각 결합된 말이다.

머심아들은 **땡꽁치기**가 질로 재밌제.

꽁매럴 허다가 이마빡 깨끄러 묵은 놈들도 많았제. 마빡이서 피가 철철 흘러.

요즘 애들은 우리가 "**땅꼬치기** 했다"라고 말하믄 하나도 못 알아묵드만.

머스마들은 **마때치기** 하고 놀았제.

○ ∧ □

‘막대기야고’는 전남 지역에서 쓰이는 말로 참 재밌게 만들어진 말이다. ‘야고’는 전남 지역에서 쓰이는 ‘야구’의 다른 말이다. 야구에 공수가 있는 것처럼 구멍자치기에도 공수의 진형이 있다. 타수가 친 공을 수비수가 땅에 떨어지기 전에 잡으면 타수는 아웃이 된다. 구멍자치기도 마찬가지이다. 막대기야고는 이런 공통점을 찾아 만들어진 재치 있는 말이다.

‘메뚜기놀이’는 ‘메뚜기’와 ‘놀이’가 결합된 말로 ‘메뚜기’는 우리가 흔히 알고 있는 곤충이 맞다. 다만 ‘메뚜기놀이’에서 ‘메뚜기’는 ‘작은자’를 뜻한다. ‘메떼기치기, 뫼뛰기치기, 미떼기치기, 미띠기치기’는 주로 강원 영동과 함북 지역에서 쓰이는 말로, ‘메떼기, 뫼뛰기, 미떼기, 미띠기’가 ‘치기’와 결합된 말이다. 이들은 모두 ‘메뚜기’의 옛말 ‘묏도기(《훈몽자회》)’가 변한 말이다. 즉 ‘묏도기>뫼또기>뫼뛰기>(뫼떼기)>(메떼기)>미떼기>미띠기’와 같은 소리의 변화를 겪으며 생겨난 말이다.

강원과 조선족 동포의 언어사회에서 쓰이는 ‘메뚜기치기, 메뛰기치기, 미뚜기치기’는 ‘메뚜기’와 ‘치기’가 결합된 말이다. ‘메뛰기치기’와 ‘미뚜기치기’는 ‘메뚜기치기’가 소리의 변화를 겪은 말이다. ‘메뚜기>메뛰기’와 같은 변화는 마치 ‘죽이다’를 ‘쥑이다’, ‘주인’을 ‘쥐인’이라고 발음하는 것과 같은 소리의 변화이다.

평북과 황해 지역에서 쓰이는 ‘오독때기’와 ‘오독띠기’의 ‘오독’은 자치기의 ‘작은자’를 뜻하는 말이다. 다만 ‘오독’의 형태로만 자치기의 ‘작은자’로 조사된 바는 없다. ‘오독때기’의 ‘때-’와 ‘-기’가 결합된 말로 '때다'는 '때리다'의 다른 말이다. '오독때기'는 '오독'을 때리는 것, 곧 '자치기'를 뜻하는 다른 말이다. 경북 지역에서 쓰이는 '자거리'는 '자'와 '거리'가 합쳐진 말로, 원래 '자가 날아간 거리'를 나타내는 말이었던 것으로 짐작된다.

　'자내기'는 전남 지역에서 쓰이는 말인데 '자'와 '내기'가 결합된 말이다. '작은자'가 날아간 거리를 '큰자'로 재서 승부를 내는 놀이라는 뜻을 함축적으로 담아낸 말이 '자내기'이다. '자뜨기' 또한 전남 지역에서 쓰이는 말로 '자'와 '뜨기'가 결합된 말이다. '뜨기'는 '뜨-'와 '-기'가 결합된 말이므로 '자뜨기'는 '구멍자치기'를 뜻한다.

　'자티기, 잣대치기, 재치기'는 '자치기'와 말이 만들어진 방식이 같다. 함북 지역에서 쓰이는 '자티기'는 '자'와 '티기'가 결합된 말이다. '티기'는 '티-'와 명사를 만드는 말 '-기'가 결합된 것이다. '티다(《용비어천가》)'는 '치다'의 옛말이다. '잣대치기'는 '자' 대신에 '잣대'가 결합된 말이며, '재치기'는 '자치기'가 소리의 변화를 거친 말이다.

　'잣대살이'는 전북 지역에서 쓰이는 말로 '잣대'와 '살이'가 결합된 것이다. 이때 '살이'는 '놀이'의 다른 말이다. '장치기'와 '짱치기'는 전남 남해안 도서 지역인 완도와 진도에서 쓰는 말이다. '장치기'는 '장'과 '치기'가 결합된 말로 '장'은 '작은자'를 뜻한다. '장치기'가 '짱치기'로 변화된 것은 예삿소리가 된소리로 바뀐 것이다. 이러한 현상은 국어에서 흔히 일어난다.

○ ∧ □

어릿을 때야 놀 것이 없응개 **잣대살이랑** 팔방 같은 거 허구 놀았지.

　'코따깨비, 코째기, 코치기'의 '코'도 자치기의 '작은자'를 뜻하는 말로 보이지만 조사된 예는 없다. '코째기, 코치기' 등의 조어 상태로만 보면, 아마도 '코'는 '작은자'의 양쪽 끝에 비스듬하게 깎여진 부분을 뜻하는 것으로 보인다. '토까이치기, 토깐치기, 토끼치기, 토깡이놀이'는 경기 지역에서 쓰이는 '토끼치기'를 제외하면 모두 '토끼'의 다른 말 '토까이, 토깐, 퇴끼, 토깡이'와 '치기' 혹은 '놀이'가 결합된 말로 자치기의 '작은자'를 뜻한다. 물론 이 말들은 '토끼'의 다른 말이기도 하다.

　황해 지역에서 쓰이는 '호독띠기'는 '호독'과 '띠기'가 결합된 말인데, '호독'은 아직까지 조사된 적이 없는 말이다. '호독띠기'가 '자치기'를 뜻하는 말이므로 단순히 '호독'이 자치기의 '작은자'를 뜻한다고 추정할 뿐이다.

　이젠 자치기를 하며 노는 아이들의 모습은 거의 볼 수 없다. 어쩌면 당연한 일일지도 모른다. 핸드폰만 켜도 자치기보다 더 재미있는 게임이 얼마나 많은데 굳이 추운 바깥에서 그런 놀이를 할까. 그래도 자치기를 하는 아이들이 없어 아쉬운 마음이 드는 걸 보면 필자도 어쩔 수 없는 '꼰대'가 되어 가고 있나 보다.

모
드
락
바
람

ᄉ ᄋ ᄆ

#구신바람 #기신바람 #달개바람 #도개바람
#돗겡이 #소소리바람 #호드락바람

모드락바람이 시게 불모 지붕도 날러간대이.

모드락바람이 불어 가 쓰레트가 날라갔다 하대이.

'모드락바람'은 경남 지역에서 쓰이는 말로 '회오리바람'과 같
은 말이다. '모드락바람'은 '모드락'과 '바람'이 결합된 말인데 '모드
락'이 정확히 무엇을 뜻하는지는 알 수 없다. 다만, '모여들다'의 방
언형인 '모들다'에 명사를 만드는 요소 '-악'이 결합된 것으로 보인

ᄋ ᄉ ᄆ

다. 따라서 '모드락바람'은 '모여든 바람'이다. '모드락바람'은 주로 봄이나 여름철에 많이 부는 바람이라고 한다.

회오리바람의 꼬리

용오름 현상도 일종의 회오리바람이 일으키는 현상인데, 회오리바람보다 그 규모가 훨씬 큰 경우를 나타내는 말이다. 보통 눈으로 전체 크기를 볼 수 있는 작은 규모의 현상만을 회오리바람이라고 한다. 미국 중남부 지역에서 일어나는 강력한 소용돌이 바람은 회오리바람이라 하지 않고 '토네이도'라고 부른다.

필자는 아직 지붕이 날아갈 정도의 회오리바람을 본 적은 없다. 그저 마당에서 일어나는 작은 회오리바람이나 그것보다 조금 더 강한 바람을 본 것이 전부였다. 동네에서 회오리바람이 불면 아이들은 그 바람을 따라다녔다. 필자도 회오리바람의 몸통 안으로 들어가 보고 싶어서 회오리바람을 열심히 따라가 본 적도 있다. 하지만 야속하게도 회오리바람은 기다려 주지 않고 눈앞에서 스러져 버렸다. 그러면 같이 빙빙 돌던 검부러기나 지푸라기도 땅바닥에 내려앉는다.

평소 바람은 느껴지지만 눈에 보이지도 손에 잡히지도 않는 것이었기에 회오리바람에 더욱 열광했는지도 모른다. 회오리바람의 꼬리를 손으로 잡는 상상의 나래를 펼치기도 했다.

'회오리바람'의 방언들

《표준국어대사전》에 '회오리바람'은 '갑자기 생긴 저기압 주변으로 한꺼번에 모여든 공기가 나선 모양으로 일으키는 선회旋回 운동'이라고 풀이되어 있다. '모여든 바람'의 뜻과 가장 잘 어울리는 말이 '모드락바람'이다. '회오리바람'의 방언은 바람의 특성을 살린 것이 많다.

구신바람(경상), 기신바람(경북)

달개바람(함북, 중국), 도개바람(경남, 중국), 도락바래미(카자흐스탄), 도래바람(경남), 돌개바라미(중국), 돌개바럼(함남, 중국), 돌개바르미(중국), 돌개바름(함북), 돌개바림(중국), 돌개보람(함북), 돌개보롬(함북), 돌개보로미(중국), 돌기바람(강원), 돌바람(경북), 돌캐바람(경북)

돗겡이(제주), 돗고이(제주), 돗공이(제주), 돗궁이(제주), 돗궤이(제주)

돗궹이바람(제주), 돗궹이주제(제주)

모드락바람(경남)

소소리바람(경상, 전라, 충청), 소수리바람(경남, 충남), 소스랑바람(전북), 소스래바람(경남), 소스르바람(경남), 소스리바람(충남), 소시락바람(경남), 소시랑바람(경남), 소시래바람(경남, 충남), 속소리바람(전남), 쇠소리바람(전북), 쇠수리바람(전북)

○ ∧ □

세바람(경북)

속소리(전라, 충북), 쏙소리(전남)

솔소리바람(전남), 쏠소리바람(경남)

송소리바람(경남), 송스리바람(경남, 중국)

술래바람(전남), 홀래바람(평안)

쌕쌔기바람(전남)

쏘시랭이(경남)

쏙서리바람(전남, 중국), 쏙소리바람(전남, 중국)

오드락바람(경남), 허더락바람(경상, 중국), 호도락바람(중국), 호두락바람(경상), 호드락바람(경상)

호두락파람(경북)

철바람(전남)

회호리바람(강원, 경북, 전북, 충청), 호이호리바람(충남)

헤루바람(경기, 중국), 헤리바람(경상), 헤에루바람(중국), 헤오리바람(경남), 호리바람(경남, 충청), 호에리바람(충청, 중국), 호이리바람(충남), 홰리바람(전남), 홰오리바람(함북), 회로바람(경기), 회리바람(강원, 경북, 충남, 황해), 회요리바람(충청), 회우리바람(경남), 훼리바람(경기), 휘리바람(충남), 히오리바람(경남, 충남)

호각바람(경남), 호데기바람(경북)

호더라기(경북), 호더래기(경북), 호두래기(경상), 호드래기(경남)

호부래기바람(경남)

홀때기바람(경상), 홀때이바람(경상)

후깨바람(경남)

갑자기 나타나서 갑자기 사라지는 '회오리바람'의 특성 때문에 붙여진 이름이 있다. '구신바람, 기신바람'이 그것이다. 이 말들은 모두 경상도 지역에서 쓰이는 말로 '귀신'의 다른 말 '구신'과 '기신'이 '바람'과 결합된 말이다.

'달개바람, 도개바람, 도락바래미, 도래바람, 돌개바름, 돌개보로미, 돌기바람, 돌바람, 돌캐바람, 돌개바라미'는 '돌개바람'의 다른 이름들이다. '돌개바람'은 '회오리바람'의 다른 이름이다. 함북 지역이나 조선족 언어사회에서 쓰이는 '달개바람'은 '돌개바람'이 변한 말이다. 경남 지역과 조선족 언어사회에서 쓰이는 '도개바람'은 '돌개바람'의 'ㄹ'이 탈락한 형태이다.

들에 일하다가 **구신바람이** 불어가아꼬 한 자나 날리잇단다.

달개바람 불 때는 기관지 조심하오.

카자흐스탄의 고려인들이 쓰는 '도락바래미'는 '도락'과 '바래미'가 결합된 말인데, '도락'은 '돌-'과 명사를 만드는 요소인 '-악'이 결합된 말이다. '바래미'는 '바람'과 '-이'가 결합된 '바라미'가 변한 말인데, 마치 '호랑이'가 '호랭이'로 '학교'가 '핵교'로 소리의 변화를 거친 것과 같은 현상이다. 경남 지역에서 쓰이는 '도래바람'은 '돌-'

○ ∧ □

과 명사를 만드는 말 '-애'가 결합된 '도래'가 '바람'과 결합된 말이다. 함남 지역과 조선족 언어사회에서 쓰이는 '돌개바럼'과 '돌개바림'은 모두 '돌개바름'이 변한 말이다. '바름'은 'ᄇᆞᄅᆞᆷ(《용비어천가》)'의 'ᆞ'가 1음절에서는 'ㅏ'로, 2음절에서는 'ㅡ'로 소리의 변화를 거친 것이다.

함북 지역에서 쓰이는 '돌개보람, 돌개보롬'은 'ᄇᆞᄅᆞᆷ'의 'ᆞ'가 사라지는 과정에서 '보람' 혹은 '보롬'으로 소리가 변화한 것이다. 조선족 언어사회에서 쓰이는 '돌개보로미'는 '돌개보롬'에 '-이'가 덧붙은 말이며, 강원 지역에서 쓰이는 '돌기바람'은 '돌-'과 명사를 만드는 '-기'가 결합된 '돌기'가 '바람'과 결합된 말이다. 경북 지역에서 쓰이는 '돌바람'은 '돌-'과 '바람'이 직접 결합된 말이며, '돌캐바람'은 '돌개바람'이 변한 말이다. 조선족 언어사회에서 쓰이는 '돌개바라미'는 '돌개바람'에 '-이'를 덧붙인 말이다.

'돗겡이, 돗고이, 돗공이, 돗궁이, 돗궤이'는 모두 제주 지역에서 '회오리바람'을 이르는 말이다. 이들 중 가장 기본이 되는 형태는 '돗공이'로 보이는데, '돗공이'의 말바탕이 무엇인지는 알 수가 없다. '돗겡이'는 '돗공이'가 '돗굉이>돗겡이'와 같이 변화한 것이며 '돗고이'는 '돗공이'의 'ㅇ'이 탈락된 형태이다. '돗궁이'는 '돗공이'가 변한 말이며 '돗궤이'는 '돗고이'가 변한 말이다. '돗겡이바람, 돗겡이주제'는 '돗겡이'에 '바람'과 '주제'가 각각 결합된 말인데, '주제'는 '비나 바람 등이 한 차례 오거나 부는 것을 세는 단위'를 나타내는 제주 지역어이다.

　'소수리바람, 소스랑바람, 소스래바람, 소스르바람, 소스리바람, 소시락바람, 소시랑바람, 소시래바람, 속소리바람, 쇠소리바람, 쇠수리바람'은 모두 '소소리바람'이 변화한 것이다. '소소리바람'은 '소소리'와 '바람'이 결합된 말이다. '소소리'는 '솟–'과 '오리'가 결합된 말이다. '소소리바람'의 말바탕은 '솟는 바람'이다.

　소소리바람이 불먼 눈을 꼭 깜아야 햐. 안 그러문 흑이 들어가서 눈이 아퍼유.

　소시락바람은 부는 데는 불고 안 부는 데는 안 분대이.

　밤인디도 양 낮이때맹이로 번개가 번쩍번쩍허고 **쇠소리바람이** 휘허니 불어댕게는 무솨서 잠이 안 와.

　경북 지역에서 유일하게 쓰이는 '세바람'은 '세'와 '바람'이 결합된 말이다. 이때 '세'는 '회오리'의 '회'와 같은 뜻이다. 'ㅎ'이 'ㅅ'으로 소리가 변화하는 현상은 국어에서 흔히 있는 일이다. 가령 '형'을 '성'이라고 한다든지, '힘'을 '심'이라고 하는 것과 같다. 다만, '형'과 '힘'은 소리가 변화를 겪을 수 있는 조건을 갖추고 있지만, '세바람'은 그런 조건을 갖추고 있지 않다. 'ㅎ'이 'ㅅ'으로 바뀌려면 뒤에 오는 모음이 'ㅣ, ㅑ, ㅕ, ㅛ, ㅠ'여야 한다.

○ ∧ □

갑자기 몰리오는 **세바람** 땜에 과일이 다 떨어져 뿄다.

'속소리'와 '쏙소리'는 전라, 충청 지역에서 쓰이는 말로, 그 말 바탕은 알 수가 없다. '쏙소리'는 '속소리'의 '속'이 된소리 '쏙'으로 변화한 것이다. '쏙서리바람, 쏙소리바람'은 모두 '쏙소리'와 '바람'이 결합된 말이다. '쏙서리바람'은 '쏙소리바람'의 두 번째에 있는 모음 'ㅗ'가 'ㅓ'로 바뀐 것이다.

'솔소리바람, 쏠소리바람'은 각각 전남과 경남 지역에서 쓰이는 말이다. '쏠소리바람'은 '솔소리바람'이 된소리로 바뀐 것이다. '송소리바람, 송스리바람'은 경남과 조선족 언어사회에서 쓰이는 말이며, '술래바람'은 전남 지역에서 '홀래바람'은 평안 지역에서 쓰이는 말이다. '술래바람'과 '홀래바람'은 회오리바람과 마치 술래잡기를 하듯 아이들이 따라다니는 모습을 형상화한 것이 아닌가 싶다. 전남 지역에서 쓰이는 '쌕쌔기바람'은 '쌕쌔기'와 '바람'이 결합된 말이다. 이때 '쌕쌔기'가 비행기를 뜻하는 말이라면 아마도 회오리바람이 불 때 나는 소리와 관련이 있을 것으로 보인다. '쏘시랭이'는 '쏫다(솟다)'의 관형형 '쏘실(<쏘슬<쏫을)'과 '-앙이'가 결합된 말이다.

밖에 지금 **송소리바람도** 불고 난리도 아입니더.

술래바람이 불면 동네 지붕 마람이 날리고 그래.

해마다 이때쯤에 **쏙소리바람이** 붕께 지붕 안 날라가게 조심해야제.

'오드락바람, 허더락바람, 호도락바람, 호두락바람'은 모두 '호드락'과 '바람'이 결합된 '호드락바람'에서 변화한 말들이다. 이 방언들은 경상도와 조선족 언어사회에서 쓰인다. '호드락'은 '호들갑'의 '호들'과 '-악'이 결합된 말로, 회오리바람이 가지고 있는 속성을 잘 드러내는 말이다. '오드락바람'은 '호드락바람'의 'ㅎ'이 탈락한 형태이며, '허더락바람, 호도락바람, 호두락바람'은 모두 '호드락바람'이 소리의 변화를 거친 말이다.

경북 지역에서 쓰이는 '호두락파람'은 '호두락'과 '파람'이 결합된 말이다. '파람'은 경북과 전북 지역에서 쓰이는 '바람'의 또 다른 이름이다. 전남 지역에서 쓰이는 '철바람'은 '철'과 '바람'이 결합된 말로, 회오리바람이 주로 봄여름에 불기 때문에 붙여진 이름으로 보인다.

비가 올라카모 **오드락바람이** 몰리오는 수가 있데이.

'회호리바람'은 '회오리바람'의 옛말 '회호리 ᄇᆞ람(《어록해語錄解》)'이 소리의 변화를 거친 것이다. 충남 지역에서 쓰이는 '호이리바람'은 '회호리바람'이 변화한 형태이다. '회'를 '호이'와 같이 발음하는 것은 충청도 말의 특징이다. 가령, '긔(게)'를 '그이'로 발음하는 것과 같다.

○ ∧ □

창섭昌燮의 머리는 다시금 **회호리바람에** 내여둘리는 듯하얏다.

호이리바람 때문에 빨래덜이 다 날아갔어유.

'헤루바람, 헤리바람, 헤에루바람, 헤오리바람, 호리바람, 호
에리바람, 호이리바람, 홰리바람, 홰오리바람, 회로바람, 회리바람,
회요리바람, 회우리바람, 훼리바람, 휘리바람, 히오리바람'은 '회오
리바람'이 소리의 변화를 거친 말들이다.

'호각바람, 호데기바람'은 모두 회오리바람이 불 때 나는 소리
와 관련된 말들이다. '호각바람'은 '호각'과 '바람'이 결합된 말이며
'호각'은 '호루라기'의 다른 이름이다. '호데기, 호디기'는 '봄철에 물
오른 버들가지 껍질이나 짤막한 밀짚 토막 같은 것으로 만든 피리'
인 '호드기'의 다른 말들이다. '호각바람, 호호데기바람'은 모두 회
오리바람이 불 때 나는 소리를 형상화한 말들이다.

날이 가물다가 **호각바람이** 불어서 엄니산에 올라가모 대분에 비
온다.

호데기바람에 집이고 나무고 다 날아가고 순식간에 쑥대밭이 됐으
니더.

'호더라기, 호더래기, 호두래기'는 모두 경상도 지역에서 쓰이는 말로, '호들'과 명사를 만드는 '-아기'가 결합된 '호드래기'가 변한 것이다. '호더라기, 호더래기, 호두래기, 호드래기'는 모두 '호드락바람'과 마찬가지로 갑작스럽게 부는 회오리바람을 형상화한 말이다. '홀때기바람'과 '홀때이바람'은 경상 지역에서 쓰이는 말로 '홀때기, 홀때이'는 '피리'의 다른 말이다. '쌕쌔기바람, 호각바람, 호드기바람'과 마찬가지로 회오리바람이 불 때 나는 소리를 형상화한 것이다. '후깨바람'은 경남 지역에서 쓰이는데 '후께'의 말바탕은 알 수가 없다.

홀때기바람 거기 쎄기 불모 지불땅몬댕이(용마루) 용머리가 다 날라 간다.

구얼달에 부는 **후깨바람은** 겁난다. 농사 절딴 다 낸다.

바람이 강하게 부는 날이면 종종 어린 시절이 떠오른다. 회오리바람이 불면 동네 아이들은 너 나 할 것 없이 회오리바람을 쫓아 달린다. 그 안에 무슨 보물이 숨겨진 것도 아닌데 왜 그렇게 쫓아다녔을까. 동심의 세계는 오롯이 그들만의 세계로 남아 있을 때 가장 아름다운 듯하다.

○ ∧ □

새
파
우

ㅅ ㅇ ㅁ

#사방구 #새배 #새뱅이 #쐐비 #쉐미
#사우 #생오 #새구 #즌새 #홍대

소금 깔고 **새파우** 얹어가 빠짝 꾸 무으모 젤로 맛나지러.

새파우가 크고 실한 기가 디게 신선태이.

'새파우'는 주로 경남 지역에서 쓰이는 '새우'의 다른 말이다. '새파우'는 새우의 다른 이름인 '새비'와 '사우'가 결합된 '새바우'가 '새파우'로 소리가 변화한 것이다. '새우'의 옛말은 '사비'(《훈민정음 해례》)'이다. '사비'의 'ㅸ(순경음비읍)'이 'ㅜ'로 바뀌면 '사위'가 '사위>

새위>새우'와 같이 변화해 '새우'가 된다. 'ᄫ'이 'ㅂ'으로 바뀌면 '사비'가 되고, 다시 '사비'가 변화하면 '새비'가 된다. '사비'가 '새비'로 바뀌는 것은 '남비'가 '냄비', '아비'가 '애비'로 바뀌는 것과 같은 현상이다.

'ᄫ'은 지역에 따라 모음 앞에서는 '오'나 '우'로 바뀌거나 그대로 'ㅂ'으로 남아 있기도 했다. '오'나 '우'로 바뀐 지역에서는 '고마워'와 같은 활용을 보이고, 그렇지 않은 지역에서는 '고맙어'와 같은 활용을 보인다. 경상도 지역에서는 'ᄫ'이 어떤 환경에서도 'ㅂ'으로 변했기 때문에 '고맙어, 춥어, 덥어'와 같이 정칙 활용을 하게 되었다.

다슬기와 징거미새우

어렸을 적 어머니를 따라 집에서 4킬로미터 정도 떨어져 있는 경천천으로 다슬기를 잡으러 가곤 했다. 한 손에는 물안경을 들고, 다른 한 손에는 다슬기를 담을 바가지를 들고 물속으로 들어갔다. 이때 물안경은 우리가 흔히 말하는 수영할 때 쓰는 물안경이 아니다. 7센티미터 정도 높이의 직사각형의 네모 상자로 아래쪽에는 투명한 유리가 달려 있었고 위쪽은 비어 있었다. 유리가 붙어 있는 아래쪽에는 안으로 물이 스며들지 않도록 촛농이 발라져 있었다. 이 물안경의 유리가 붙어 있는 쪽을 수면에 대고 물속을 들여다보면 바닥이 훤히 보였다. 물론 다슬기들도 선명하게 보였다. 그러면 고사리 같은 손으로 다슬기를 열심히 주워 담았다. 다슬기가 보이지 않을 때는 바닥의 돌을 뒤집으면 잠깐 흙먼지가 일다가 가라앉고, 뒤집은 돌 바닥에 붙어 있는 수 마리의 다슬기가 보였다.

경천천에는 새우 대신 징거미새우가 있었다. 이 징거미를 잡으려면 꽁무니 쪽에 손을 동그랗게 오므려 댄 다음, 징거미의 앞쪽에서 잡는 시늉을 하면 잽싸게 뒤로 솟구치며 손안으로 쏙 들어와 잡혔다. 그럴 때면 손안에 들어온 징거미가 행여 다시 빠져나갈까 봐 손을 더욱 오므리며 힘을 주곤 했다.

다슬기를 열심히 잡다가 해 질 무렵이 되면 어머니와 집으로 돌아왔다. 어머니는 두어 시간 해감을 한 뒤 된장을 풀어 다슬기를 삶았다. 어머니가 다슬기를 삶는 동안 잡아 온 징거미를 불에 구워 먹었다. 원래 징거미는 아주 진한 갈색인데 불에 구우면 빨간색이 된다. 그렇게 구운 징거미는 통째로 씹어 먹으면 맛이 굉장히 고소했다.

필자가 살아 있는 새우를 처음 본 것은 고등학교 때였다. 전주에서 40여 킬로미터 정도 떨어져 있는 필자의 고향에는 고등학교가 없었다. 그래서 고등학교에 다니려면 전주로 가야 했다. 전주에 있는 아주 큰 재래시장인 '중앙시장'에 가면 살아 있는 새우가 있었다. 팔딱팔딱 뛰는 새우가 눈길을 사로잡아 한참을 쳐다보곤 했다.

'새우'의 방언들

　　우리나라 곳곳에 '새우고개'라는 이름을 가진 지역이 있다. 지형이 마치 새우의 등처럼 굽어 있어서 붙은 이름이다. 몸을 바짝 웅크리고 옆으로 누워 자는 것을 '새우잠'이라고 한다. 새우가 들어간 속담으로 '고래 싸움에 새우 등 터진다('강한 자들의 싸움에 상관없는 약자가 중간에 끼어 피해를 본다'는 뜻)'는 말도 있다. 참 다양한 표현 속에 새우라는 말이 들어 있다. 우리의 말과 그 속에 담긴 정서를 풍성하게 해 주는 새우를 이르는 방언도 꽤 풍성하다.

　　간물가재(양강, 함경)
　　사방구(전북, 충청), 새방이(충청), 새배(경남), 새뱅이(전북), 새붕개(전북), 새비(강원, 경기, 경상, 전라, 충청, 평안, 함경, 중국), 새비랭이(충북), 새애비(경남), 새파우(경남), 쇄비(경상, 전라), 쉐비(경상, 전라), 시뱅이(경기, 충남), 쌔뱅이(경남), 쐐베(경북), 쐐비(경상, 중국), 쐬비(경상), 씨애비(경남)
　　쉐미(경북), 쌔미(평북, 중국), 쐐미(평북, 중국)
　　사우(경북, 제주), 사위(제주), 새(경남), 새오(강원, 경북), 새와(전남), 새우이(강원), 새우지(평안, 중국), 새웅개(전북, 충남), 새위(제주), 새이(강원, 경기), 생애(전북, 충남), 샤오(황해), 샤우(평남, 황해), 시우(평북), 쌔(경남), 쌔우(강원, 경상, 충청, 중국)
　　생오(강원, 경북, 충남), 생오지(평안, 중국), 생우(강원, 평안)

❷ 몸을 바짝 웅크리고 옆으로 누워 자는 것을 '새우잠'이라고 한다.

새구(경북), 새구지(경북), 생개(전북, 충남)
즌새(평북)
홍대(경남)

양강과 함경 지역에서 쓰이는 '간물가재'는 새우를 총칭하는
말이 아니다. '간물가재'는 간물에 사는 가재(새우)이다. '간물'은 바
닷물을 뜻한다. 따라서 '간물가재'는 바다에서 사는 새우이다. '사
방구, 새방이, 새배, 새뱅이, 새붕개, 새비, 새비랭이, 새애비, 새파
우, 쇄비, 쉐비, 시뱅이, 쌔뱅이, 쐐베, 쐐비, 쐬비, 씨애비'는 모두
'사비'를 포함하고 있는 말들이다. '쉐미, 쌔미, 쐐미'는 원래 '쉐비,
쌔비, 쐐비'였는데 'ㅂ'이 'ㅁ'으로 소리가 변화해 나타난 형태들로
보인다.
'사우, 사위, 새, 새오, 새와, 새우이, 새우지, 새웅개, 새위, 새이,

생애, 샤오, 샤우, 시우, 쌔, 쌔우'는 '사뷔'의 'ㅸ'이 '오'나 '우'로 바뀐 '새우'의 다른 이름들이다. '생오, 생오지, 생우'는 모두 '새오, 새오지(새우지), 새우'에 'ㅇ'이 첨가된 형태인데, 왜 'ㅇ'이 첨가됐는지는 알 수 없다.

'새구, 새구지, 생개'는 모두 '새우, 새우지, 생애'의 이전 형태이다. '새구'는 경북 지역에서 쓰이는 '새우'의 이전 형태이며, '새구지' 또한 경북 지역에서 쓰이는 말로 '새우지'의 이전 형태이다. '생개'는 전북과 충남 지역에서 쓰이는 '생애'의 이전 형태이다. '즌새'는 평북 지역에서 쓰이는 말로 그 말바탕은 알 수 없다. 경남 지역에서 쓰이는 '홍대'는 '홍紅'과 '대'가 결합된 말이다. 이때 '대'가 정확히 무엇을 뜻하는지는 알 수 없지만 아마도 '가늘고 긴 막대'를 뜻하는 것이 아닌가 싶다.

삼춘, **사위로도** 젓 담앙 먹엇수가(삼촌, 새우로도 젓 담가서 먹었습니까)?

새구는 불에 꾸우머넌 금방 뿕게 변하니더.

그 짝언 **새붕개** 좀 잡히능가?

새비랭이가 손바닥만큼 한 것두 있데.

○ ∧ □

말란 **새애비로** 갈아 갖고 국 끓일 때마장 한 숟가락썩 떠 넣어모 써언한 맛이 난다.

낮에는 소나무 가지를 벼서 물에 푹 당가 노먼 **새웅개가** 그 밑에 새까맣게 달라붙거던.

예전에 새우는 제사상에 오르는 탕국에서나 볼 수 있었다. 지금이야 양식이 되기 때문에 그렇게 귀한 음식은 아니다. 필자도 가끔 생새우구이를 먹으러 간다. 그중 전라북도 부안의 줄포에서 먹었던 생새우구이가 가장 기억에 남는다. 새우의 맛도 맛이지만 함께 먹었던 사람들과 그곳에서의 행복한 추억 덕분에 더 기억에 남는 것이리라. 꼭 생새우구이를 먹으러 가는 게 아니더라도 부안 줄포에 여행을 또 다녀오고 싶다.

쉐
우
리

ㅅ ㅇ ㅁ

#달롱 #댕구지 #정구지 #분추 #불구 #소불 #솔

느네 우영에 **쉐우리** 좋아서라(너의 텃밭에 부추로 좋았더라).

셋가시 인 딘 **쉐우리로** 막 문질르민 좋녠 하멍이(혓바늘 인 데는 부추로 마구 문지르면 좋다고 하면서).

　'쉐우리'는 제주 지역에서 쓰이는 말로 '부추'를 뜻한다. 그런데 '쉐우리'의 말바탕은 도무지 알 수가 없다. 제주에서 '쉐우리'는 '세우리'라고도 한다.

ㅇ ㅅ ㅁ

솔잎을 닮은 부추

시골집 텃밭에는 늘 상추, 부추, 고추, 어린 배추, 열무 등이 자라고 있었다. 끼니때가 되면 어머니는 무심하게 상추도 뜯고, 부추도 한 주먹 쓱 베고 풋고추도 몇 개 따 담았다. 마지막으로 여린 열무도 몇 포기 쑥쑥 뽑아 우물가로 가서 그것들을 손질하기 시작하면, 필자는 옆에서 열심히 우물물을 길었다.

어머니는 큰 양푼에 손질한 상추를 뚝뚝 손으로 뜯어 넣고, 칼로 베어 낸 부추도 무심하게 한 주먹 넣고, 어린 배추는 칼로 어슷어슷 썰어 넣고, 여린 열무는 손으로 뚝뚝 분질러서 넣었다. 그리고 보리밥을 한 양푼 넣고 고추장과 된장을 넣어 쓱쓱 비벼서 툭 던져 주셨다. 그러면 형, 누나, 동생 모두 달려들어 게 눈 감추듯 먹어 치웠다.

어렸을 적에 봤던 부추는 지금 시중에서 파는 부추와는 그 모양이 사뭇 달랐다. 어렸을 적 텃밭에서 자랐던 부추는 솔잎과 아주 비슷했다. 그래서 부추를 '솔'이라고 했는지는 알 수 없지만, 어쨌든 필자는 '부추'를 '솔'이라고 불렀다. 솔과 파는 필자가 어렸을 적 제일 싫어하는 채소 중의 하나였다. 김치에 파나 부추, 젓갈이 들어가면 김치를 아예 먹지 않았다. 그래서 어머니는 필자가 먹을 김치를 따로 담그셨다. 어머니에게는 정말 귀찮은 일이었겠지만 한 번도 귀찮아하거나 필자를 나무라지는 않으셨다.

　　사람은 머릿속에서 연상 작용을 하기 때문에 무의식적으로 비슷한 것을 떠올리곤 한다. 학생들은 시험공부를 하면서 비슷한 것끼리 묶어서 외우기도 하고, 아이들은 구름 모양을 보고 금세 닮을 동물을 찾아내기도 한다. 뾰족하고 가느다란 것이 마치 솔잎을 닮아서 필자의 고향 전북에서는 '솔'이라 불렀던 '부추'는 재미난 방언이 많다.

　　달롱(강원)

　　댕구지(경북), 덩구지(경북), 젱구지(경북), 전구지(강원, 경남), 정고지(경북, 중국), 정구디(중국), 정구지(경상, 전북, 충청, 함북), 정구치(경남)

　　부초(강원, 경기, 양강, 전북, 충청, 평안, 함남, 중국), 부치(충남, 함남), 푸초(평안, 함남, 중국), 푸추(강원, 경기)

　　분초(강원, 경북, 충북), 분추(강원), 푼추(평북)

　　불구(강원), 불기(함경)

　　부리(함경)

　　비자(경북)

　　불초(충남)

　　서쿨레이(중국), 섯쿠레(함북)

　　세우리(제주), 쉐우리(제주)

소불(전남, 충북), 소푸(경북), 소풀(경상)

술(경상, 전라), 졸(전북, 충청, 중국), 쫄(전북, 충북)

염시(카자흐스탄), 염지(함경, 카자흐스탄)

졸파(경기, 중국)

　　강원 지역에서 쓰이는 '부추'의 다른 이름은 '달롱'이다. '달롱'은 '달래'의 다른 이름이기도 하다. '댕구지, 덩구지, 젱구지, 전구지, 정고지, 정구디, 정구지, 정구치'는 모두 '정고지'가 변한 말이다. 물론 '덩구지'가 기본형이고, 이 '덩구지'가 변한 말들이라고 할 수 있다. '부치, 푸초, 푸추'는 모두 '부초'가 소리의 변화를 겪은 말이다. '부초'는 '부추'의 이전 형태로 추정된다. '분초, 분추, 푼추'는 모두 '부초, 부추, 푸추'에 'ㄴ'이 첨가된 형태인데, 'ㄴ'이 첨가된 이유는 알 수 없다. 마치 '까치'를 '깐치'라고 하는 것과 같은 소리의 변화이다.

　　달롱이 피로한 데 그래 좋다고 하데. 그니 많이 묵어야지.

　　덩구지 적을 꾸서 먹으만 맛있으니더.

　　분초 갖고 무치도 먹고 전도 해 먹고 마이 먹어.

　　'불기'는 '부리'의 이전 형태이다. '불기'에서 'ㄱ'이 탈락하면 '부리'가 된다. 가령, 강원, 경상, 전라, 평안, 자강, 함경, 황북 지역에서

● '쉐우리'는 제주 지역에서 쓰이는 말로 '부추'를 뜻한다.

쓰이는 '몰개'는 '모래'의 이전 형태이다. 경남 지역에서 쓰이는 '놀개'는 '노래'의 이전 형태이다. 경남, 함경, 중국, 카자흐스탄 지역에서 '술게'는 '수레'의 이전 형태이며 경북과 함경 지역에서 쓰이는 '놀구'는 '노루'의 이전 형태이다. 경북 지역에서는 '비자'가 '부추'의 또 다른 이름으로 쓰이고 있으며, 충남 지역에서는 '불초'가 '부추'를 대신하고 있다. 함북 지역이나 조선족 언어사회에서 쓰이는 '부추'의 다른 말은 '섯쿠레'와 '서쿨레이'다.

'소불, 소푸, 소풀'은 주로 경상, 전남, 충북 지역에서 쓰이는 말이다. 여기서 가장 기본적인 형태가 되는 말은 '소불'로 추정된다. '소풀'은 '소불'의 'ㅂ'이 'ㅍ'으로 바뀐 것으로, 마치 '혼자'가 '혼차', '병풍'이 '펭풍'으로 변화한 것과 같은 현상이다. '솔, 졸, 쫄'은 '소불'의 이전 형태로 추정되는 '소ᄫ'이 줄어든 말로 보인다. 'ㅿ'이 'ㅅ'으

○ ∧ □

로 바뀌고, 'ㅸ'이 '오'로 바뀌면 '소올'이 된다. 이 '소올'이 줄어든 말이 '솔'이다. '졸'은 'ㅿ'이 'ㅈ'으로 바뀌고 'ㅸ'이 '오'로 바뀌면 '조올'이 되고, 이 '조올'이 줄어들면 '졸'이 되는 것이다. '쫄'은 '졸'이 된소리로 소리가 변화된 것이다.

나 옛날에 그 **소불** 전 부쳐 놓은 것 참 잘 묵었는데 우리 소불밭에 소불이 있나?

텃밭에 **폴하구** 상추 같은 푸성가리 좀 심었어.

'염시, 염지'는 함경도와 카자흐스탄 고려인들이 쓰는 말이다. 가장 기본이 되는 형태는 '염지'로 보이며, 이것이 소리의 변화를 거친 형태가 '염시'이다. 경기와 조선족 언어사회에서 쓰이는 '졸파'는 '졸'과 '파'가 결합된 말이다.

여름 뒈민은 **세우리짐치**, 츠마기짐치 담앙 먹으니깐.

지금도 필자는 부추와 파를 잘 먹지 않는다. 부추에서 나는 고유한 향과 파를 씹었을 때 느껴지는 미끄덩한 느낌을 어렸을 때부터 싫어했다. 오랜 시간 굳은 이 식습관을 이제 와 바꾸기는 쉽지 않은 일인가 보다. 지금에 와서 부추나 파를 먹어 보려는 노력은 하지 않을 생각이다. 그저 입맛대로 먹고 살 생각이다.

올랫길

∧ ○ □

#올랫문 #정살낭 #어귓담 #산담 #밭담

마을 한복판에 있는 향사 옆에 키 큰 삼나무와 동백나무 들로 어우러진 **올래길로** 들어서면 종갓집이 있었다.

_현길언, 《죽음에 대한 몇 개의 삽화》

'올랫길'은 '올래'와 '길'이 합쳐진 말이다. '올래'는 표준어 '오래'와 같은 말이다('올레', '오래, 올래'는 다 같은 말). 제주 지역에서 쓰이는 '올랫길'은 '한 동네의 몇 집이 한 골목이나 한 이웃으로 되어 사는 구역 안' 또는 '거리에서 대문으로 통하는 좁은 길'을 뜻하는 말이다.

○ ∧ □

정겨움이 가득했던 집으로 가는 길

어릴 적 골목길은 동네 아이들의 놀이터였다. 아이들 노는 소리에 문을 열고 나가면 온 동네 아이들이 다 나와서 소리치고 뛰어놀았다. 지금 생각하면 참 정겨운 풍경들이다. 아마도 요즘 같았으면 아이들 소리에 시끄러워 민원이 끊이질 않았을 것이다. 그리고 언젠가부터 아파트가 하나둘씩 들어서면서 골목길도 하나둘씩 사라져 갔다.

아직도 필자에게 골목길은 어린 시절의 향수를 불러일으킨다. 어릴 때 집으로 가는 골목길은 정겨움과 행복, 설렘이 가득한 길이었다. 동네 어귀에 들어서면 저 멀리서 들려오는 아이들 노는 소리가 발걸음을 재촉했다. 집에 들어가지도 않고 책가방을 골목길 한 귀퉁이에 던져 놓고 놀다 보면 어느새 엄마가 "밥 먹으러 와"라고 큰 소리로 불렀다.

그렇게 골목길은 친구들과 더 놀고 싶은 아쉬움, 엄마의 목소리와 함께 실려 오는 맛있는 밥 짓는 냄새가 가득한 정겨운 곳이었다. 지금은 집집마다 문을 걸어 놓고 살지만, 그때는 온 동네 사람들이 다 알고 지내는 무서울 것 없는 세상이었다. 가끔은 동네 어르신들 만나 인사하느라 바쁘기도 했다. 혹여 안 보이는 친구가 있으면 그 친구 집 앞에 가서 "○○야, 놀~자"라고 큰 소리로 불러내서 같이 놀기도 했다.

언제 또 그 골목길의 정겨운 추억들과 그곳에서 함께 했던 친구들을 만날 수 있을까. 어쩌면 시대의 변화로 골목길은 점점 사라져 가지만, 요즘 아이들은 또 다른 골목길에서 유년의 정겨운 추억을 쌓고 있을지도 모른다.

제주의 방언들

거리에서 집으로 이어지는 작은 골목길인 '올랫길'을 제주도의 매력이 가득한 둘레길인 '올레길'과 헷갈려 할지도 모르겠다. 제주도의 일상 공간에는 내륙 지역에서는 볼 수 없는 것들이 많다. '올랫어귀'에는 '올랫문'이 설치되어 있다. 올랫문은 우리가 생각하는 그런 대문이 아니다. 보통의 대문은 출입을 통제하는 문이지만 올랫문은 출입을 통제하는 문이 아니다.

올랫어귀의 어귓담 양쪽에는 정주목이 설치되어 있다. '어귓담'은 '올랫길의 양옆에 쌓은 담'을 이른다. '정주목'은 '올랫어귀에 정낭이나 정살낭을 끼우기 위해 세운 돌기둥'이다. 이 돌기둥의 위쪽에는 정낭을 끼우기 위한 동그란 구멍이 뚫려 있다. '정낭(정살낭)'은 '올랫어귀에 대문 대신 정주목에 끼워 놓은 굵고 긴 막대기'이다. 정주목에 정낭을 끼워 놓으면 출입하지 말라는 의미가 아니다. 지금 집에는 사람이 없다는 것을 알리는 신호이다.

올랫문 엇인 집도 하 낫어(올랫문 없는 집도 많았지).

○ ∧ □

정살낭이 세 개 걸쳥 잇이믄 집주인이 엇인 거여(정살낭이 세 개 걸쳐 있으면 집주인이 없는 거야).

"사람이 있는 모양이네." 성팔은 **정주목이** 내려져 있는 것을 보고 는, 머뭇거리는 춘식의 등을 밀쳤다.   _현길언,《한라산》

올래가 한질이랑 통ㅎ민 **어귓담을** 엇갈령 세우곡 **어귓담** 머리엔 어귓돌을 놓앗주게(올래가 한길과 통하면 어귓담을 엇갈려서 세우고 어 귓담 머리에는 어귓돌을 놓았지).

제주도에 처음 갔을 때 돌담이 가장 인상적이었다. 집 주변이 아니어도 담이 있었다. '산담'과 '밭담'이 그것이다. 산담은 '무덤 주 위로 네모나거나 둥글게 돌려 쌓은 돌담'이다. '산담'과 같은 말은 '산잣'이다. 밭담은 '밭의 가장자리를 돌로 쌓은 돌담'이다. 밭의 경 계도 되고, 바람으로부터 농작물을 보호하기도 한다.

느네 밧디 보난 **산담** 우의 송악 하영 뻗어서라이(너의 밭에 보니까 산 담 위에 송악이 많이 뻗었더라).

영장날 **산담도** ᄀ치 헤 불젠 헴수다(장례식 날 산담도 같이 해 버리려 고 하고 있습니다).

영장 묻는 날 **산잣도** 허젠 헴수과(송장 묻는 날 산잣도 하려고 합니까)?

눈 아래 펼쳐진 밭들이 **밭담** 안에 얌전하게 들어앉아 있고, 여전히
방풍용 삼나무들이 요란스럽게 소리 내며 상체를 흔들고 있다.

_현길언,《한라산》

제주는 외출한 집주인이 언제 돌아오는지를 정낭으로 알리는
재치와 바람을 돌로 보호하는 지혜가 어우러진 매력적인 지역이다.

○ ∧ □

고
쿠
락

ㅅ ㅇ ㅁ

#강알 #고쿠라기 #구락쟁이 #굴묵
#궁게 #부삭 #부석막 #부석짝

겨우내 불을 때느라군 혔는디 **고쿠락이** 맥혀서 불질이 들어가지 않었내벼.

솥을 걸을라믄 똥고랗게 **고쿠락을** 맨들어야 하잖어.

'고쿠락'은 '아궁이'를 뜻하는 말로 충북 지역에서 쓰인다. '고쿠락'은 아마도 '예전에 관솔불을 올려놓으려고 벽에 뚫어 놓은 구멍'인 '고콜'과 '-악'이 결합된 것으로 보인다. '고콜'이나 '아궁이'는 모두 '불'과 관련이 있다는 점에서 서로 의미적 유사성을 갖는다.

맛있는 끼니를 책임졌던 아궁이

시골집 부엌에는 솥이 세 개 걸려 있었다. 그중 가장 큰 솥은 물 솥이었고, 중간 크기의 솥은 밥을 짓는 솥이었다. 가장 작은 솥에는 대개 국을 끓여 먹었다. 겨울날 저녁 무렵이면 어머니는 맨 먼저 물 솥 아궁이에 불을 지폈다. 그런 다음 중간 솥에 밥을 지으시고, 가장 작은 솥에 국을 끓이셨다. 이 중 물 솥에는 장작불을 지폈는데, 타고 남은 잉걸불은 밤새 방을 따뜻하게 해 주었다.

어머니가 끓여 주셨던 국 중에 냉이와 쑥을 넣은 된장국이 지금도 기억에 남는다. 어머니는 밭에서 손수 캐 오신 냉이와 쑥을 행여 흙이나 티가 남아 있을까 봐 씻고 또 씻으셨다. 그렇게 깨끗이 씻은 냉이와 쑥을 바구니에 올려 물기를 완전히 빼 두셨다.

그 후 우물가에 있는 장독대에서 된장과 고추장을 듬뿍 퍼다 작은 아궁이에 걸려 있는 국 솥에 물을 부은 다음, 된장을 풀고 연이어 고추장을 푸셨다. 고추장은 조금밖에 들어가지 않았다. 그렇게 풀어 놓은 장국이 끓기 시작하면, 어머니는 불이 붙어 있는 잔나뭇가지를 물 솥 아궁이로 옮기고 냉이를 넣으셨다. 그리고 장국이 한소끔 끓어오르면 마지막으로 쑥을 넣으셨다. 음식이 모두 완성되면 바가지에 물을 담아 아궁이에 있는 잉걸불도 마저 꺼 버리

○ ∧ □

● '고쿠락'은 '아궁이'를 뜻하는 말로 충북 지역에서 쓰인다.

셨다. 지금 생각해 보면 쑥의 향을 그대로 살리기 위한 어머니의 방법이었던 것 같다. 냉이 쑥국을 끓이는 데도 어머니는 식구들을 위해 정성을 다하셨다.

아궁이의 잉걸불에는 감자, 고구마, 옥수수도 구워 먹었는데, 뭐니 뭐니 해도 가장 좋아했던 것은 알밥이었다. 달걀을 먹고 남은 껍데기에 쌀을 넣고 물을 가득 채운 다음 진간장을 아주 조금만 넣고 잉걸불에 반만 묻는다. 그러면 조금 후에 보글보글 끓기 시작해 맛있는 알밥이 지어졌다. 다 된 알밥은 손을 호호 불어 가며 달걀 껍데기를 벗겨 내고 먹었다. 달콤하고 짭짤한 알밥은 지금도 가끔 생각난다.

'아궁이'의 방언들

　'아궁이'도 이제는 먼 추억 속의 말이 되었다. 요즘은 주거 형태가 대부분 아파트나 주택으로 바뀌어 아궁이를 사용할 일이 거의 없다. 주로 가스레인지나 인덕션을 사용한다. 아궁이를 사용할 일이 없어서인지, 그 많던 아궁이 방언들도 점차 줄고 있다.

　강알(제주)

　고쿠라기(충북), 고쿠락(충북), 고쿠래기(충북)

　구락쟁이(충남), 구럭지(충남)

　굴묵(제주, 충북)

　궁게(경북)

　부삽(경상, 전라), 부샆(전남), 부섭(경남, 전라)

　부삭(경남, 전라), 부석(경상, 전라, 충북), 부숙(함북), 부슥(경남)

　부샄(전라), 부섁(경상, 전라, 충북), 부숚(경상, 함북), 부슼(경남), 부싴(경상)

　벅(경기, 경북, 전북), 부억(경기, 경상, 전라, 충북, 황해, 중국), 부윽(경남), 부읔(경남), 붴(전북, 충북)

　부서깨(전남, 함경), 부수깨(경남, 전남, 함경, 카자흐스탄, 중국), 부숙깨(함북), 부스깨(경상, 함북), 부시캐(경북), 브스깨(함북)

　부석막(전남)

　부석짝(전라, 중국), 부섭짝(전남), 부숙짝(전남), 부억짝(전라, 충청)

○ ∧ □

부지(중국), 부직(경상), 부적(경상), 부젹(경상), 부즉(경남), 부짘
(경북)

아구이(경북, 충청)

아구녁(경기, 충남, 황해)

아구랭이(경북), 아구래이(경북)

아구리(경북, 충청, 평안)

아구지(경북), 아굼지(경기, 충청, 평남, 황해), 아궁지(강원, 경기, 충
청, 전남, 함북, 황해)

악재기(평북), 약지(평북)

아국재이(충남), 아국쟁이(강원, 경기, 충남, 평남, 황해), 아구쟁이
(충남), 아궁재이(충남)

'강알'은 제주 지역에서 쓰이는 말로 '솟강알'이라고도 한다. 그러나 '강알'의 말바탕이 무엇인지는 알 수가 없다. 주로 충청도 지역에서 쓰이는 '고쿠라기, 고쿠락, 고쿠래기'는 앞에서 이미 이야기했던 것처럼 '고쿨'과 '-아기, -락, -앙'이 결합된 말인데, 이들은 모두 명사를 만들어 내는 말들이다. 충남 지역에서 쓰이는 '구락쟁이, 구럭지'는 모두 '고래'를 뜻하는 '굴(<골)'과 '악쟁이, -억지'가 결합되었다. '악쟁이'는 '아가리'의 또 다른 말이며 '-억지'는 '작음'을 뜻한다. 따라서 '구락쟁이'는 '고래의 아가리'가 되는 곳, 곧 '아궁이'가 되는 것이다. '구럭지'는 '작은 고래'라는 뜻으로 '아궁이'를 뜻하게 된 것으로 보인다.

중솟 **강알에** 봅서(중솥 아궁이에 보시오).

게울에(겨울에) 너무 추문 **구럭지** 앞어서 불을 쬐구 그랬지유.

옛날언 **고쿠라기다가** 장작 때구 나문 그 숯불에다가 장 끓여서 먹었어.

즐기(겨울) 되믄 **구락쟁이가** 산이 나무를 다 먹어 뻐리는 식이지.

제주와 충북 지역에서 쓰이는 '굴묵'은 '고래'를 뜻하는 '굴'과 '묵'이 결합된 말이다. '묵'은 '통로 가운데 다른 곳으로는 빠져나갈 수 없는 중요하고 좁은 곳'이라는 뜻을 갖는 '목'이 소리의 변화를 겪은 것이다. '굴묵'은 곧 '고래로 들어가는 목'으로 '아궁이'를 뜻하는 말이다. 경북 지역에서 쓰이는 '궁게'는 원래 '구멍'이라는 뜻을 지닌 말인데 '궁게'에서 뜻이 변화한 것으로 보인다.

궁게에 군불 좀 떼라.

'부삽, 부샆, 부섭'은 모두 불을 뜻하는 '븢'과 '압, 앞, 업'이 결합된 말이다. 지금은 쓰이지 않는 말들이지만 '압, 앞, 업'은 모두 명사를 만들어 내는 말이었다. '부삭'이나 '부석'은 '부삽, 부섭'의 'ㅂ'이 소리의 변화를 겪은 것이다. 'ㅂ'이 'ㄱ'으로 소리가 변화하는 것은 국어에서 흔히 볼 수 있는 음운 현상이다. '거북'은 거북의 옛말인 '거붑(《석보상절》)'이 소리의 변화를 겪은 것이며, '북(타악기의 하나)'은 옛말 '붚(《석보상절》)'이 소리의 변화를 겪은 말이다(붚>붑>북).

아무리 없이 살어도 그러치, 적어도 **부석에** 땔 나무느 손수 해다 나야 델 거 애이가?

'부삭, 부석, 부숙, 부슥, 부식'은 '부삭, 부석, 부숙, 부슥'의 'ㄱ'이 모두 'ㅋ'으로 소리가 변화한 형태이다. '부억, 부윽, 부읔'은 '부석, 부슥, 부슥'에서 'ㅅ'이 탈락된 '아궁이'의 또 다른 말들이다. 경기, 경북, 전북 지역에서 주로 쓰이는 '벅'은 '부억'이 줄어든 형태이며 전북, 충북 지역에서 쓰이는 '븩'은 '부엌'이 줄어든 말이다.

정지에 가서 **벅에** 나무를 넣고 불이 피웠지.

'부서깨, 부수깨, 부숙깨, 부스깨, 부시캐, 브스깨'는 모두 '부석, 부숙, 부슥'과 '-깨'가 결합된 것이다. '-깨'는 '그때 또는 그 장소에서 가까운 범위'의 뜻을 더하는 말 '-께'가 소리의 변화를 겪은 것으로 보인다. '부스깨'는 '부수깨'나 '부서깨'가 소리의 변화를 겪은 말이다. 경북 지역에서 쓰이는 '부시캐'나 함북 지역에서 쓰이는 '브스깨'는 '부수깨'나 '부서깨'가 소리의 변화를 겪은 말이다. 전남 지역에서 쓰이는 '부석막'은 '부석'과 '그렇게 된 곳'이라는 뜻을 더하는

'-막'이 결합된 말이다.

전에는 석탄이나 나무를 가지고 **부수깨를** 땠는데 지금은 가스로 집을 따뜻하게 한다.

'부석짝, 부섭짝, 부숙짝, 부억짝'은 '방향을 가리키는 말'인 '쪽'이 '짝'으로 변화된 다음, '부석, 부섭, 부억'과 각각 결합된 말이다. '부직, 부적, 부젹, 부즉, 부직'은 모두 경상도 지역에서 쓰이는 말로 '붓'의 'ㅿ'이 'ㅈ'으로 소리의 변화를 겪은 것이다. 중국 조선족 언어 사회에서 쓰이는 '부지'는 '부직'에서 'ㄱ'이 탈락된 형태이다. 경북과 충청 지역에서 쓰이는 '아구이'는 '아궁이'의 'ㅇ'이 탈락한 형태이다.

부삽짝에 비땅으로 불을 때.

정지 가서 **부석짝에다** 불 좀 후딱 때 주쇼.

어떤 뇜이 들와 갖고 **부석짝이서** 불을 때구 앉었어.

경기, 충남, 황해 지역에서 쓰이는 '아구녁'은 '아궁'과 '방향을 가리키는 말'인 '녁'이 결합된 '아궁녁'에서 'ㅇ'이 탈락한 형태로 보인다. 그런데 '아궁녁'은 조사된 바가 없다.

ㅇ ㅅ ㅁ

경북 지역에서 쓰이는 '아구랭이'와 '아구래이'는 '아구리'가 줄어든 '아굴'과 명사를 만드는 '-앙이(<-앙+-이)'가 결합된 것이다. '아구래이'는 '아구랭이'의 'ㅇ'이 탈락한 형태이다. 경상도 지역에서 'ㅇ'이 탈락하는 것은 흔히 있는 일이다. '호랭이'를 '호래이', '냉이'를 '내이', '강냉이'를 '강내이'로 발음하는 것과 같은 현상이다. 경북, 충청, 평안 지역에서 쓰이는 '아구리'는 '아궁이'의 다른 말이기도 하지만 '아가리'의 다른 말이기도 하다.

'아구지, 아굼지, 아궁지'는 '아궁'과 '-지'가 결합된 말들이다. 경북 지역에서 쓰이는 '아구지'는 '아궁지'의 'ㅇ'이 탈락한 형태이며, '아굼지'는 '아궁지'가 소리의 변화를 겪은 것이다. 평북 지역에서 쓰이는 '악재기'는 원래 '아가리'라는 뜻을 지닌 말인데, 뜻이 변화해 '아궁이'가 된 것으로 보인다. '약지'는 '약재기'가 소리의 변화를 겪은 말이다. '아국재이, 아국쟁이, 아구쟁이, 아궁재이'는 모두 '아궁'과 '-쟁이'가 결합된 말이다. 충남 지역에서 쓰이는 '아구재이'는 '아궁쟁이'의 'ㅇ'이 탈락한 형태이고, '아국재이'와 '아국쟁이'는 모두 '아궁쟁이'가 소리의 변화를 겪은 말들이다.

어렸을 적 '아궁이'는 고통의 흔적이자 추억의 흔적이었다. 어머니가 아궁이에 불을 지피라고 하면 너무 싫기도 했지만, 불을 지피고 나서 잉걸불이 아궁이에 한가득 있을 때 고구마나 옥수수를 구워 먹거나 알밥을 만들어 먹는 일은 신나는 일이기도 했다. 이젠 일부러 모닥불을 피워 잉걸불을 만들지 않는 한 할 수 없는 추억들이 되어 버렸다.

항
가
치

ㅅ ㅇ ㅁ

#방개비 #방아 #사마구 #풀메띠기 #땅가비
#까드드기 #불땅개비 #쇠땅개비

아덜이 밭두렁에 **항가치가** 뛰어다니니 좋아라 잡는다구 같이 뛰었
어유.

어렸을 적이는 **항가치** 그거 잡어서 갖구 놀구 그랬이유.

'항가치'는 방아깨비의 암컷을 뜻하는 충남 방언으로 '항'과 '가
치'가 결합된 말이다. '항'은 '크다'의 옛말 '하-'와 '-ㄴ'이 결합된 '한'
이 변화한 말이다. '가치'는 '나무토막이나 담배 등과 같이 일정한

ㅇ ㅅ ㅁ

길이로 가늘게 낸 도막의 낱개'를 뜻하는 '개비'의 방언으로 보인다. 방아깨비의 암컷을 머릿속에서 그려 보면 왜 이런 이름이 붙여졌는지 쉽게 연상이 된다.

쌀 방아 찧어라

주로 풀 섶이나 잔디밭에서 사는 방아깨비는 찾아내는 것도 힘들지만 잡는 것도 어렵다. 방아깨비를 잡으려고 슬금슬금 다가가면 긴 다리를 이용해 폴짝 뛰어 달아나곤 한다. 그렇게 한참 동안 쫓고 쫓기는 싸움 끝에 결국 잡게 되면, 방아깨비의 가장 긴 다리 끝을 잡고 노래를 불렀다. "쌀 방아 찧어라, 보리방아 찧어라" 하면 방아깨비가 마치 말귀를 알아들은 것처럼 몸을 아래위로 끄덕거렸다.

그렇게 놀다가 흥미가 떨어지면 다시 잔디밭에 슬며시 놓아주고는 금세 새로운 놀이를 준비했다. 하얀 종이를 직사각형으로 잘라 가운데를 실로 묶고, 그 반대쪽은 좀 긴 막대기에 묶는다. 그리고 그 막대기를 들고 뛰면 리본처럼 매어진 종잇조각은 마치 나비처럼 하늘을 날았다.

이렇게 정신없이 놀다 보면 어느덧 해는 기울고 어둑어둑해진다. 집으로 돌아가야 할 시간이다. 집에 가기 전부터 어머니의 따끔한 시선이 뒤통수에 느껴진다. 집에 돌아오면 어머니는 여지없이 퉁명한 목소리로 "물 솥에 불 좀 때라" 하신다. 이때는 군소리 없이 부엌으로 들어가야 한다. 말대꾸하거나 불퉁거렸다가는 등짝이 남아나지 않는다. 그렇게 방아깨비는 어렸을 적 늘 필자와 함께했다.

'방아깨비'의 방언들

'방아깨비'라는 이름은 뒷다리를 잡으면 마치 방아를 찧는 것처럼 움직여서 붙은 이름이다. 방언에서는 '방아'의 형태가 그대로 나타나는 것도 많지만 전혀 다른 형태로도 나타난다.

방개비(강원, 경기), 방깨비(경기), 방애비(경기)

방아(강원), 방애(강원), 방태(경기, 경남)

사마구(평북)

풀메띠기(경남)

땅가비(전남), 땅개(전북, 충남), 땅개미(전북, 충남), 땅개비(경기, 경상, 전라, 충청)

까드드기(경기), 따따구리(경북), 때때구리(경남), 따따시(충남), 따래기(경남), 따래시(경남), 딱딱구리(경북), 딱때기(전남), 딸따리(경남), 때까치(경기, 충청), 쌕쌔기(전남)

불땅개비(전남)

쇠땅개비(전남)

수땅개비(전라), 숫방개비(경기)

○ ∧ □

콩미띠기(경북)

낫땅개비(전남)

방아땅개(전북), 방아땅개비(전북), 방아땅구(전북)

방아메떼기(강원), 방아메뚜기(황해, 중국), 방아메뛰기(강원), 방아메띠기(강원), 방아미띠기(경북)

방아재비(강원), 방우재비(경남)

방아다리(강원, 평북), 방애다리(강원, 평북), 방애달(강원)

산뒤말축(제주), 상둥말축(제주), 심방만축(제주)

암땅개비(전라)

에미땅개(충남)

연추리(전남), 연치(경남)

올개땅개비(전남)

왕땅개(전북), 왕땅개비(전북)

왕아치(충남)

지땅개(전남)

질쭉이(전남), 질쭉이땅개비(전남)

큰땅개(충남), 큰메떼기(전남)

한가치(강원), 항가치(충남), 황가치(충청)

할개비(경북), 할랑개비(경남), 항골래(경북), 항골래비(경북), 항굴래(경북), 황걸래(경북)

강원, 경기 지역에서 쓰이는 '방개비'는 '방아개비'가 줄어든 말이고, 경기 지역에서 쓰이는 '방깨비'는 '방아깨비'가 줄어든 것이다. '방애비'는 '방개비'의 'ㄱ'이 탈락한 것이다. '방아, 방애, 방태'는 '방아깨비'를 뜻하는 말이면서 '방아'를 뜻하는 말이기도 하다. '방태'는 경남 지역에서 '방아'의 의미로도 쓰인다. 평북 지역에서 쓰이는 '사마구'는 '방아깨비'와 '사마귀'의 유사한 형태 때문에 붙여진 이름으로 보인다. '땅가비, 땅개, 땅개미, 땅개비'는 '방아깨비'의 다른 말들이다. '땅개비'는 '땅가비'가 소리의 변화를 겪은 형태인데, 마치 '아비'가 '애비'로 변화한 것과 같은 현상이다. '땅개'는 '땅개미'나 '땅개비'가 줄어든 말이고, '땅개미'는 '땅개비'의 'ㅂ'이 'ㅁ'으로 변화한 것이다.

어려서넌 **땅개** 잡아서 다리 잡구 빻아 찧어라는 놀이 많이 허구 놀았는디.

논에 **땅개미가** 있다는 건 농약을 안 했다는 뜻잉게 안심해두 된다니께.

언나들 **방아** 잡아가 그기 꺼뚝꺼뚝하는 거 보문서 좋아하잖소.

'까드드기, 따따구리, 때때구리, 따따시, 따래기, 따래시, 딱딱구리, 딱때기, 딸따리, 때까치, 불땅개비, 쇠땅개비, 수땅개비, 숫방개비, 쌕쌔기, 콩미띠기'는 모두 방아깨비의 수컷을 뜻하는 말이다.

○ ∧ □

'까드드기, 따따구리, 때때구리, 따따시, 따래기, 따래시, 딱딱구리, 딱때기, 딸따리, 때까치, 썍쌔기'는 모두 방아깨비의 수컷이 날아갈 때 내는 소리를 본떠 만들어진 말들이다. '불땅개비'는 '불'과 '땅개비'가 결합된 것으로 주로 전남 지역에서 쓰이는 말이다. 그러나 '불'의 말바탕이 무엇인지는 전혀 알 수가 없다.

전남 지역에서 쓰이는 '쇠땅개비'는 '쇠-'와 '땅개비'가 결합된 것이다. 이때 '쇠-'는 '작은'의 뜻을 더하는 말이다. 전라와 경기 지역에서 쓰이는 '수땅개비'와 '숫땅개비'는 '수-'와 '숫-'이 결합된 말로 '수-, 숫-'은 '수컷'의 뜻을 더한다. 경북 지역에서 쓰이는 '콩미띠기'는 '콩'과 '미띠기'가 결합된 말로 '콩'은 '작은'이라는 뜻이다.

보통 것보덤 **딱때기넌** 더 작제라우.

때까치가 풀숲에서 갑자기 날아올라서 깜짝 놀랐슈.

고기 날라갈 대 때때거린다고 **때때구리라** 안 카나.

수땅개비넌 잡어 갖고 노는 거이 아녀. 암것얼 가지구 놀제.

가실에 밍밭에 똘무시 캐로 가서 **쇠땅개비를** 잡을라고 허먼 어치나 빨리 날아가고 그랬제.

전남 지역에서 쓰이는 '낫땅개비'는 '낫'과 '땅개비'가 결합된 말인데 '낫'이 무엇을 뜻하는지 알 수가 없다. '방아땅개, 방아땅개비, 방아땅구'는 모두 '방아'와 '땅개, 땅개비, 땅구'가 결합된 말이다. 전북 지역에서 '땅개, 땅개비, 땅구'는 '방아'가 결합되지 않으면 '메뚜기'의 다른 이름으로도 쓰인다.

미영밭에 **낫땅깨비가** 날아댕이드라. 그놈 잡으로 가자.

밭두렁에는 메뚜기, **방아땅개**, 무당벌레 등 벌레들이 많았어.

아이들이 논두렁에 모여서 손으루 **방아땅구를** 잡고 그러지.

주로 강원, 경북, 황해, 중국 지역에서 쓰이는 '방아메떼기, 방아메뚜기, 방아메뛰기, 방아메띠기, 방아미띠기'는 '방아'와 '메뚜기', 그리고 '메뚜기'에서 변화한 '메떼기, 메띠기, 미띠기'가 결합된 말이다. '방아재비, 방우재비'는 '방아, 방우'와 '재비'가 결합된 말이다. 이때 '재비'는 '국악에서 악기를 연주하거나 노래를 부르거나 춤을 추는 기능자'를 뜻한다. '방아재비'와 '방우재비'가 왜 '방아깨비'를 뜻하게 되었는지 쉽게 짐작이 가고도 남는다. '방아다리, 방애다리, 방애달'은 강원과 평북 지역에서 쓰이는 말이다. '방애다리'는 '방아다리'가 소리의 변화를 겪은 말이며 '방애달'은 '방애다리'가 줄어든 말이다.

○ ∧ □

얼라들이 손에 다리를 잡고 있으면 **방아다리가** 꺼떡꺼덕하는 기 방아하고 똑같다 안 하요.

방애달을 잡아서 방아 찌어 봐라 하고 잡고 있으면 방아를 아주 잘 찌어.

'산뒤말축, 상둥말축, 심방만축' 모두 제주 지역에서 쓰이는 말로 '말축, 만축'은 '메뚜기'를 뜻한다. 이러한 '말축'과 '만축'이 '산뒤, 상둥, 심방'과 결합되면서 그 뜻은 '방아깨비의 암컷'으로 바뀌게 된다. 전라 지역에서 쓰이는 '암땅개비'는 '새끼를 배거나 열매를 맺는'의 뜻을 더하는 '암-'과 '땅개비'가 결합된 말이다.

우리 두릴 때사 **산뒤말축** 심어당 막 놀곡 헤낫주게(우리 어릴 때야 방아깨비 잡아다가 막 놀고 했었지).

상둥말축 발 심엉 사민이 앞으로 꼬박꼬박 절허메(방아깨비 발 잡아서 서면 앞으로 꾸벅꾸벅 절하지).

숫놈보덤 **암땅개비가** 훨씬 더 질쭉허제.

충남 지역에서 쓰이는 '에미땅개'는 '에미'와 '땅개'가 결합된 말이다. 이는 방아깨비의 수컷이 암컷보다 그 크기가 작기 때문에 붙여진 이름으로 보인다. '연추리, 연치'는 각각 전남과 경남 지역에서 쓰이는 말인데 모두 '여치'에서 유래한 말로 보인다. '여치'와 '방아깨비'의 형태가 유사하기 때문이다. 전남 지역에서 쓰이는 '올개땅개비'는 '올개'와 '땅개비'가 결합된 말로 '올개'의 말바탕이 무엇인지는 알 수가 없다.

전북 지역에서 쓰이는 '왕땅개, 왕땅개비'는 모두 '보다 큰 종류'의 뜻을 더하는 '왕王-'이 결합된 말이며, 충남 지역에서 쓰이는 '왕아치'도 마찬가지로 '왕王-'이 결합된 말이다. 전남 지역에서 쓰이는 '지땅개'는 '지'와 '땅개'가 결합된 것으로 보이는데, '지'가 무엇을 뜻하는지는 알 수 없다. '질쭉이'와 '질쭉이땅개비'는 모두 전남 지역에서 쓰이는 말이다. '질쭉이'는 '길쭉'이 소리의 변화를 겪은 '질쭉'과 명사를 만드는 말 '-이'가 결합된 형태이며, '질쭉이땅개비'는 '질쭉이'에 다시 '땅개비'가 결합된 것이다.

연추리를 꾸 믹이먼 애기들이 춤을 안 흘린다고 많이 잡았제.

연치는 요 다리 두 개 딱 잡고 이러면 방아 찧는기요?

우리 동생 **질쭉이나** 한 마리 잡어 줘야 쓰겄이야.

충남과 전남 지역에서 쓰이는 '큰땅개'와 '큰메떼기'는 '크다'의 관형형 '큰'이 '땅개, 땅개비'와 결합된 형태이다. 주로 경상 지역에

서 쓰이는 '할개비, 할랑개비, 항골래, 항골래비, 항굴래, 황걸래'는
모두 '크다'를 뜻하는 '할, 항, 황'이 결합된 말이다. '할, 항, 황'은 '크
다'의 옛말 '하-'와 '-ㄴ'이 결합된 '한'이 소리의 변화를 겪은 말이다.

> 나락에 자잘한 메떼기 볶아 묵는 거느 나락메떼기(메뚜기)라 그러
> 고, 이건 **큰메떼기라고** 주로 풀에만 살아. 논에는 가끔 있어.

> **한가치** 잡아다 많이 놀았니더. 요즘에는 **한가치도** 눈에 잘 안 띠어.

> **항굴래** 다리를 잡고 방아 찧는 놀이를 했니더. **항굴래가** 메뚜기보
> 다는 많이 크니더.

초등학교를 졸업한 이후로는 방아깨비에 대한 추억이 전혀 없
다. 어쩌면 늘 방아깨비가 주변에 있었지만, 필자의 관심이 이미 방
아깨비에서 떠났기 때문에 안 보였던 건지도 모른다. 필자의 고향
집에 내려가면 한 번쯤은 관심을 가지고 찾아봐야겠다.

디
렝
이

ㅅ ㅇ ㅁ

#가우리 #것겅이 #거상치 #거성이
#거스랑 #거시 #걸거이 #지러이

녠날에 **디렝이두** 할아반네들이 몸에 똫다고 먹었다 하디 않았수까?

'디렝이'는 '지렁이'를 뜻하는 말로 평안 지역에서 쓰인다. '지
렁이'는 한자어 '디룡地龍'과 명사를 만드는 말 '-이'가 결합된 '디룡
이(《분문온역이해방》(중종 때 김안국 등이 편찬한 의서))'가 소리의 변화
를 겪은 말이다. '디룡이'가 '지렁이'로 변화한 것은 '똫다'가 '좋다好',
'디다'가 '지다曆', '텬디'가 '천지天地'로 변화한 것과 같은 현상이다.
평안도는 유일하게 이러한 소리의 변화를 겪지 않은 지역이다. 그

래서 평안 지역에서는 아직도 '낙엽이 지다'를 '락엽이 디다'라고 표현한다. '락엽'은 잘 알려진 바와 같이 문화어에서는 두음법칙을 적용하지 않았기 때문에 생긴 말이다. 가령, '노인'을 '로인', '이발소'를 '리발소'로 표기하는 것과 같다.

지렁이는 징그럽다

지렁이에 대한 좋은 기억을 가지고 있는 사람은 별로 없을 것이다. 여름에 비가 내리면 지렁이들은 시멘트 길바닥 위로 몰려든다. 시멘트 바닥이 따뜻해서 그런지도 모른다. 마치 뱀이 가을밤에 아스팔트 길 위로 기어 나오는 것처럼 말이다. 냉혈 동물인 뱀들은 밤이 되면 따뜻한 온기가 남아 있는 아스팔트 위로 올라와 밤을 보낸다. 그러다가 가끔은 지나가는 차에 치여 깔려 죽기도 했다. 비가 그치고 햇볕이 내리쪼이면 수많은 지렁이들이 마른 채 길바닥 위에 죽어 있었다. 필자는 그게 너무 싫었다. 징그럽기도 하고 이상한 냄새를 풍기기도 했다. 그래서 혹시라도 밟을까 봐 까치발을 딛고 죽은 지렁이들을 피해 다녔다.

물론 학교에서 지렁이는 토양이 영양을 흡수하도록 돕는 고마운 존재라고 배웠다. 조금 더 커서 알게 된 사실로는 지렁이의 성분이 립스틱에도 들어간다고 한다. 여러 모로 우리에게 도움을 주는 존재인 것이다. 그러나 그 고마움을 몇 번이고 생각해도 징그럽다는 마음이 사라지지는 않았다. 만약 지렁이가 사람들이 이토록 징그럽게 생각한다는 사실을 알게 되면 억울하겠다는 생각을 했다.

'지렁이'의 방언들

'지렁이'의 순우리말은 '거쉬(《구급방언해》)'이다. '거쉬'는 '회충'을 의미하기도 한다. 국어사전에 보면 '거쉬'의 'ㅿ'이 탈락한 '거위'가 '회충'의 순우리말로 올라와 있다. 그러나 지렁이를 뜻하는 '거쉬'는 표준어가 되지 못했다. '지렁이'의 방언형들은 순우리말 '거쉬'가 소리의 변화를 겪은 형태와 한자어 '디룡이'가 소리의 변화를 겪은 형태로 나누어 볼 수 있다.

가우리(제주)

거상치(전남), 거성거리(경상), 거성구(전남), 거성치(전남)

거성이(경상, 전라, 충남), 거세이(경남, 전라, 충남), 거셍이(경남, 전라, 충남), 거숭이(경남, 전라)

거스랑(충남), 거스랭이(경남)

거시(전라), 그시(강원, 경북)

거시거리(경남)

거시랑(전라, 충남, 중국), 그시랑(전라)

거시랑치(전남), 거시랭치(전남)

○ ∧ □

거시레이(경상), 거시렝이(경상, 전라), 기시렝이(전라)

거시이(경남), 거싱이(경상), 그셍이(경남), 그시이(경남), 그싱이(경남)

거싱거리(경남), 그승거리(경남)

걸거이(경북), 걸겅이(경상), 걸게이(경북), 걸겡이(경상)

것겅이(경남), 것겡이(경북), 것구이(중국), 것구지(강원)

것게이(경북), 것구리(경남)

게시랑(전북), 게시러미(제주), 게시렝이(전남)

게우(평북), 겨우(평북)

굼버지(함북), 굼베(함북)

기렁이(강원), 기렝이(강원)

다(강원), 닷지네(함북, 중국), 댓지네(함북), 댓진(함북), 탓지네(함남, 중국)

디레이(평안, 중국), 디레(함북, 중국), 디렝이(평안)

지러이(경상), 지렁(강원), 지레(함경, 황해), 지레이(강원, 경기, 경상, 평안, 함경, 황해, 중국), 지렝(함남), 지렝이(강원, 경기, 전라, 제주, 충청, 평안, 함경, 황해, 중국), 지리(경상, 중국), 지리이(강원, 경기, 경남, 전남, 제주, 충청, 평북, 함경, 황해), 지링이(전북, 충남)

지레지(양강, 평북, 함남)

지로이(제주), 지롱이(제주), 지룡이(제주)

지싱이(경남)

질고이(강원), 질공이(강원), 질겅이(강원)

질레지(함남), 질렝이(경북)

징어리(경남), 징으리(경남)

'가우리'는 제주 지역에서 쓰이는 말인데 그 말바탕은 알 수가 없다. 주로 경상과 전남 지역에서 쓰이는 '거상치, 거성거리, 거성구, 거성치'는 '거시'와 '-앙'이나 '-엉'이 결합된 '거상, 거성'과 '-치, 거리, 구'가 결합된 말들이다. 경상, 전라, 충남 지역에서 쓰이는 '거세이, 거셍이, 거숭이'는 '거시'와 '-엉이'가 결합된 '거성이'가 소리의 변화를 겪은 형태들이다. '거성이'가 '거셍이'로 변한 것은 '어미'가 '에미'로 변한 것과 같은 소리의 변화이다. '거세이'는 '거셍이'의 'ㅇ'이 탈락한 말이다. '거숭이'는 '거성이'가 소리의 변화를 겪은 형태이다.

비가 오만 마당에 **거성거리가** 마이 기다니니더.

거성구를 토롱이라고 하드라고.

닥이(닭이) **거성치를** 쭉 잡아먹대.

거셍이는 땅속이서 살다가 막 비 오는 날 꾸물꾸물 겨 나오지유.

한 삽만 떠도 **거숭이가** 드글드글힜응게 그만치 오염이 안 되았다

○ ∧ □

그런 폭이제.

충남과 경남 지역에서 쓰이는 '거스랑, 거스랭이'는 표면에 나
타나지 않는 '거스리'라는 형태를 전제할 수밖에 없다. 그러한 전제
하에 '거스랑'은 '거스리'와 '-앙'이 결합된 말이다. '거스랭이'는 '거
스랑'과 '-이'가 결합된 '거스랑이'가 '거스랭이'로 소리의 변화를 겪
은 것이다. 강원과 전라, 경북 지역에서 쓰이는 '거시, 그시'는 지렁
이를 뜻하는 옛말 '거쉬'가 소리의 변화를 겪은 것이다. '거시거리'는
경남 지역에서 쓰이는 말로, '거시'와 '거리'가 결합된 말이다. 그런
데 '거리'가 무엇을 뜻하는지는 정확히 알 수 없다.

마당아 **거시거리가** 나오모 달구새끼들이 쪼사물라꼬 달라든데이.

전라, 충남, 조선족 언어사회에서 쓰이는 '거시랑'은 '거시리'와
'-앙'이 결합된 말이다. '그시랑'은 '거시랑'이 소리의 변화를 겪은 것
이다. 'ㅓ'가 'ㅡ'로 바뀌는 소리의 변화는 국어에서 흔히 있는 음운
현상이다. '거지'를 '그지'로, '언니'를 '은니'로 발음하는 것과 같은 현
상이다.

전남 지역에서 쓰이는 '거시랑치'는 '거시랑'과 '사람이나 동물'
을 뜻하는 '치'가 결합된 말이며, '거시랭치'는 '거시랑치'가 소리의
변화를 겪은 것이다. 마치 '호랑이'를 '호랭이'로 발음하는 것과 같
은 현상이다. 경상과 전라 지역에서 쓰이는 '거시렝이'는 '거시리'와

'-엉이'가 결합된 '거시렁이'가 소리의 변화를 겪은 말이다. 경상 지역에서 쓰이는 '거시레이'는 '거시렝이'의 'ㅇ'이 탈락한 형태이다. 전라 지역에서 쓰이는 '기시렝이'는 '거시렝이>그시렝이>기시렝이'와 같은 소리의 변화를 겪은 말이다.

> 나는 지금도 **거시랑** 손으로 만질라면 징상히서 못 허겄든디 말여, 낚시 좋아허는 사람들은 그냥 낵기다 **거시랑** 낌서도 흔연허게 허데잉.

> 돌 밑 축축한 흑 아래 **거시랑치가** 몰려 있는 벱이여.

'거시이, 거싱이, 그셍이, 그시이, 그싱이'는 모두 경남 지역에서 쓰이는 말이다. 이들의 기본 형태는 '거시'와 '-엉이'가 결합된 '거성이'이다. '거시이'는 '거싱이'의 'ㅇ'이 탈락한 말이며 '그시이'는 '그싱이'의 'ㅇ'이 탈락한 것이다. 역시 경남 지역에서만 쓰이는 '거싱거리, 그승거리'는 '거시'에 '-엉'이 결합된 '거성'과 '거리'가 결합된 후 변한 말인데, 역시 '거리'가 정확히 무엇을 의미하는지 알 수가 없다.

'걸거이, 걸겅이, 걸게이, 걸겡이'는 모두 경상 지역에서 쓰이는 말이다. 여기서 가장 기본적인 형태는 '걸겅이'다. '걸겡이'는 '걸겅이'가 소리의 변화를 겪은 말이다. '걸거이'는 '걸겅이'의 'ㅇ'이, '걸게이'는 '걸겡이'의 'ㅇ'이 탈락한 형태이다. 경상 지역에서 쓰이

○ ∧ □

는 '것게이, 것구리'는 '거시'가 줄어든 말 '것'과 '게이, 구리'가 결합된 말로 '게이, 구리'의 말바탕이 무엇인지는 알 수가 없다. '것겅이, 것겡이, 것구이, 것구지'는 강원, 경상, 중국 조선족 언어사회에서 쓰이는 말인데, '거시'의 준말 '것'과 각각 '겅이, 겡이, 구이, 구지'가 결합된 말이다.

　　마당에 **걸겅이가** 기다니만 얼매나 놀랬는동 몰시더.

　　밭을 갈모 **걸겡이들이** 나오거덩, 그라모 그런 땅에는 곡석이 잘덴데이.

　　것겅이가 비이는 거 보이 오늘 비가 올란갑다.

　　'게시랑, 게시러미, 게시렝이'는 주로 전라와 제주 지역에서 쓰이는 말인데, '거스리'가 소리의 변화를 겪은 '게시리'가 '-앙, -어미, -엉이'와 결합된 말이다. 평북 지역에서만 쓰이는 '게우, 겨우'는 지렁이의 옛말 '거쉬'와 가장 가까운 형태이다. '게우, 겨우'는 '거쉬'가 '거쉬>거뤄>거유>겨우>게우'와 같은 소리의 변화를 겪은 것으로 보인다. 함북 지역에서 쓰이는 '굼버지, 굼베'는 '굼벵이'의 다른 말이기도 하다. 이들이 '지렁이'를 뜻하게 된 것은 굼벵이와 지렁이의 움직임이 비슷하기 때문으로 보인다.
　　강원 지역에서 쓰이는 '기렁이, 기렝이'는 '지렁이'가 소리의 변화를 겪은 말이다. 원래 '김치'의 옛말은 '짐치(《소학언해》)'였다. 언중들이 '김치'도 '길'을 '질', '기둥'을 '지둥'으로 부른 것과 같은 변화를 겪었을 것으로 추정해 '짐치'를 '김치'로 부른 것이다. 강원 지역에서는 '지렁이'를 원래 '기렁이'에서 온 말로 보고 '지렁이'를 '기렁이'라 부르게 됐다. '기렝이'는 '기렁이'가 소리의 변화를 겪은 형태이다.

'다, 닷지네, 댓지네, 댓진, 탓지네'는 강원, 함북과 조선족 언어사회에서 쓰이는 '지렁이'의 다른 말들이다. '닷지네'는 '다'와 '지네'가 결합된 말이다. 이때 '지네'가 우리가 흔히 생각하는 열다섯 쌍 이상의 다리를 갖고 있고 독이 있는 그 '지네'인지는 분명하지 않다. '댓지네'는 '닷지네'가 소리의 변화를 겪은 말이고 '댓진'은 '댓지네'가 줄어든 말이다. '디레이, 디레, 디렝이'는 평안 지역과 조선족 언어사회에서 쓰는 말로, '디룽이>지렁이'와 같은 소리의 변화를 겪지 않은 말들이다. '디렝이'의 이전 형태는 '디렁이'로 보이며, '디레이'는 '디렝이'의 'ㅇ'이 탈락한 것이다. '디레'는 '디레이'가 줄어든 형태이다.

고기 낚을러먼 먼저 **닷지네르** 마이 파 오오.

'지러이, 지레이, 지리이'는 '지렁이, 지렝이, 지링이'의 'ㅇ'이 탈락한 형태들이며, '지렁, 지레, 지리'는 '지러이, 지레이, 지리이'가 줄어든 말이다. 양강, 평북, 함남 지역에서 쓰이는 '지레지'는 '길다'

의 다른 말인 '질다'의 '질'과 '-어지'가 결합된 말이다. '-어지'는 '송아지, 망아지'의 '-아지'와 같은 말이다.

　'지로이, 지룡이, 지룽이'는 제주 지역에서 쓰이는 말로 '지룽이'는 '디룽이'가 변한 말이고, '지룡이'는 '지룽이'가 소리의 변화를 겪은 말이다. 또한 '지로이'는 '지룡이'의 'ㅇ'이 탈락한 형태이다. 경남 지역에서 쓰이는 '지싱이'는 '거시'와 '-엉이'가 결합된 '거셍이'가 '거셍이>게셍이>기싱이>지싱이'와 같은 소리의 변화를 겪은 말이다.

　강원 지역에서 쓰이는 '질공이'는 '길다'의 다른 말 '질다'의 '질'과 '공이'가 결합된 말이다. '질고이'는 '질공이'에서 'ㅇ'이 탈락한 형태이며, '질궝이'는 '질공이'가 소리의 변화를 겪은 것이다. 함남과 경북 지역에서 쓰이는 '질레지'와 '질렝이'는 '질다(길다)'의 '질-'과 '-어지'와 '-엉이'가 결합된 '지러지, 지렁이'가 각각 소리의 변화를 겪은 말들이다. 경남 지역에서 쓰이는 '징어리, 징으리'는 그 말바탕을 알 수 없으나 뜻바탕은 '징그럽다'에 있는 듯하다.

　땅에 사는 용이렌 헤영(용이라고 해서) **지룡이인가?**

　요새는 하도 비로로 하고 농약을 치산께네 **지싱이도** 옛날만큼 없데이.

　풀잎에다 **거셍이** 싸서 앞 냇강에 낙기질을 가.

내가 낚실 좋아해두 **질공인** 당최 못 만지겠으.

    '지렁이'의 다른 이름들이 이토록 많은 것을 보면, 지렁이도 사람과 친숙한 동물임이 분명하다. 어렸을 적 고향 집 두엄자리에도 지렁이가 많았다. 두엄 한 자리를 뒤집으면 수십 마리의 지렁이들이 고물거렸다. 징그러운 느낌 때문에 참 친숙해지기 쉽지 않은 동물이지만, 앞으로는 좀 더 지렁이의 긍정적인 면을 많이 생각해야겠다.

○ ∧ □

쿡박

ㅅ ㅇ ㅁ

#달바가지 #달박 #바가디 #바각지 #바가이
#바아지 #박대기 #박바가지

오늘 아적에 **쿡박** 흔나를 깻이우다(오늘 아침에 바가지 하나를 깼습니다).

솟강알에 강 **칵박** 흔나 아져와 주게(부엌에 가 바가지 하나 가져다 주게).

'쿡박'은 '바가지'를 뜻하는 말로 제주 지역에서 쓰이는 말이다. '쿡박'은 '쿡'과 '박'이 결합된 것이다. '쿡'은 식물 이름인 '박'을 뜻하

는 말이고 '박'은 '바가지'를 뜻한다. 즉, '콕박'은 '박으로 만든 바가
지'이다. 이는 아마도 플라스틱 바가지에 상대해 '박바가지(박을 켜
서 두 쪽으로 갈라 만든 바가지)'를 이르는 말로 보인다.

초가지붕 위의 박덩굴

초등학교를 졸업하기 전까지 시골집은 초가집이었다. 초가집
은 일 년에 한 번씩 이엉을 엮어 지붕을 이는데, 아버지는 늘 뒤꼍
에 박을 심어 박덩굴을 지붕 위로 올렸다. 그러면 박덩굴은 지붕 이
곳저곳으로 뻗어 나갔고 7월쯤이면 하얀 박꽃이 피었다. 수정이 끝
난 꽃맺이는 20일이 지나면 완전히 여문다고 한다. 아버지는 박이
여물 때쯤이면 지붕에 올라가 박을 모두 거둬들였다. 여문 박은 톱
으로 정확히 반을 잘랐다.

그러면 어머니는 하얀 박속을 긁어내어 박속나물을 만들어 주
셨고, 반쪽 난 박은 커다란 가마솥에 푹푹 삶았다. 푹 삶은 박을 어
머니는 가마솥에서 꺼내 찬물에 담갔다. 박에서 뜨거운 기운이 사
라지면 양지바른 곳에 정성껏 말리셨다. 박은 마를수록 단단해지
면서 바가지가 되어 갔다. 그렇게 단단하게 마른 박바가지는 꼬투
리에 구멍을 내어 몇 개씩 묶어서 처마에 매달아 두셨다. 다음 박이
열릴 때까지 쓸 바가지를 마련한 것이다.

박바가지는 필자에게 고통도 창피도 재미도 주었다. 물론 그

○ ∧ □

재미는 고통을 수반했다. 어머니는 바가지를 들고 있다가 말대꾸를 하거나 불퉁거리면 여지없이 박바가지로 머리통을 내리치셨다. 바가지가 얼마나 단단한지 아무리 필자의 머리통을 내리쳐도 결코 바가지는 깨지지 않았다. 이불에 오줌 싼 날에는 여지없이 키를 둘러쓰고 박바가지를 들고 집집마다 돌아야 했다. 치기 어린 마음으로 마치 차력사가 된 것마냥 박바가지를 한방에 깨 보겠다고 힘껏 이마에 내려쳐 보기도 했다. 그러나 결과는 늘 필자의 패배로 끝났고 이마엔 아픈 상처만이 남았다.

'바가지'의 방언들

요즘은 박바가지를 텔레비전에서나 가끔 볼 수 있지만, 예전에는 함 들어오는 날 박바가지를 깼다. 잡귀와 액운을 물리친다는 의미가 담긴 과정이다. 요즘도 함이 들어올 때 종종 박을 깨는 사람들이 있다고 하는데, 박바가지가 없으면 플라스틱 바가지를 깬다고 한다. 이런 바가지의 방언들은 대부분 비슷한 형태로 나타난다.

달바가지(함남), 달박(함남), 달방(양강), 탈박(함경)
바가디(함북), 바가치(강원, 경기, 경상, 전라, 충청), 바갖(중국)
바각지(강원), 바각치(강원)
바가이(경북), 바강이(경북), 바개(함북), 바개이(경남), 바갱이(경남)

바아지(경남), 바아치(경남), 배아지(함북), 배애지(중국), 배지(평안, 함경)

박대기(강원)

박댕이(경기)

박바가치(경남)

박배기(함북), 박배지(함북)

박사기(제주), 박새기(제주), 박쉐기(제주)

박작(전라, 충남), 박적(전북)

박제기(경상), 박제이(경북), 박지기(경상)

박태기(전북)

버대기(강원)

우거미(평북), 우게미(함북), 우게비(함남)

콕박(제주), 콕박새기(제주), 쿨락박새기(제주)

호박(경남)

　'달바가지, 달박, 달방, 탈박'은 모두 함경과 양강 지역에서 쓰이는 말이다. '달바가지'는 '달'과 '바가지'과 결합된 말이며 '달박'은 '달'과 '박'이 결합된 말이다. '달방'은 '달박'이 소리의 변화를 겪어 'ㄱ'이 'ㅇ'으로 바뀐 것으로 보인다. '탈박'은 '달박'의 '달'에서 'ㄷ'이 거센소리로 바뀐 것이다. 예삿소리가 거센소리로 바뀌는 것은 흔한 소리의 변화로, '혼자'가 '혼차'로 변화하는 것과 같은 현상이다. 이때 '달'의 말바탕은 전혀 알 수 없다.

○ ∧ □

● '콕'은 식물 이름인 '박'을 뜻하는 말이고 '박'은 '바가지'를 뜻한다.

    '바가디, 바가치, 바갖'은 모두 '바가지'가 소리의 변화를 겪은 것이다. 함북 지역에서 쓰이는 '바가디'는 '바가지'의 '지'가 '디'로 소리의 변화를 겪은 것이다. 보통은 '디'가 '지'로 바뀌는데 '바가디'는 그 반대로 바뀌었다. 강원, 경기, 경상, 전라, 충청 지역에서 쓰이는 '바가치'는 예삿소리인 'ㅈ'이 거센소리인 'ㅊ'으로 소리의 변화를 겪은 말이다. 강원 지역에서 쓰이는 '바각지, 바각치'는 '바가지'와 '바가치'에 'ㄱ'이 첨가된 형태이다. 자음이 첨가되는 소리의 변화는 국어에서 흔히 있는 일이다(까치>깐치).

    '바가이, 바개, 바개이, 바갱이'의 기본 형태는 '박'과 '-앙이'가 결합된 '바강이'이다. '바갱이'는 '바강이'가 소리의 변화를 겪은 것인데, '호랑이>호랭이', '아비>애비'와 동일한 소리의 변화를 겪었다. '바가이'는 '바강이'의 'ㅇ'이 탈락된 형태이며 '바개이'는 '바갱이'의 'ㅇ'이 탈락된 것이다. 함북 지역에서 쓰이는 '바개'는 '바개이'가 줄어든 말이다.

'바아지, 바아치, 배아지, 배애지, 배지'는 '바가지'의 'ㄱ'이 탈락된 형태들이다. 경상도 말에서는 모음 사이에서 자음이 탈락하는 경우가 빈번하다. '바아치'는 '바가치'와 마찬가지로 예삿소리 'ㅈ'이 거센소리 'ㅊ'으로 바뀐 것이다. 함북에서 쓰이는 '배아지'와 조선족 언어사회에서 쓰이는 '배애지'는 '바가지'가 소리의 변화를 겪은 것이고, '배지'는 '배아지' 혹은 '배애지'가 줄어든 말이다.

강원 지역에서 쓰이는 '박대기'는 '박'과 명사를 만드는 말 '-대기'가 결합된 형태이다. '-대기'는 앞에 결합된 말에 '속되거나 홀하게 이르는'의 뜻을 더하는 말이다. 경기 지역에서 쓰이는 '박댕이'는 '박대기'와 마찬가지로 '박'과 '-댕이'가 결합된 말이다. '-댕이'는 '-대기'와 같은 뜻을 갖고 있다. '박바가치'는 경남 지역에서 쓰이는 말로 '박'과 '바가치'가 결합한 말이다. 함북 지역에서 쓰이는 '박배기'는 '박'과 '-배기'가 결합한 말인데 '-배기'는 명사 뒤에서 '그것이 들어차 있는 사람이나 물건'의 뜻을 더해 준다. '박배지'는 '박배기'가 소리의 변화를 겪은 것으로, '기름'이 '지름', '길'이 '질'로 변하는 것과 같은 소리의 변화이다.

'박사기, 박새기, 박쉐기'는 모두 제주 지역에서만 쓰인다. '박사기'는 '박'과 '사기'가 결합된 말이다. 이때 '사기'가 무엇을 뜻하는지는 전혀 알 수가 없다. '박새기'와 '박쉐기'는 모두 '박사기'가 소리

○ ∧ ▢

의 변화를 겪은 것이다. 전라와 충남 지역에서 쓰이는 '박작, 박적'은 모두 '박'과 '작, 적'이 결합된 말들이다. 이때 '작'은 명사 뒤에서 '비하'의 뜻을 더하는 말 '-짝'의 이전 형태로 보인다(낯짝, 얼굴짝, 짚신짝 등).

> 옛날 자리 폴레 뎅길 땐 **박새기나** 남박새기 긑은 걸로 거리멍 폴 앗주(옛날 자리돔 팔러 다닐 땐 바가지나 나무바가지 같은 걸로 퍼서 팔았지).

> 동냥은 못 주나마 **박작조차** 깨나?

> 물 푸게 정지 가서 **박적** 하나 가져오니라.

'박제기, 박제이, 박지기'는 경상 지역에서 쓰이는 말이다. '박제기'는 '박적'과 명사를 만드는 말 '-이'가 결합된 말인 '박저기'가 소리의 변화를 겪은 것이다. 그런데 '박저기'는 표면상으로는 드러나 쓰인 적이 없는 말이다. 전북 지역에서 쓰이는 '박태기'는 '박'과 '태기'가 결합된 것인데 '태기'는 '영감태기'의 '태기'와 같은 말이다. 강원 지역에서 쓰이는 '버대기'는 '박'과 '-대기'가 결합된 '박대기'가 변한 말로 보인다. '박대기'가 '박대기>바대기>버대기'와 같은 소리의 변화를 겪었을 것으로 추정된다.

옛날이는 지붕이다 박 올려 갖구 그놈 쪼개서 삶아서 **박태기럴** 맹글어 썼어.

평북과 함경 지역에서 쓰이는 '바가지'의 다른 이름인 '우거미, 우게미, 우게비'는 전혀 그 말바탕을 알 수가 없다. 다만 '안쪽으로 조금 구부러져 있다'는 뜻인 '욱다'의 '욱-'과 지금은 쓰이지 않지만 명사를 만드는 말 '-어미'가 결합된 말이라는 추정이 가능하다. 이러한 추정이 옳다면 '우게미'는 '우거미'가 소리의 변화를 겪은 것으로 '어미'가 '에미'로 변한 것과 같은 현상이다. '우게비'는 '우게미'의 'ㅁ'이 'ㅂ'으로 소리의 변화를 겪은 것이다. 'ㅁ'이 'ㅂ'으로 변하는 것은 '다리미'의 방언인 '대리미'가 '대리비'로 변한 것에서도 찾아볼 수 있다.

'쿡박, 쿡박새기, 쿨락박새기'는 제주 지역에서만 쓰인다. '쿡박'은 식물 이름 '박'을 뜻하는 '쿡'과 '박'이 결합된 말이며, '쿡박새기'는 '쿡'과 '박새기'가 결합된 말이다. '쿨락' 또한 '쿡'과 같은 말이며 여기에 '박새기'가 결합된 말이 '쿨락박새기'이다. 경남 지역에서 쓰이는 '호박'은 '방아나 절구에서 공이가 떨어지는 아가리 아래의 움푹 들어간 부분'이라는 뜻을 가진 '확'의 방언형이기도 하다. 따라서 '바가지' 생김새와의 유사성을 고려해 봤을 때, 경남 지역에서 쓰이는 '호박'은 '확'의 방언형인 '호박'에서 유래했을 가능성이 매우 크다.

옛날사 **쿨락박새기로** 물도 떠 놓고 쌀도 거려 놓곡 다 햇주(옛날에

○ ∧ □

야 바가지로 물도 떠 놓고 쌀도 퍼 놓고 다 했지).

초가지붕 위에 있던 눈이 시릴 만큼 새하얀 박꽃은 순백 그 자
체였다. 이젠 민속촌에 가지 않으면 초가집을 구경하기 어렵다. 가
끔은 어렸을 적 초가지붕이 생각나기도 한다. 여름에 비가 내리면
검붉은 빛의 낙숫물이 흘러내렸는데, 이는 썩은 이엉에서 나오는
물이었다. 필자의 시골 마을에서 그것은 '썩은샛물'이라고 했다. '썩
은샛물'에서 '썩은'은 '썩다'의 관형형이며 '새'는 '이엉'을 뜻한다. 그
래서 초가지붕에서 수정같이 투명한 고드름이 얼지 않았다. 오래
된 초가지붕에서는 붉은빛이 도는 고드름이 열렸다.

마랑구

∧ ○ □

#심메마니 #먹킹이 #멀커니 #심 #입쌀
#노루멀커니 #어인 #중어인 #큰어인

　'마랑구'는 심마니들이 쓰는 말로 '기름'을 이르는 은어인데, 그 말바탕은 전혀 알 수가 없다. '마랑구'의 다른 이름은 '마람구, 마랑두'이다. 지금껏 살아오면서 심마니를 만나 본 적이 없어서 극한 직업이라는 심마니들의 고충은 잘 모른다. 하지만 "심봤다!"를 외치는 그 순간을 위해 기꺼이 힘든 시간들을 견디고 또 견뎌 내지 않을까. 심마니들이 쓰는 은어들 중에 재미난 말이 많아 그들의 은어를 열심히 모아 봤다.

○ ∧ □

산삼 캐는 심마니

필자가 나고 자란 곳은 아주 평범한 산골이었다. 어렸을 적 가끔은 누구네가 산에 갔다가 산삼을 캤다는 소문이 종종 들려오곤 했다. 그렇다고 산삼을 캐는 일을 직업으로 하는 심마니가 있었던 것은 아니다. 나무를 하러 가거나 고사리를 끊으러 갔다가 우연히 발견한 것뿐이다. 산삼을 발견하면 온 동네에 금방 소문이 났다. 지금도 산삼을 찾는 이들이 많지만, 의료 기관과 먹을 약이 지금에 비해 턱없이 부족했던 그 시절에 산삼은 너무나 귀한 약재였다. 그래서 아픈 사람이 있는 집에서는 혹시 잔뿌리라도 조금 얻을 수 없는지 부탁을 하기도 했다.

어릴 때는 심마니라는 직업에 대해 깊이 생각해 본 적이 없지만, 직업으로 심마니를 택하기란 결코 쉽지 않았을 듯하다. 강인한 체력은 물론 산길에 대한 정보도 정확히 알고 있어야 한다. 그뿐만이 아니다. 산에서 생길 수 있는 여러 위험에 대처할 수 있어야 하고, 종일 산삼을 찾아 헤매다 찾지 못하더라도 심기일전해서 다시 일어설 수 있는 정신력을 갖고 있어야 한다.

심마니들이 쓰는 은어들

심마니들은 산속에서 생길지 모를 위험에 대비해 주로 무리를

지어 산에 오른다. 그래서 심마니들끼리 사용하는 은어가 매우 발
달했다.

심메마니(강원), 먹킹이(함남), 멀커니(평북), 심(강원), 입쌀(강
원), 노루멀커니(평북)

어인(평북), 중어인(평북), 큰어인(평북)

마당너구리(강원), 마당너울(함북), 즈즐페(평북), 너페(평북), 너
펭이(평북), 너피(평북), 니페(평북), 너태마니(강원), 대댕이(평
북), 머긴댕이(평북), 노갱이(평북), 뛰어미(평북), 볼좁이(평북),
끼아기(평북), 끼애기(평북), 끼이기(평북), 목고디(평북), 산중미
리(평북), 긴댕이(평북), 당헤(평안), 쨍그미(평북), 쨍기미(평북),
둥너미(평북), 누룽이(평북), 웅지(평북), 웅치(평북, 함남), 노래맹
이(평북), 노승(평북), 구레미(평북), 도루바리(평북)

텁석부리(평북), 기둥이(평북), 듭새(평북), 부루시리(평북), 부리
시리(평북), 비(평북), 비취(평북), 달시리(평북), 달코(평북), 잣시
리(평북), 네갓바리(평북), 눅지배기(평북), 가나(평북, 함남), 푸
송이(평북), 판시리(평북), 무둑시리(평북), 홀루멘(평북), 홀루면
(평북)

케애리(평북), 애리(평북), 퍼스스리(평북), 맵시리(평북), 탕시리
(평북), 새리괭이(평북), 중머리버슷스리(평북), 흐시리(평북), 흑
시리(평북), 흑실(함남), 마주보기(평북), 아랑주(평북), 어리광이
(평북), 모래미(평북), 세모래(평북), 더너구(평북), 번번이(평북),

무채(평북), 왕모래미(평북)

모당(평북), 모당이(평북), 퉁처니(평북), 퉁거니(평북), 마람구(평북), 마랑구(평북), 마랑두(평북), 살푸(평북), 살피(평북), 쨍금시리(평북), 청시리(평북), 도시리(평북), 깔개시리(평북), 몽시리(평북), 무투(평북), 누역(평북), 동넌(평북), 모둠(평북), 모듭(평북), 어께(평북), 살피개(평북), 기둥제리(평북), 버더이(평북), 버덩이(평북), 버데기(평북), 버뎅이(평북), 버텡이(평북), 깍쟁이(평북), 꼽댕이(평북), 꼽쟁이(평북), 푸게(평북), 잘랭이(평북), 주청이(평북), 잘메(평북), 찌개모둠(평북)

드낙스질간(평북), 드낙시리1(평북), 드내깃간(평북), 디락시리1(평북), 진시리1(평북), 한시리(평북), 조기(평북), 죄망이(평북), 되나지(평북), 드낙시리2(평북), 디락시리2(평북), 골자래(평북), 노대(평북), 투발(평북), 무투진(평북), 넌추리(강원, 평북), 살랑자(평북), 디디개(평북), 정제싸리(평북), 합다가리(평북), 핫다리(평북), 훙시리(평북), 두루저이(평북)

노랑지기(평북), 툴룽이(평북), 메대(함남), 강시리판(평북), 호련(평북), 정짓간(평북), 불거디(평북), 불거지(평북), 불구지(평북), 흘리미(평북), 흘림(평북, 함남), 마니(평북), 통시리(평북), 설피(평북), 잡개(평북), 진시리2(평북), 정제1(평북, 함경), 넙데기(평북), 더펑이1(평북), 농(평북), 농이(평북), 냥푼(평북), 모래(강원), 굴걱지(평북), 굴걸피(평북), 굴겁시리(평북), 낙당갓풀(평북), 정제2(평북), 더펑이2(평북), 왕모래(평북), 더그레(평북), 형데무투(평

북), 히어기(평북), 히에기(평북), 두루중이(평북), 마대(평북), 마
대시리(평북), 벌모둠(평북, 함경), 도자(평북), 독톡이(평북), 날소
댕이(평북), 천동마니(평북), 지노리(평북), 취토(평북), 허비개(평
북), 회구비(평북), 잘메(평북)

더펑이3(평북), 안개시리(평북), 오리방석(강원), 모래기름(강원),
심(평북), 설레(평북), 소리대(평북), 풍시리(평북), 풍어리(평북),
메대기(평북), 차개시리(평북), 별시리(평북), 매치괭이(평북), 더
펑이4(평북), 노랭이(강원), 토시리(평북)

달롱이다(평북), 돋구다(평북), 돋다(강원), 버쿠이다(평북), 버키
다(평북), 동시리하다(평북), 무그리다(함남), 씽길다(평북), 찡길
다(평북), 재각질하다(평북), 재다(평북), 회구비하다(평북)

나뿌지다(평북), 남부지다(평북)

  ‘심메마니’는 강원 지역에서 ‘심마니’를 이르는 말로 ‘심’과 ‘메,
마니’가 결합된 말이다. 산삼을 발견했을 때 심마니들은 ‘심봤다’를
세 번 외친다고 한다. 이때 ‘심’은 분명 ‘산삼’을 의미하는 것으로 보
인다. 그렇다면 ‘심메마니’의 ‘심’도 산삼을 뜻하는 말일까? ‘심메마
니’의 ‘메’는 산의 옛말인 ‘뫼’가 소리 변화를 겪은 것이 분명하다. 그
리고 ‘마니’는 심마니들이 ‘사람’을 이르는 말이다.

  그렇다면 ‘메마니’는 ‘산사람’과 같은 말이므로 ‘심’은 심마니들
이 봤다는 그 ‘심’이 아니다. 이때 ‘심’은 한자어 ‘深’이다. 그렇지 않
고서는 ‘심메마니’가 왜 ‘심마니’의 뜻으로 사용되는지를 설명할 수

○ ∧ □

가 없다. 다시 말해, '심메마니'는 '깊은 산속에 사는 사람'이다. 이 '심메마니'가 산삼꾼, 곧 '심마니'가 되는 것이다.

> **심메마니라는** 축들이 다시 나루에 나타나서 사공의 얼굴에 익다하
> 면 한번 기다려볼 만한 가치는 있었다. _김주영,《객주》

함남 지역에서 쓰이는 '먹킹이'와 강원 지역에서 쓰이는 '심'은 모두 심마니들이 '사람'을 이르는 은어이다. '먹킹이'는 '먹다'의 '먹-'과 '킹이'가 결합된 것으로 보인다. 그런데 '킹이'는 그 말바탕을 어디에 두고 있는지 알기가 어렵다. 평북 지역에서 쓰이는 '멀커니'는 '심마니'라는 뜻으로 사용되기도 하지만, 심마니들이 '사람'을 이르는 말이기도 하다. '노루멀커니'는 '노루'와 '멀커니'가 결합된 말로, 심마니들이 '중국 사람'이나 '만주 사람'을 일컫는 말이다. '노루멀커니'가 왜 '중국 사람'이나 '만주 사람'을 가리키게 되었는지는 '노루'의 말바탕이 밝혀진 후에야 알 수 있을 듯하다.

> **'마니'**는 태백 지역 은어, **'먹킹이'**는 낭림 지역 은어이다.
> _김홍석,《은어와 우리말의 세계》

평북 지역에서 쓰이는 '어인'은 심마니들 사이에서 '경험이 풍부해 산삼 캐는 일에 아주 능숙한 사람'을 뜻한다. 어인에는 '큰어인'과 '중어인'이 있다. '큰어인'은 '심마니들 중에 최고의 심마니'를

뜻하는 말이며 '중어인'은 '큰어인'에 버금가는 심마니를 이르는 말
이다. '마당너구리, 마당너울, 즈즐페'는 각각 강원, 함북, 평북 지역
에서 쓰는 말이다. '마당너구리'는 '마당에 사는 너구리'라는 뜻으로
'개'를 뜻하는 심마니들의 은어이다. '마당너울'은 '마당'과 '너울'이
결합된 말인데, '너울'은 너구리의 옛말 '넝우리(《훈민정음해례》)'가
소리의 변화를 겪은 것이다(넝우리>너우리>너울).

평북 지역에서 쓰이는 '즈즐페'는 한자 '狀牌'의 훈과 음을 그대
로 읽은 '즈즐페'가 단어로 굳어진 것이다. '너페, 너펭이, 너피, 니
페, 너태마니'는 모두 평북과 강원 지역에서 쓰이는 심마니들의 은
어이다. 이 말들은 모두 '곰熊'을 나타낸다. '너피'와 '니페'는 '너페'
가 소리의 변화를 겪은 형태이며 '너펭이'는 '너페'에 '-엉이'가 결
합된 말이다. 강원 지역에서 쓰이는 '너태마니'는 '너태'와 '사람'을
뜻하는 심마니들의 용어 '마니'가 결합된 말로 '곰'을 의인화시킨
듯하다.

> **마당너구리는** 개에 대한 또 다른 표현이고, '공공이'는 짖는 소리에
> 서 유래한 것이다. _김홍석, 《은어와 우리말의 세계》

'대댕이'와 '머긴댕이'는 '구렁이'이를 뜻하는데 그 말바탕이 무
엇인지 알 수가 없다. '노갱이'는 '까마귀'를 뜻하는 심마니들의 말
이다. '뛰어미'는 노루를 뜻하는 말로 노루가 뛰는 모습을 그대로
형상화한 심마니들의 은어이다. '다람쥐'를 뜻하는 '볼좁이'는 '볼'

과 '좁다'의 '좁-', 그리고 명사를 만드는 말 '-이'가 결합된 것으로 다람쥐의 볼을 형상화한 말이다. '끼아기, 끼애기, 끼이기'는 모두 '닭'을 뜻하는 말이다. 이 말들은 모두 '닭'의 울음소리를 흉내 낸 '끼악'과 '-이'가 결합된 것이다. '끼애기'는 '까아기'가 소리의 변화를 겪은 것이고, '끼이기'는 '끼애기'가 변한 말이다.

'목고디, 산중미리'는 모두 '멧돼지'를 이르는 심마니들의 은어로, '목고디'는 '목'과 '곧-, -이'가 결합된 말이다. '목곧이'가 [목고지]와 같이 발음되지 않는 이유는 평안도 지역에서는 'ㄷ'이 'ㅣ'모음 앞에서 'ㅈ'으로 변하는 소리의 변화를 겪지 않았기 때문이다. '산중미리'는 '중미리'와 '산'이 결합된 말이다. '중미리'는 평남과 함남 지역에서 '멧돼지'를 뜻한다. '산중미리'는 '중미리'를 더욱 강조한 것으로 보인다.

'긴댕이, 당헤'는 평안 지역에서 '뱀'을 뜻하는 심마니들의 은어이다. '긴댕이'는 '길다'의 관형형 '긴'과 '댕이'가 결합된 말인데 '댕이'의 정확한 말바탕은 알 수가 없다. 어쩌면 '댕이'는 '댕기'를 뜻하는 말일 수도 있다. 다시 말해 '뱀의 모습'을 '긴 댕기'로 형상화한 말일 가능성이 높다. '쨍그미, 쨍기미'는 평북 지역의 심마니들이 쓰는 '벌蜂'의 다른 말이며 '둥너비'는 '빈대'를 이르는 말이다.

'누룽이, 웅지, 웅치'는 '소牛'를 뜻하는 말들이다. '누룽이'는 소의 털빛을 형상화한 것이며 '웅지'나 '웅치'는 '황소'일 가능성이 높다. 그러나 지금은 그 뜻을 정확히 확인할 길이 없다. '노래맹이'는 '족제비'를 이르는 말이다. '노승'은 '쥐'를 뜻하는 평북 지역 심마니들의 은어인데 '노승'은 '나이 든 스님'으로 해석된다. 그런데 굳이 왜 '쥐'를 '노승'의 비유 대상으로 삼았는지는 의문이다. '구레미, 도루바리'는 '호랑이'를 뜻하는 심마니들의 은어이다.

> 아낙네를 개장마니라느니 뱀을 **긴댕이라느니** 호랑이를 **구레미라느니** 한단 말이네.
>
> _김인수, 《고구려척사》

> 한번은 시퍼런 불이 화등잔같이 꺼무럭거리는 것을 보았는데 덕성이는 그것이 **구레미라고** 했다.
>
> _지오, 《한》

'텁석부리'는 '잔뿌리가 많은 가늘고 긴 산삼'을 뜻하는 말이며 '기둥이'는 '가랑이가 둘로 갈라진 산삼'을 가리킨다. '듭새'는 심마니들이 '버섯'을 이르는 말이고, '부루시리, 부리시리, 비, 비취'는 모두 '산삼'을 이르는 심마니들의 말이다. '달시리'는 '삼딸(삼의 열매)'을 뜻한다. '달코'는 '어린 산삼'을 이르는 말이며 '잣시리'는 '잣'을 뜻하는 심마니들의 은어이다. '네갓바리'는 '하나의 줄기에 가지 네 개가 뻗은 산삼'을, '눅지배기'는 '하나의 줄기에 가지 여섯 개가 뻗은 산삼'을 이르는 말이다. '가나'는 '칡', '푸송이'는 '풀草'을 뜻하는 심마니들의 은어이고, '판시리'와 '무둑시리'는 '한곳에 무리를 지어 자라는 산삼'을 이른다.

> 우리나라 인삼력사라면 응당 **부루시리, 달시리뿐** 아니라 부소달이

○ ∧ □

야기도 해야지. 암, 하구말구.　　　　　　　　　　_김현우,《황성혈흔》

　　'훌루멘, 훌루면, 새리괭이' 모두 '국수'를 의미하는 심마니들의
말인데, '훌루멘'과 '훌루면'은 '훌루'와 '멘' 혹은 '면'이 결합된 말이
다. 이때 '훌루'의 말바탕이 정확히 무엇인지는 알 수 없지만 '훌루'
가 '후루룩'과 같은 말일 가능성도 있어 보인다. '새리괭이'는 '새리'
와 '-괭이'가 결합된 말이며 '새리'는 '사리'가 소리의 변화를 겪은
것이다. '-괭이'는 '-갱이'가 변한 말로 '-갱이(남한에서 간행한 국어사
전에 없는 말이고, 북한에서 출간한《조선말대사전》에 실려 있음)'는 '잘거
나 가는'의 뜻을 더하는 말이다. '탕시리'는 '국羹'을 뜻하는 말로 '탕
湯'과 '시리'가 결합된 형태이다. '중머리버슷스리'는 '중머리'와 '버
슷스리'가 결합된 말로, '중머리'는 멧돼지를 뜻하고 '버슷스리'는
'고기'를 뜻하는데 '퍼스스리'와 같은 말이다. 따라서 '중머리버슷스
리'는 '멧돼지 고기'를 뜻한다.
　　'케애리'는 '계란'을, '애리, 퍼스스리'는 '고기'를 뜻하는 심마니
말인데 도무지 그 말바탕이 무엇인지 알 길이 없다. '맵시리'는 '고
추'를 뜻하는 심마니 말로 '맵-'과 '시리'가 결합된 것이다. '흐시리,
흑시리, 흑실'은 모두 '된장'을 뜻하는 말로 '흐시리'와 '흑시리'는 평
북 지역의 심마니 말이다. '흑실'은 함남 지역의 심마니들이 쓰는
말인데 '흑시리'가 줄어든 형태이다. '마주보기, 아랑주, 어리광이'
는 모두 평북 지역에서 쓰이는 말로 '술酒'을 뜻하는 심마니들의 은
어이다. '모래미'는 '조밥', '세모래'는 '좁쌀'을 뜻하는 심마니들의 말

이며 '번번이'는 '부침개'의 다른 말이다. '무채'는 '산나물'을, '왕모래미'는 '쌀밥'을 뜻하는 말이다.

　'모당, 모당이'는 '털이 붙어 있는 채로 무두질하여 다룬 개의 가죽'을 뜻하는 '개잘량'의 은어이며 '퉁처니, 퉁거니'는 '관솔'을 뜻하는 은어이다. '살푸, 살피'는 '숟가락'을 뜻하는 말인데 '논에 물고를 트거나 막는 데 쓰는 농기구'인 '살포'에서 온 것으로 보인다. '쨍금시리, 청시리'는 모두 '꿀'을 뜻하는 말이며 '도시리'는 사람이 다니는 '길'을 뜻하는 심마니들의 은어이다. '깔개시리'는 '깔개'와 '시리'가 결합된 말로 '깔개'를 뜻한다. '몽시리'는 '몽夢'과 '시리'가 결합된 말로 '꿈'을 뜻하고, '무투'는 '통나무'를 이르는 심마니들의 은어인데 '무투'는 중국어에서 온 말이다.

　'누역, 동넌, 모둠, 모듭, 어께'는 모두 '비바람을 피할 수 있게 간단히 얽어서 지은 막집'을 뜻하는 '누게'를 이르는 말이다. '살피개'는 '살피-'와 '-개'가 합쳐진 말로 '눈眼'의 다른 이름이다. '기둥제리, 버덩이, 버데기, 버뎅이, 버텡이'는 '다리脚'를 뜻하는 말인데, '기둥제리'를 제외하면 모두 '버티다'와 관련 있어 보인다. '깍쟁이, 꼽댕이, 꼽쟁이'는 '담뱃대'를 뜻하고 '푸게'는 '덮개'를 이르는 말이다. '잘랭이, 주청이, 잘메'는 '도끼'를 뜻하는 말이며 '찌개모둠'은 '돌무덤'을 뜻한다. '찌개'는 '짜개'가 변한 말로 '돌맹이'를 뜻하는 심마니들의 은어이다.

　'드낙스질간, 드낙시리1, 드내깃간, 디락시리1'은 모두 '뒷간'을 뜻하는 심마니 말이며 '진시리1'과 '한시리'는 '땀'을 뜻하는 말이다.

○ ∧ □

'진시리1'은 보통 일반적으로 흘리는 '땀'을 뜻하며 '한시리'는 몸이 좋지 않을 때 나는 '식은땀'을 가리킨다. '조기'와 '죄망이'는 '떡메'를 뜻하며 '되나지, 드낙시리2, 디락시리2'는 '똥'을 뜻하는 심마니 말이다.

'골자래, 노대'는 '머리'를 뜻하는 말이고 '투발'은 '머리털'을 가리킨다. '무투진'은 '무투'와 '진'이 결합된 말로 '목침'의 심마니 말이다. '넌추리'는 '바가지', '살랑자'는 '바늘', '디디개'는 '발' 또는 '신발', '모래미'는 '밥', '정제싸리'는 '밥을 지을 때 쓰는 땔나무'를 뜻하는 심마니들의 은어이다. '정제싸리'는 '정제'와 '싸리'가 결합된 말로 '정제'는 부엌의 또 다른 이름이다. '합다가리, 핫다리, 홍시리'는 '배腹'를 뜻하는 심마니 말이며, '두루저이'는 '범벅'의 다른 말이다. '노랑지기'는 '병病', '퉅룽이'는 '병甁'을 뜻하는 심마니들의 은어이다.

'메대'와 '강시리판'은 '부대밭'을 이르는 심마니들의 은어이다. '호련'은 '부싯돌에 쳐서 불이 일어나게 하는 쇳조각'인 '부시'를 뜻하는 말이며, '정짓간'은 부엌을 뜻하는 말이다. '불거디, 불거지, 불구지'는 '불火'을 뜻하는 심마니들의 은어이다. '흘리미'와 '흘림'은 '비雨'를 뜻하는 말인데, '흘림'은 '흘리미'가 줄어든 것이다. '통시리'는 '설사泄瀉'를 의미하는 심마니들의 은어이다.

'설피, 잡개'는 '손手'을 의미하는 말인데 '잡개'의 뜻바탕은 이해가 가지만 '설피'의 뜻바탕이 어디에 있는지는 알 길이 묘연하다. '진시리2'는 '송진'의 심마니 말이며 '정제1'은 '솥'을 이르는 말이다. '넙데기'나 '더펑이1'은 '수건', '농, 농이'는 '시루'를 뜻하는 심마니 말이며, '냥푼'은 '식량'을 나타내는 말이다. '모래, 모래미'는 '쌀'을 뜻하는 말이고 '굴걱지, 굴걸피, 굴겁시리'는 모두 '옷'을 이르는 말이다.

'낙당갓풀'은 '웃음'을 뜻하는 말이고 '정제2'는 '심마니들 사이에서 음식을 만드는 사람'을 뜻한다. '더펑이2'는 '이불', '왕모래'는 '입쌀', '더그레'는 '저고리'를 이르는 심마니 말이다. '형데무투'는 '젓가락'을 뜻하는 말로 '형데'와 '무투'가 결합된 말이다. '형데'는 '형제'와 같은 말이고, '무투'는 중국어를 차용한 말로 '통나무'를 가리킨다. 즉 '형데무투'는 사람을 절로 미소 짓게 만드는 말인 것 같다. '히어기, 히에기'는 '종이, 눈꽃, 서리' 등을 이르는 말인데 그 말 바탕은 '희다'에 있다. '두루중이'는 '이도 저도 아닌 것'을 뜻하며 '마대, 마대시리'는 '지팡이'를 의미하는 말이다. '벌모둠'은 '채삼꾼들이 사는 마을'을 이르고, 평북 지역에서 '칼'의 뜻으로 쓰이는 '도자'는 한자어 '刀子'로 보인다.

> 깡뚱하게 짧은 **더그레** 대신 보기 좋게 치렁치렁한 쪽빛 동달이를 입히고, 수세미 같은 쇠털 벙거지 대신 산호 구슬끈이 달린 전립戰笠을 씌우고…….
>
> _현기영,《변방에 우짖는 새》

'독톡이'는 '쇠붙이로 만든 돈을 땅바닥에 던져 놓고 그것을 맞히면서 내기를 하는 놀이'를 말한다. '날소댕이, 천동마니'는 모두 '풋내기'를 뜻하는 심마니 말이다. '날소댕이'는 '날-'과 '소댕이'가 결합된 말이다. 이때 '날-'은 '익숙하지 못하고 서툰'의 뜻을 더하고 '소댕이'는 '처음 입산하는 사람'을 뜻한다. 즉, '날소댕이'는 '초년생 심마니'를 말한다. 풋내기 심마니를 이르는 '천동마니'는 '천동'과 '마니'가 결합된 것인데 '천동'이 무엇인지는 알 수가 없다.

'지노리'는 '허리띠'를 나타내는 말이며 '취토, 허비개'는 '호미'와 같은 말이다. '허비개'는 '허비-'와 '도구'의 뜻을 더하는 '-개'가 결합된 말로, 그 말바탕이 충분히 이해되지만 '취토'의 말바탕이 무엇인지 알기 어렵다. 다만, 짐작컨대 한자어 '取土(취토)'가 아닌가 싶다. '회구비'는 '심마니들이 산삼을 캐러 나갔다가 산의 오두막으로 돌아오는 일'을 뜻하는 말이다.

'더펑이3, 안개시리'는 '구름'을 이르는 심마니 말이며 '오리방석, 모래기름, 심'은 '물'을 뜻하는 말들이다. '오리방석'은 '오리'와 '방석'이 결합된 말로 필자의 마음을 따뜻하게 해 준 말 중의 하나이다. '설레, 소리대, 풍시리, 풍어리, 메대기, 차개시리'는 모두 '바람', '별시리'는 '별(星)'을 이르는 말이다. '매치괭이'는 '이슬'을 뜻하는 말인데, 아마도 '맺히-'와 '-갱이'가 결합된 것으로 보인다. '더펑이4'는 '하늘'을, '노랭이'는 '해'를, '토시리'는 '흙'을 나타내는 심마니 말이다.

술이 떨어졌으면 허다못해 **오리방석이라두** 떠다 놔야 헐 거 아니유.

_박경래,《문학 속의 충청 방언》

  '달롱이다'는 '매달다'의 뜻으로 쓰이며 '돋구다, 돋다, 버쿠이다, 버키다'는 '산삼을 캐다'라는 뜻이다. 다만 '돋구다, 버쿠이다, 버키다'는 평북 지역에서, '돋다'는 강원 지역에서 쓰이는 말이다. '동시리하다'는 '집이 아닌 바깥에서 밤을 지내다'를 뜻하는 말로, 굳이 표준어로 말하자면 '한둔하다'이다. '무그리다, 씽길다, 찡길다'는 '잠자다'를 뜻하는 심마니 말로 '무그리다'는 함남 지역에서, '씽길다'와 '찡길다'는 평북 지역에서 쓰이는 말이다. '재각질하다'는 '넘어가다'를 뜻하며 '회구비하다'는 '심마니들이 산삼을 캐러 나갔다가 산 오두막으로 다시 돌아오다'를 뜻하는 말이다. '나뿌지다'는 '배부르다', '남부지다'는 '좋다'를 뜻하는 심마니 말이다.

  여기에서 말하고 있는 심마니들의 은어는 극히 일부에 불과할 것이다. 그들의 삶을 모두 이해할 수는 없겠지만, 심마니들의 은어를 통해 그들이 깊은 산중에서 어떤 삶을 살았을지 한 단면이라도 들여다볼 수 있는 것 같다. 어떤 삶이든 주어진 대로 사는 것이 순리라고 한다면, 앞으로 어떻게 살아가야 할지 다시 한번 생각해 봐야 할 때가 아닐까.

○ ㅅ ㅁ

○ ∧ ▢

○ ∧ □

우리말글문화
총서 03

거레의 작은 역사 **방언**

초판 1쇄 2023년 2월 28일
개정판 1쇄 2023년 10월 10일

지은이 이길재
펴낸이 정은영
편집 정혜인, 박지혜, 양승순
디자인 마인드윙+[★]규

펴낸곳 마리북스
출판등록 제2019-000292호
주소 (04037) 서울시 마포구 양화로 59 화승리버스텔 503호
전화 02)336-0729, 0730 **팩스** 070)7610-2870
홈페이지 www.maribooks.com
Email mari@maribooks.com
인쇄 (주)신우인쇄

ISBN 979-11-93270-04-2 03700
　　　　979-11-89943-94-3 04080 (set)

- 이 책은 마리북스가 저작권자와의 계약에 따라 발행한 것이므로 본사의 허락 없이는
  어떠한 형태나 수단으로도 이용하지 못합니다.
- 이 책은 한국출판문화산업진흥원의 〈인문총서 제작지원 사업〉을 통해 발간되었습니다.
- 이 책에 실은 글은 저작권자에게 동의를 얻어 수록한 것입니다.
  일부 연락이 닿지 않은 저작권자는 연락이 닿는 대로 저작권법에 따라 조치하겠습니다.
- 잘못된 책은 바꿔드립니다.
- 가격은 뒤표지에 있습니다.